令和6年版教科書対応

板書で見る全単元の授業のすべて 国語 小学校3年 下

中村和弘 監修
茅野政徳・櫛谷孝徳 編著

東洋館出版社

まえがき

令和２年に全面実施となった小学校の学習指導要領では、これからの時代に求められる資質・能力や教育内容が示されました。

この改訂を受け、これからの国語科では、

・言語活動を通して「言葉による見方・考え方」を働かせながら学習に取り組むことができるようにする。

・単元の目標／評価を、〔知識及び技能〕と〔思考力、判断力、表現力等〕のそれぞれの指導事項を結び付けて設定し、それらの資質・能力が確実に身に付くよう学習過程を工夫する。

・「主体的・対話的で深い学び」の視点から、単元の構成や教材の扱い、言語活動の設定などを工夫する授業改善を行う。

などのことが求められています。

一方で、こうした授業が全国の教室で実現するには、いくつかの難しさを抱えているように思います。例えば、言語活動が重視されるあまり、「国語科の授業で肝心なのは、言葉や言葉の使い方などを学ぶことである」という共通認識が薄れているように感じています。

あるいは、活動には取り組めているけれども、「今日の学習で、どのような言葉の力が付いたのか」が、子供たちだけでなく教師においても、ややもすると自覚的でない授業を見ることもあります。

国語科の授業を通して「どんな力が付けばよいのか」「何を教えればよいのか」という肝心な部分で、困っている先生方が多いのではないかと思います。

＊　＊

さて、『板書で見る全単元の授業のすべて 小学校国語』（本シリーズ）は、平成29年の学習指導要領の改訂を受け、令和２年の全面実施に合わせて初版が刊行されました。このたび、令和６年版の教科書改訂に合わせて、本シリーズも改訂することになりました。

GIGA スクール構想に加え、新型コロナウイルス感染症の猛威などにより、教室での ICT 活用が急速に進み、この４年間で授業の在り方、学び方も大きく変わりました。改訂に当たっては、単元配列や教材の入れ替えなど新教科書に対応するだけでなく、ICT の効果的な活用方法や、個別最適な学びと協働的な学びを充実させるための手立てなど、今求められる授業づくりを発問と子供の反応例、板書案などを通して具体的に提案しています。

＊　＊

日々教室で子供たちと向き合う先生に、「この単元はこんなふうに授業を進めていけばよいのか」「国語の授業はこんなところがポイントなのか」と、国語科の授業づくりの楽しさを感じながらご活用いただければ幸いです。

令和６年４月

中村　和弘

本書活用のポイント―単元構想ページ―

本書は、各学年の全単元について、単元全体の構想と各時間の板書のイメージを中心とした本時案を紹介しています。各単元の冒頭にある単元構想ページの活用のポイントは次のとおりです。

教材名と指導事項、関連する言語活動例

本書の編集に当たっては、令和6年発行の光村図書出版の国語教科書を参考にしています。まずは、各単元で扱う教材とその時数、さらにその下段に示した学習指導要領に即した指導事項や関連する言語活動例を確かめましょう。

単元の目標

単元の目標を示しています。各単元で身に付けさせたい資質・能力の全体像を押さえておきましょう。

評価規準

ここでは、指導要録などの記録に残すための評価を取り上げています。本書では、記録に残すための評価は❶❷のように色付きの丸数字で統一して示しています。本時案の評価で色付きの丸数字が登場したときには、本ページの評価規準と併せて確認することで、より単元全体を意識した授業づくりができるようになります。

同じ読み方の漢字 （2時間扱い）

単元の目標

知識及び技能	・第5学年までに配当されている漢字を読むことができる。第4学年までに配当されている漢字を書き、文や文章の中で使うとともに、第5学年に配当されている漢字を漸次書き、文や文章の中で使うことができる。((1)エ)
学びに向かう力、人間性等	・言葉がもつよさを認識するとともに、進んで読書をし、国語の大切さを自覚して思いや考えを伝え合おうとする。

評価規準

知識・技能	❶第5学年までに配当されている漢字を読んでいる。第4学年までに配当されている漢字を書き、文や文章の中で使うとともに、第5学年に配当されている漢字を漸次書き、文や文章の中で使っている。((知識及び技能)(1)エ)
主体的に学習に取り組む態度	❷同じ読み方の漢字の使い分けに関心をもち、同訓異字や同音異義語について進んで調べたり使ったりして、学習課題に沿って、それらを理解しようとしている。

単元の流れ

時	主な学習活動	評価
1	学習の見通しをもつ 同訓異字を扱ったメールのやり取りを見て、気付いたことを発表する。 同訓異字と同音異義語について調べるという見通しをもち、学習課題を設定する。 同じ読み方の漢字について調べ、使い分けられるようになろう。 教科書の問題を解き、同訓異字や同音異義語を集める。 〈課外〉・同訓異字や同音異義語を集める。 ・集めた言葉を教室に掲示し、共有する。	❶
2	集めた同訓異字や同音異義語から調べる言葉を選び、意味や使い方を調べ、ワークシートにまとめる。 調べたことを生かして、例文やクイズを作って紹介し合い、同訓異字や同音異義語の意味や使い方について理解する。 学習を振り返る 学んだことを振り返り、今後に生かしていきたいことを発表する。	❷

授業づくりのポイント

〈単元で育てたい資質・能力〉

本単元のねらいは、同じ読み方の漢字の理解を深め、正しく使うことができるようにすることである。

同じ読み方の漢字
156

単元の流れ

単元の目標や評価規準を押さえた上で、授業をどのように展開していくのかの大枠をここで押さえます。各展開例は学習活動ごとに構成し、それぞれに対応する評価をその右側の欄に示しています。

ここでは、「評価規準」で挙げた記録に残すための評価のみを取り上げていますが、本時案では必ずしも記録には残さない、指導に生かす評価も示しています。本時案での詳細かつ具体的な評価の記述と併せて確認することで、指導と評価の一体化を意識することが大切です。

また、学習の見通しをもつ 学習を振り返るという見出しが含まれる単元があります。見通しをもたせる場面と振り返りを行う場面を示すことで、教師が子供の学びに向かう姿を見取ったり、子供自身が自己評価を行う機会を保障したりすることに活用できるようにしています。

そのためには、どのような同訓異字や同音異義語があるか、国語辞典や漢字辞典などを使って進んで集めたり意味を調べたりすることに加えて、実際に使われている場面を想像する力が必要となる。
選んだ言葉の意味や使い方を調べ、例文やクイズを作ることで、漢字の意味を捉えたり、場面に応じて使い分けたりする力を育む。

［具体例］
○教科書に取り上げられている「熱い」「暑い」「厚い」を国語辞典で調べると、その言葉の意味とともに、熟語や対義語、例文が掲載されている。それらを使って、どう説明したら意味が似通っているときでも正しく使い分けることができるかを考え、理解を深めることができる。

〈教材・題材の特徴〉
教科書で扱われている同訓異字や同音異義語は、子どもに身に付けさせたい漢字や言葉ばかりであるが、ともすれば練習問題的な扱いになりがちである。子ども一人一人に応じた配慮をしながら、主体的に考えて取り組める活動にすることが大切である。
本教材での学習を通して、同訓異字や同音異義語が多いという日本語の特色とともに、一文字で意味をもち、使い分けることができる漢字の豊かさに気付かせたい。そのことが、漢字に対する興味・関心や学習への意欲を高めることになる。

［具体例］
○導入では、同訓異字によってすれ違いが起こる事例を提示する。生活の中で起こりそうな場面を設定することで、これから学習することへの興味・関心を高めるとともに、その事例の内容から課題を見つけ、学習の見通しをもたせることができる。

〈言語活動の工夫〉
数多くある同訓異字や同音異義語を区別して正しく使えるようになることを目標に、集めた言葉を付箋紙またはホワイトボードアプリにまとめる。言葉を集める際は、「自分たちが使い分けられるようになりたい漢字」という視点で集めることで、主体的に学習に取り組めるようにする。
さらに、例文やクイズを作成する過程では、使い分けができるような内容になっているかどうか、友達と互いにアドバイスし合いながら対話的に学習を進められるようにする。自分が理解するだけでなく、友達に自分が調べたことを分かりやすく伝えたいという相手意識を大切にしたい。

〈ICT の効果的な活用〉
調査：言葉集めの際は、国語辞典や漢字辞典を用いたい。しかし、辞典の扱いが厳しい児童にはインターネットでの検索を用いてもよいこととし、意味や例文の確認のために辞典を活用するよう声を掛ける。
記録：集めた言葉をホワイトボードアプリに記録していくことで、どんな言葉が集まったのかをクラスで共有することができる。
共有：端末のプレゼンテーションソフトなどを用いて例文を作り、同訓異字や同音異義語の部分を空欄にしたり、選択問題にしたりすることで、もっとクイズを作りたい、友達と解き合いたいという意欲につなげたい。

157

授業づくりのポイント

ここでは、各単元の授業づくりのポイントを取り上げています。
全ての単元において〈単元で育てたい資質・能力〉を解説しています。単元で育てたい資質・能力を確実に身に付けさせるために、気を付けたいポイントや留意点に触れています。授業づくりに欠かせないポイントを押さえておきましょう。
他にも、単元や教材文の特性に合わせて〈教材・題材の特徴〉〈言語活動の工夫〉〈他教材や他教科との関連〉〈子供の作品やノート例〉〈並行読書リスト〉などの内容を適宜解説しています。これらの解説を参考にして、学級の実態に応じた工夫を図ることが大切です。各項目では解説に加え、具体例も挙げていますので、併せてご確認ください。

ICT の効果的な活用

1人1台端末の導入・活用状況を踏まえ、本単元における ICT 端末の効果的な活用について、「調査」「共有」「記録」「分類」「整理」「表現」などの機能ごとに解説しています。活用に当たっては、学年の発達段階や、学級の子供の実態に応じて取捨選択し、アレンジすることが大切です。
本ページ、また本時案ページを通して、具体的なソフト名は使用せず、原則、下記のとおり用語を統一しています。ただし、アプリ固有の機能などについて説明したい場合はアプリ名を記載することとしています。
〈ICT ソフト：統一用語〉
Safari、Chrome、Edge →ウェブブラウザ ／ Pages、ドキュメント、Word →文書作成ソフト
Numbers、スプレッドシート、Excel →表計算ソフト ／ Keynote、スライド、PowerPoint →プレゼンテーションソフト ／ クラスルーム、Google Classroom、Teams →学習支援ソフト

本書活用のポイント―本時案ページ―

単元の各時間の授業案は、板書のイメージを中心に、目標や評価、学習の進め方などを合わせて見開きで構成しています。各単元の本時案ページの活用のポイントは次のとおりです。

本時の目標

本時の目標を示しています。単元構想ページとは異なり、各時間の内容により即した目標を示していますので、「授業の流れ」などと併せてご確認ください。

本時の主な評価

ここでは、各時間における評価について２種類に分類して示しています。それぞれの意味は次のとおりです。

○❶❷などの色付き丸数字が付いている評価

指導要録などの記録に残すための評価を表しています。単元構想ページにある「単元の流れ」の表に示された評価と対応しています。各時間の内容に即した形で示していますので、具体的な評価のポイントを確認することができます。

○「・」の付いている評価

必ずしも記録に残さない、指導に生かす評価を表しています。以降の指導に反映するための教師の見取りとして大切な視点です。指導との関連性を高めるためにご活用ください。

本時案

同じ読み方の漢字

本時の目標

・同訓異字と同音異義語について知り、言葉や漢字への興味を高めることができる。

本時の主な評価

❶同訓異字や同音異義語を集めて、それぞれの意味を調べている。【知・技】

・漢字や言葉の読みと意味の関係に興味をもち、進んで調べたり考えたりしている。

資料等の準備

・メールのやりとりを表す掲示物

・国語辞典

・漢字辞典

・関連図書（『ことばの使い分け辞典』学研プラス、『同音異義語・同訓異字①②』童心社、『のびーる国語　使い分け漢字』KADOKAWA）

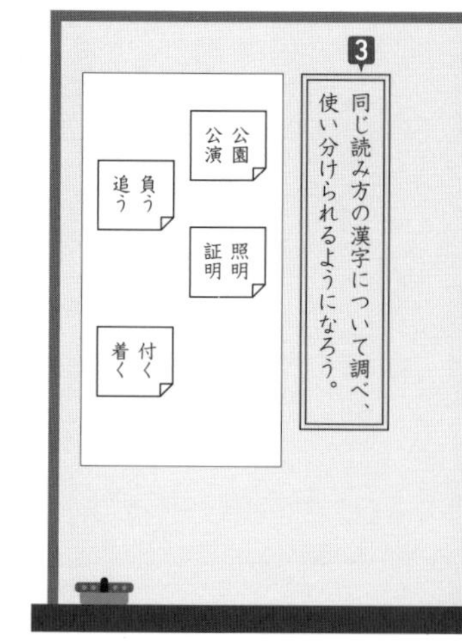

授業の流れ ▷▷▷

1　同訓異字を扱ったやり取りを見て、気付いたことを発表する　〈10分〉

T　今から、あるやり取りを見せます。どんな学習をするのか、考えながら見てください。

○「移す」と「写す」を使ったやり取りを見せることで、同訓異字の存在に気付いてその特徴を知り、興味・関心を高められるようにする。

・「移す」と「写す」で意味の行き違いが生まれてしまいました。

・同じ読み方でも、意味が違う漢字の学習をするのだと思います。

・自分も、どの漢字を使えばよいのか迷った経験があります。

ICT 端末の活用ポイント

メールのやり取りは、掲示物ではなく、プレゼンテーションソフトで作成し、アニメーションで示すと、より生活経験に近づく。

2　学習のめあてを確認し、同訓異字と同音異義語について知る　〈10分〉

T　教科書 p.84の「あつい」について、合う言葉を線で結びましょう。

・「熱い」と「暑い」は意味が似ているから、間違えやすいな。

T　このように、同じ訓の漢字や同じ音の熟語が日本語にはたくさんあります。それらの言葉を集めて、どんな使い方をするのか調べてみましょう。

○「同じ訓の漢字（同訓異字）」と「同じ音の熟語（同音異義語）」を押さえ、訓読みと音読みの違いを理解できるようにする。

同じ読み方の漢字
158

資料等の準備

ここでは、板書をつくる際に準備するとよいと思われる絵やカード等について、箇条書きで示しています。なお、[⇩]の付いている付録資料については、巻末にダウンロード方法を示しています。

ICT 端末の活用ポイント／ICT 等活用アイデア

必要に応じて、活動の流れの中での ICT 端末の活用の具体例や、本時における ICT 活用の効果などを解説しています。

学級の子供の実態に応じて取り入れ、それぞれの考えや意見を瞬時に共有したり、分類することで思考を整理したり、記録に残して見返すことで振り返りに活用したりなど、学びを深めるための手立てとして活用しましょう。

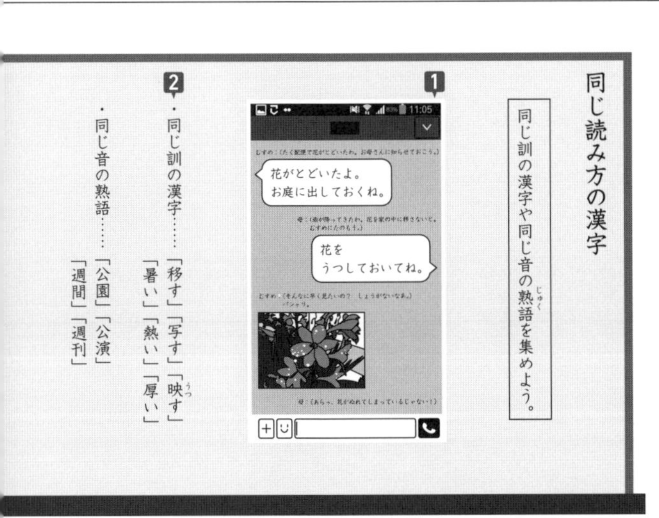

3 教科書の問題を解き、同訓異字や同音異義語を集める 〈25分〉

T 同じ訓の漢字や同じ音の熟語は、意味を考えて、どの漢字を使うのが適切かを考えなければなりません。教科書の問題を解いて、練習してみましょう。

○初めから辞典で調べるのではなく、まずは子ども自身で意味を考えさせたい。難しい子どもには、ヒントとなるような助言をする。

T これまで習った漢字の中から、自分たちが使い分けられるようになりたい同じ訓の漢字や、同じ音の熟語を集めてみましょう。

○漢字辞典や国語辞典だけでなく、関連図書を準備しておくとよい。

T 次時は、理解を深めたい字の使い分け方について調べて、友達に伝えましょう。

ICT 等活用アイデア

調査活動を広げる工夫

第1時と第2時の間の課外で、同訓異字・同音異義語を集める活動を行う。辞典だけでなく、経験やインタビュー、さらにインターネットなどを活用するとよい。

また、集めた言葉を「同じ訓の字」と「同じ音の熟語」に分けてホワイトボードアプリに記録していくことで、友達がどんな言葉を見つけたのか、どのくらい集まったのかをクラスで共有することができる。

第1時
159

本時の板書例

子供たちの学びを活性化させ、授業の成果を視覚的に確認するための板書例を示しています。学習活動に関する項立てだけでなく、子供の発言例なども示すことで、板書全体の構成をつかみやすくなっています。

板書に示されている 1 2 などの色付きの数字は、「授業の流れ」の各展開と対応しています。どのタイミングで何を提示していくのかを確認し、板書を効果的に活用することを心掛けましょう。

色付きの吹き出しは、板書をする際の留意点です。実際の板書では、テンポよくまとめる必要がある部分があったり、反対に子供の発言を丁寧に記していく必要がある部分があったりします。留意点を参考にすることで、メリハリをつけて板書を作ることができるようになります。

その他、色付きの文字で示された部分は実際の板書には反映されない部分です。黒板に貼る掲示物などが当たります。

これらの要素をしっかりと把握することで、授業展開と一体となった板書を作り上げることができます。

よりよい授業へのステップ

ここでは、本時の指導についてポイントを絞って解説しています。授業を行うに当たって、子供がつまずきやすいポイントやさらに深めたい内容について、各時間の内容に即して実践的に示しています。よりよい授業づくりのために必要な視点を押さえましょう。

授業の流れ

1時間の授業をどのように展開していくのかについて示しています。

各展開例について、主な学習活動とともに目安となる時間を示しています。導入に時間を割きすぎたり、主となる学習活動に時間を取れなかったりすることを避けるために、時間配分もしっかりと確認しておきましょう。

各展開は、T：教師の発問や指示等、・：予想される子供の反応例、〇：留意点等の3つの内容で構成されています。この展開例を参考に、各学級の実態に合わせてアレンジを加え、より効果的な授業展開を図ることが大切です。

板書で見る全単元の授業のすべて
国語 小学校３年下 ―令和６年版教科書対応―
もくじ

1 第３学年における授業づくりのポイント

2 第３学年の授業展開

1

第３学年における授業づくりのポイント

「主体的・対話的で深い学び」を目指す授業づくりのポイント

1 国語科における「主体的・対話的で深い学び」の実現

平成29年告示の学習指導要領では、国語科の内容は育成を目指す資質・能力の３つの柱の整理を踏まえ、〔知識及び技能〕と〔思考力、判断力、表現力等〕から編成されている。これらの資質・能力は、国語科の場合は言語活動を通して育成される。

つまり、子供の取り組む言語活動が充実したものであれば、その活動を通して、教師の意図した資質・能力は効果的に身に付くということになる。逆に、子供にとって言語活動がつまらなかったり気が乗らなかったりすると、資質・能力も身に付きにくいということになる。

ただ、どんなに言語活動が魅力的であったとしても、あるいは子供が熱中して取り組んだとしても、それらを通して肝心の国語科としての資質・能力が身に付かなければ、本末転倒ということになってしまう。

このように、国語科における学習活動すなわち言語活動は、きわめて重要な役割を担っている。その言語活動の質を向上させていくための視点が、「主体的・対話的で深い学び」ということになる。学習指導要領の「指導計画の作成と内容の取扱い」では、次のように示されている。

> 単元など内容や時間のまとまりを見通して、その中で育む資質・能力の育成に向けて、児童の主体的・対話的で深い学びの実現を図るようにすること。その際、言葉による見方・考え方を働かせ、言語活動を通して、言葉の特徴や使い方などを理解し自分の思いや考えを深める学習の充実を図ること。

ここにあるように、「主体的・対話的で深い学び」の実現は、「資質・能力の育成に向けて」工夫されなければならない点を確認しておきたい。

2 主体的な学びを生み出す

例えば、「読むこと」の学習では、子供の読む力は、何度も文章を読むことを通して高まる。ただし、「読みましょう」と教師に指示されて読むよりも、「どうしてだろう」と問いをもって読んだり、「こんな点を考えてみよう」と目的をもって読んだりした方が、ずっと効果的である。問いや目的は、子供の自発的な読みを促してくれる。

教師からの「〇場面の人物の気持ちを考えましょう」という指示的な学習課題だけでは、こうした自発的な読みが生まれにくい。「〇場面の人物の気持ちは、前の場面と比べてどうか」「なぜ、変化したのか」「ＡとＢと、どちらの気持ちだと考えられるか」など、子供の問いや目的につながる課題や発問を工夫することが、主体的な学びの実現へとつながる。

この点は、「話すこと・聞くこと」や「書くこと」の授業でも同じである。「まず、こう書きましょう」「書けましたか。次はこう書きましょう」という指示の繰り返しで書かせていくと、活動がいつの間にか作業になってしまう。それだけではなく、「どう書けばいいと思う？」「前にどんな書き方を習った？」「どう工夫して書けばいい文章になるだろう？」などのように、子供に問いかけ、考えさせながら書かせていくことで、主体的な学びも生まれやすくなる。

3 対話的な学びを生み出す

対話的な学びとして、グループで話し合う活動を取り入れても、子供たちに話し合いたいことがなければ、形だけの活動になってしまう。活動そのものが大切なのではなく、何かを解決したり考えたりする際に、１人で取り組むだけではなく、近くの友達や教師などの様々な相手に、相談したり自分の考えを聞いてもらったりすることに意味がある。

そのためには、例えば、「疑問（〇〇って、どうなのだろうね？）」「共感や共有（ねえ、聞いてほしいんだけど……）」「目的（いっしょに、〇〇しよう！）」「相談（〇〇をどうしたらいいのかな）」などをもたせることが有用である。その上で、何分で話し合うのか（時間）、誰と話し合うのか（相手）、どのように話し合うのか（方法や形態）といったことを工夫するのである。

また、国語における対話的な学びでは、相手や対象に「耳を傾ける」ことが大切である。相手の言っていることにしっかり耳を傾け、「何を言おうとしているのか」という意図など考えながら聞くということである。

大人でもそうだが、思っていることや考えていることなど、頭の中の全てを言葉で言い表すことはできない。だからこそ、聞き手は、相手の言葉を手がかりにしながら、その人がうまく言葉にできていない思いや考え、意図を汲み取って聞くことが大切になってくる。

聞くとは、受け止めることであり、フォローすることである。聞き手がそのように受け止めてくれることで、話し手の方も、うまく言葉にできなくても口を開くことができる。対話的な学びとは、話し手と聞き手とが、互いの思いや考えをフォローし合いながら言語化する共同作業である。対話することを通して、思いや考えが言葉になり、そのことが思考を深めることにつながる。

国語における対話的な学びの場面では、こうした言葉の役割や対話をすることの意味などに気付いていくことも、言葉を学ぶ教科だからこそ、大切にしていきたい。

4 深い学びを生み出す

深い学びを実現するには、言葉による見方・考え方を働かせ、言語活動を通して国語科としての資質・能力を身に付けることが欠かせない（「言葉による見方・考え方」については、次ページを参照）。授業を通して、子供の中に、言葉や言葉の使い方についての発見や更新が生まれるということである。

国語の授業は、言語活動を通して行われるため、どうしても活動することが目的化しがちである。だからこそ、読むことでも書くことでも、「どのような言葉や言葉の使い方を学習するために、この活動を行っているのか」を、常に意識して授業を考えていくことが最も大切である。

そのためには、例えば、学習指導案の本時の目標と評価を、できる限り明確に書くようにすることが考えられる。「〇場面を読んで、人物の気持ちを想像する」という目標では、どのような語句や表現に着目し、どのように想像させるのかがはっきりしない。教材研究などを通して、この場面で深く考えさせたい叙述や表現はどこなのかを明確にすると、学習する内容も焦点化される。つまり、本時の場面の中で、どの語句や表現に時間をかけて学習すればよいかが見えてくる。全部は教えられないので、扱う内容の焦点化を図るのである。焦点化した内容について、課題の設定や言語活動を工夫して、子供の学びを深めていく。言葉や言葉の使い方についての、発見や更新を促していく。評価についても同様で、何がどのように読めればよいのかを、子供の姿で考えることでより具体的になる。

このように、授業のねらいが明確になり、扱う内容が焦点化されると、その部分の学習が難しい子供への手立ても、具体的に用意することができる。どのように助言したり、考え方を示したりすればその子供の学習が深まるのかを、個別に具体的に考えていくのである。

「言葉による見方・考え方」を働かせる授業づくりのポイント

1 「言葉を学ぶ」教科としての国語科の授業

国語科は「言葉を学ぶ」教科である。

物語を読んで登場人物の気持ちについて話し合っても、説明文を読んで分かったことを新聞にまとめても、その言語活動のさなかに、「言葉を学ぶ」ことが子供の中に起きていなければ、国語科の学習に取り組んだとは言いがたい。

「言葉を学ぶ」とは、普段は意識することのない「言葉」を学習の対象とすることであり、これもまたあまり意識することのない「言葉の使い方」（話したり聞いたり書いたり読んだりすること）について、意識的によりよい使い方を考えたり向上させたりしていくことである。

例えば、国語科で「ありの行列」という説明的文章を読むのは、アリの生態や体の仕組みについて詳しくなるためではない。その文章が、どのように書かれているかを学ぶために読む。だから、文章の構成を考えたり、説明の順序を表す接続語に着目したりする。あるいは、「問い」の部分と「答え」の部分を、文章全体から見つけたりする。

つまり、国語科の授業では、例えば、文章の内容を読み取るだけでなく、文章中の「言葉」の意味や使い方、効果などに着目しながら、筆者の書き方の工夫を考えることなどが必要である。また、文章を書く際にも、構成や表現などを工夫し、試行錯誤しながら相手や目的に応じた文章を書き進めていくことなどが必要となってくる。

2 言葉による見方・考え方を働かせるとは

平成29年告示の学習指導要領では、小学校国語科の教科の目標として「言葉による見方・考え方を働かせ、言語活動を通して、国語で正確に理解し適切に表現する資質・能力を次のとおり育成することを目指す」とある。その「言葉による見方・考え方を働かせる」ということついて、『小学校学習指導要領解説　国語編』では、次のように説明されている。

> 言葉による見方・考え方を働かせるとは、児童が学習の中で、対象と言葉、言葉と言葉との関係を、言葉の意味、働き、使い方等に着目して捉えたり問い直したりして、言葉への自覚を高めることであると考えられる。様々な事象の内容を自然科学や社会科学等の視点から理解することを直接の学習目的としない国語科においては、言葉を通じた理解や表現及びそこで用いられる言葉そのものを学習対象としている。このため、「言葉による見方・考え方」を働かせることが、国語科において育成を目指す資質・能力をよりよく身に付けることにつながることとなる。

一言でいえば、言葉による見方・考え方を働かせるとは、「言葉」に着目し、読んだり書いたりする活動の中で、「言葉」の意味や働き、その使い方に目を向け、意識化していくことである。

前に述べたように、「ありの行列」という教材を読む場合、文章の内容の理解のみを授業のねらいとすると、理科の授業に近くなってしまう。もちろん、言葉を通して内容を正しく読み取ることは、国語科の学習として必要なことである。しかし、接続語に着目したり段落と段落の関係を考えたりと、文章中に様々に使われている「言葉」を捉え、その意味や働き、使い方などを検討していくことが、言葉による見方・考え方を働かせることにつながる。子供たちに、文章の内容への興味をもたせるとともに、書かれている「言葉」を意識させ、「言葉そのもの」に関心をもたせることが、国語科の授業では大切となる。

3 〔知識及び技能〕と〔思考力、判断力、表現力等〕

言葉による見方・考え方を働かせながら、文章を読んだり書いたりさせるためには、〔知識及び技能〕の事項と〔思考力、判断力、表現力等〕の事項とを組み合わせて、授業を構成していくことが必要となる。文章の内容ではなく、接続語の使い方や文末表現への着目、文章構成の工夫や比喩表現の効果など、文章の書き方に目を向けて考えていくためには、そもそもそういった種類の「言葉の知識」が必要である。それらは主に〔知識及び技能〕の事項として編成されている。

一方で、そうした知識は、ただ知っているだけでは、読んだり書いたりするときに生かされてこない。例えば、文章構成に関する知識を使って、今読んでいる文章について、構成に着目してその特徴や筆者の工夫を考えてみる。あるいは、これから書こうとしている文章について、様々な構成の仕方を検討し、相手や目的に合った書き方を工夫してみる。これらの「読むこと」や「書くこと」などの領域は、〔思考力、判断力、表現力等〕の事項として示されているので、どう読むか、どう書くかを考えたり判断したりする言語活動を組み込むことが求められている。

このように、言葉による見方・考え方を働かせながら読んだり書いたりするには、「言葉」に関する知識・技能と、それらをどう駆使して読んだり書いたりすればいいのかという思考力や判断力などの、両方の資質・能力が必要となる。単元においても、〔知識及び技能〕の事項と〔思考力、判断力、表現力等〕の事項とを両輪のように組み合わせて、目標／評価を考えていくことになる。先に引用した『解説』の最後に、「『言葉による見方・考え方』を働かせることが、国語科において育成を目指す資質・能力をよりよく身に付けることにつながる」としているのも、こうした理由からである。

4 他教科等の学習を深めるために

もう１つ大切なことは、言葉による見方・考え方を働かせることが、各教科等の学習にもつながってくる点である。一般的に、学習指導要領で使われている「見方・考え方」とは、その教科の学びの本質に当たるものであり、教科固有のものであるとして説明されている。ところが、言葉による見方・考え方は、他教科等の学習を深めることとも関係してくる。

これまで述べてきたように、国語科で文章を読むときには、書かれている内容だけでなく、どう書いてあるかという「言葉」の面にも着目して読んだり考えたりしていくことが大切である。

この「言葉」に着目し、意味を深く考えたり、使い方について検討したりすることは、社会科や理科の教科書や資料集を読んでいく際にも、当然つながっていくものである。例えば、言葉による見方・考え方が働くということは、社会の資料集や理科の教科書を読んでいるときにも、「この言葉の意味は何だろう、何を表しているのだろう」と、言葉と対象の関係を考えようとしたり、「この用語と前に出てきた用語とは似ているが何が違うのだろう」と言葉どうしを比較して検討しようとしたりするということである。

教師が、「その言葉の意味を調べてみよう」「用語同士を比べてみよう」と言わなくても、子供自身が言葉による見方・考え方を働かせることで、そうした学びを自発的にスタートさせることができる。国語科で、言葉による見方・考え方を働かせながら学習を重ねてきた子供たちは、「言葉」を意識的に捉えられる「構え」が生まれている。それが他の教科の学習の際にも働くのである。

言語活動に取り組ませる際に、どんな「言葉」に着目させて、読ませたり書かせたりするのかを、教材研究などを通してしっかり捉えておくことが大切である。

学習評価のポイント

1 国語科における評価の観点

各教科等における評価は、平成29年告示の学習指導要領に沿った授業づくりにおいても、観点別の目標準拠評価の方式である。学習指導要領に示される各教科等の目標や内容に照らして、子供の学習状況を評価するということであり、評価の在り方としてはこれまでと大きく変わることはない。

ただし、その学習指導要領そのものが、「知識及び技能」「思考力、判断力、表現力等」「学びに向かう力、人間性等」の資質・能力の３つの柱で、目標や内容が構成されている。そのため、観点別学習状況の評価についても、この３つの柱に基づいた観点で行われることとなる。

国語科の評価観点も、これまでの５観点から次の３観点へと変更される。

「(国語への) 関心・意欲・態度」 「話す・聞く能力」 「書く能力」 「読む能力」 「(言語についての) 知識・理解 (・技能)」	→	「知識・技能」 「思考・判断・表現」 「主体的に学習に取り組む態度」

2 「知識・技能」「思考・判断・表現」の評価規準

国語科の評価観点のうち、「知識・技能」と「思考・判断・表現」については、それぞれ学習指導要領に示されている〔知識及び技能〕と〔思考力、判断力、表現力等〕と対応している。

例えば、低学年の「話すこと・聞くこと」の領域で、夏休みにあったことを紹介する単元があり、次の２つの指導事項を身に付けることになっていたとする。

・音節と文字との関係、アクセントによる語の意味の違いなどに気付くとともに、姿勢や口形、発声や発音に注意して話すこと。　〔知識及び技能〕(1)イ
・相手に伝わるように、行動したことや経験したことに基づいて、話す事柄の順序を考えること。　〔思考力、判断力、表現力等〕A話すこと・聞くことイ

この単元の学習評価を考えるには、これらの指導事項が身に付いた状態を示すことが必要である。したがって、評価規準は次のように設定される。

「知識・技能」	姿勢や口形、発声や発音に注意して話している。
「思考・判断・表現」	「話すこと・聞くこと」において、相手に伝わるように、行動したことや経験したことに基づいて、話す事柄の順序を考えている。

このように、「知識・技能」と「思考・判断・表現」の評価については、単元で扱う指導事項の文末を「〜こと」から「〜している」として置き換えると、評価規準を作成することができる。その際、単元で育成したい資質・能力に照らして、指導事項の文言の一部を用いて評価規準を作成する場合もあることに気を付けたい。また、「思考・判断・表現」の評価を書くにあたっては、例のように、冒頭に「『話すこと・聞くこと』において」といった領域名を明記すること（「書くこと」「読む

こと」も同様）も必要である。

3 「主体的に学習に取り組む態度」の評価規準

一方で、「主体的に学習に取り組む態度」の評価については、指導事項の文言をそのまま使うということができない。学習指導要領では、「学びに向かう力、人間性等」については教科の目標や学年の目標に示されてはいるが、指導事項としては記載されていないからである。そこで、「主体的に学習に取り組む態度」の評価規準は、それぞれの単元で、育成する資質・能力と言語活動に応じて、次のように作成する必要がある。

「主体的に学習に取り組む態度」の評価規準は、次の①～④の内容で構成される（〈　〉内は当該内容の学習上の例示）。

①粘り強さ〈積極的に、進んで、粘り強く等〉
②自らの学習の調整〈学習の見通しをもって、学習課題に沿って、今までの学習を生かして等〉
③他の２観点において重点とする内容（特に、粘り強さを発揮してほしい内容）
④当該単元（や題材）の具体的な言語活動（自らの学習の調整が必要となる具体的な言語活動）

先の低学年の「話すこと・聞くこと」の単元の場合でいえば、この①～④の要素に当てはめてみると、例えば、①は「進んで」、②は「今までの学習を生かして」、③は「相手に伝わるように話す事柄の順序を考え」、④は「夏休みの出来事を紹介している」とすることができる。

この①～④の文言を、語順などを入れ替えて自然な文とすると、この単元での「主体的に学習に取り組む態度」の評価規準は、

「主体的に学習に取り組む態度」	進んで相手に伝わるように話す事柄の順序を考え、今までの学習を生かして、夏休みの出来事を紹介しようとしている。

と設定することができる。

4 評価の計画を工夫して

学習指導案を作る際には、「単元の指導計画」などの欄に、単元のどの時間にどのような言語活動を行い、どのような資質・能力の育成をして、どう評価するのかといったことを位置付けていく必要がある。評価規準に示した子供の姿を、単元のどの時間でどのように把握し記録に残すかを、計画段階から考えておかなければならない。

ただし、毎時間、全員の学習状況を把握して記録していくということは、現実的には難しい。そこで、ABC といった記録に残す評価活動をする場合と、記録には残さないが、子供の学習の様子を捉え指導に生かす評価活動をする場合との、２つの学習評価の在り方を考えるとよい。

記録に残す評価は、評価規準に示した子供の学習状況を、原則として言語活動のまとまりごとに評価していく。そのため、単元のどのタイミングで、どのような方法で評価するかを、あらかじめ計画しておく必要がある。一方、指導に生かす評価は、毎時間の授業の目標などに照らして、子供の学習の様子をそのつど把握し、日々の指導の工夫につなげていくことがポイントである。

こうした２つの学習評価の在り方をうまく使い分けながら、子供の学習の様子を捉えられるようにしたい。

板書づくりのポイント

1 縦書き板書の意義

国語科の板書のポイントの１つは、「縦書き」ということである。教科書も縦書き、ノートも縦書き、板書も縦書きが基本となる。

また、学習者が小学生であることから、板書が子供たちに与える影響が大きい点も見過ごすことができない。整わない板書、見にくい板書では子供たちもノートが取りにくい。また、子供の字は教師の字の書き方に似てくると言われることもある。

教師の側では、ICT 端末や電子黒板、デジタル教科書を活用し、いわば「書かないで済む板書」の工夫ができるが、子供たちのノートは基本的に手書きである。教師の書く縦書きの板書は、子供たちにとっては縦書きで字を書いたりノートを作ったりするときの、欠かすことのできない手がかりとなる。

デジタル機器を上手に使いこなしながら、手書きで板書を構成することのよさを再確認したい。

2 板書の構成

基本的には、黒板の右側から書き始め、授業の展開とともに左向きに書き進め、左端に最後のまとめなどがくるように構成していく。板書は45分の授業を終えたときに、今日はどのような学習に取り組んだのかが、子供たちが一目で分かるように書き進めていくことが原則である。

黒板の右側　授業の始めに、学習日、単元名や教材名、本時の学習課題などを書く。学習課題は、色チョークで目立つように書く。

黒板の中央　授業の展開や学習内容に合わせて、レイアウトを工夫しながら書く。上下二段に分けて書いたり、教材文の拡大コピーや写真や挿絵のコピーも貼ったりしながら、原則として左に向かって書き進める。チョークの色を決めておいたり（白色を基本として、課題や大切な用語は赤色で、目立たせたい言葉は黄色で囲むなど）、矢印や囲みなども工夫したりして、視覚的にメリハリのある板書を構成していく。

黒板の左側　授業も終わりに近付き、まとめを書いたり、今日の学習の大切なところを確認したりする。

3 教具を使って

⑴ 短冊など

画用紙などを縦長に切ってつなげ、学習課題や大切なポイント、キーワードとなる教材文の一部などを事前に用意しておくことができる。チョークで書かずに短冊を貼ることで、効率的に授業を進めることができる。ただ、子供たちが短冊をノートに書き写すのに時間がかかったりするなど、配慮が必要なこともあることを知っておきたい。

⑵ ミニホワイトボード

グループで話し合ったことなどを、ミニホワイトボードに短く書かせて黒板に貼っていくと、それらを見ながら、意見を仲間分けをしたり新たな考えを生み出したりすることができる。専用のものでなくても、100円ショップなどに売っている家庭用ホワイトボードの裏に、板磁石を両面テープで貼るなどして作ることもできる。

⑶ 挿絵や写真など

物語や説明文を読む学習の際に、場面で使われている挿絵をコピーしたり、文章中に出てくる写真や図表を拡大したりして、黒板に貼っていく。物語の場面の展開を確かめたり、文章と図表との関係を考えたりと、いろいろな場面で活用できる。

⑷ ネーム磁石

クラス全体で話合いをするときなど、子供の発言を教師が短くまとめ、板書していくことが多い。そのとき、板書した意見の上や下に、子供の名前を書いた磁石も一緒に貼っていく。そうすると、誰の意見かが一目で分かる。子供たちも「前に出た○○さんに付け加えだけど……」のように、黒板を見ながら発言をしたり、意見をつなげたりしやすくなる。

4 黒板の左右に

⑴ 単元の学習計画や本時の学習の流れ

単元の指導計画を子供向けに書き直したものを提示することで、この先、何のためにどのように学習を進めるのかという見通しを、子供たちももつことができる。また、今日の学習が全体の何時間目に当たるのかも、一目で分かる。本時の授業の進め方も、黒板の左右の端や、ミニホワイトボードなどに書いておくこともできる。

⑵ スクリーンや電子黒板

黒板の上に広げるロール状のスクリーンを使用する場合は、当然その分だけ、板書のスペースが少なくなる。電子黒板などがある場合には、教材文などは拡大してそちらに映し、黒板のほうは学習課題や子供の発言などを書いていくことができる。いずれも、黒板とスクリーン（電子黒板）という２つをどう使い分け、どちらにどのような役割をもたせるかなど、意図的に工夫すると互いをより効果的に使うことができる。

⑶ 教室掲示を工夫して

教材文を拡大コピーしてそこに書き込んだり、挿絵などをコピーしたりしたものは、その時間の学習の記録として、教室の背面や側面などに掲示していくことができる。前の時間にどんなことを勉強したのか、それらを見ると一目で振り返ることができる。また、いわゆる学習用語などは、そのつど色画用紙などに書いて掲示していくと、学習の中で子供たちが使える言葉が増えてくる。

5 上達に向けて

⑴ 板書計画を考える

本時の学習指導案を作るときには、板書計画も合わせて考えることが大切である。本時の学習内容や活動の進め方とどう連動しながら、どのように板書を構成していくのかを具体的にイメージすることができる。

⑵ 自分の板書を撮影しておく

自分の授業を記録に取るのは大変だが、「今日は、よい板書ができた」というときには、板書だけ写真に残しておくとよい。自分の記録になるとともに、印刷して次の授業のときに配れば、前時の学習を振り返る教材として活用することもできる。

⑶ 同僚の板書を参考にする

最初から板書をうまく構成することは、難しい。誰もが見よう見まねで始め、工夫しながら少しずつ上達していく。校内でできるだけ同僚の授業を見せてもらい、板書の工夫を学ばせてもらうとよい。時間が取れないときも、通りがかりに廊下から黒板を見させてもらうだけでも勉強になる。

ICT 活用のポイント

1 ICT を活用した国語の授業をつくる

GIGA スクール構想による 1 人 1 台端末の整備が進み、教室の学習環境は様々に変化している。子供たちの手元にはタブレットなどの ICT 端末があり、教室には大型のモニターやスクリーンが用意されるようになった。また、校内のネットワーク環境も整備されて、かつては学校図書館やパソコンルームで行っていた調べ学習も、教室の自分の席に座ったままでいろいろな情報にアクセスできるようになった。

一方、子供たちの机の上には、これまでと同じく教科書やノートもあり、前面には黒板もあって様々に活用されている。紙の本やノート、黒板などを使って手で書いたり読んだりする学習と、ICT を活用して情報を集めたり共有したりする学習との、いわば「ハイブリッドな学び」が生まれている。

それぞれの学習方法のメリットを生かし、学年の発達段階や学習の内容に合わせて、活用の仕方を工夫していきたい。

2 国語の授業での ICT 活用例

ICT の活用によって、国語の授業でも次のような学習活動が可能になっている。本書でも、単元ごとに様々な活用例を示している。

共有する

文章を読んだ意見や感想、また書いた作文などをアップロードして、その場で互いに読み合うことができる。また、付箋機能などを使って、考えを整理したり、意見を視覚化して共有しながら話合いを行ったりすることもできる。ICT を活用した共有や交流は、国語の授業の様々な場面で工夫することができる。

書く

書いたり消したり直したりすることがしやすい点が、原稿用紙に書くこととの違いである。字を書くことへの抵抗感を減らす点もメリットであり、音声入力からまずテキスト化して、それを推敲しながら文章を作っていくという支援が可能になる。同時に、思考の速度に入力の速度が追いつかないと、かえって書きにくいという面もあり、また国語科は縦書きが多いので、その点のカスタマイズが必要な場合もある。

発表資料を作る

プレゼンテーションソフトを使って、調べたことなどをスライドにまとめることができる。写真や図表などの視覚資料も活用しやすく、文章と視覚資料を組み合わせたまとめを作りやすいというメリットがある。また、調べる活動もインターネットを活用する他、アンケートフォームを使うことでクラス内や学年内の様々な調査活動が簡単に行えるようになり、それらの調査結果を生かした意見文や発表資料を作ることが可能になった。

録音・録画する

話合いの単元などでは、グループで話し合っている様子を自分たちで録画し、それを見返しながら学習を進めることができる。また、音読・朗読の学習でも、自分の声を録音しそれを聞きながら、読み方の工夫へとつなげることができ、家庭学習でも活用することができる。一方、教材作成の面からも利便性が高い。例えば、教師がよい話合いの例とそうでない例を演じた動画教材を作って授業中に効果的に使うなど、様々な工夫が可能である。

蓄積する

自分の学習履歴を残したり、見返すことがしやすくなったりする点がメリットである。例えば、毎時の学習感想を書き残していくことで、単元の中の自分の考えの変化に気付きやすくなる。あるいは書いた作文を蓄積することで、以前の「書くこと」の単元でどのような書き方を工夫していたかをすぐに調べることができる。それらによって、自分の学びの成長を実感したり、前に学習したことを今の学習に生かしたりしやすくなる。

3 ICT活用の留意点

(1) 指導事項に照らして活用する

例えば、「読むこと」には「共有」の指導事項がある。先に述べたように、ICTの活用によって、感想や意見はその場で共有できるようになった。一方で、そうした活動を行えば、それで「共有」の事項を指導したということにはならない点に気を付ける必要がある。

高学年では「文章を読んでまとめた意見や感想を共有し、自分の考えを広げること」(「読むこと」カ）とあるので、「自分の考えを広げること」につながるように意見や感想を共有させるにはどうすればよいか、そうした視点からの指導の工夫が欠かせない。

(2) 学びの土俵から思考の土俵へ

ICTは子供の学習意欲を高める側面がある。同時に、例えば、調べたことをプレゼンテーションソフトを使ってスライドにまとめる際に、字体やレイアウトのほうに気が向いてしまい、「元の資料をきちんと要約できているか」「使う図表は効果的か」など、国語科の学習として大切な思考がおろそかになりやすい、そうした一面もある。

ICTの活用で「学びの土俵」にのった子供たちが、国語科としての学習が深められる「思考の土俵」にのって、様々な言語活動に取り組めるような指導の工夫が必要である。

(3)「参照する力」を育てる

ICTを活用することで、クラス内で意見や感想、作品が瞬時に共有できるようになり、例えば、書き方に困っているときには、教師に助言を求めるだけでなく、友達の文章を見て書き方のコツを学ぶことも可能になった。

その際に大切なのは、どのように「参照するか」である。見ているだけは自分の文章に生かせないし、まねをするだけでは学習にならない。自分の周りにある情報をどのように取り込んで、自分の学習に生かすか。そうした力も意識して育てることで、子供自身がICT活用の幅を広げることにもつながっていく。

(4) 子供が選択できるように

ICTを活用した様々な学習活動を体験することで、子供たちの中に多様な学習方法が蓄積されていく。これまでのノートやワークシートを使った学習に加えて、新たな「学びの引き出し」が増えていくということである。その結果、それぞれの学習方法の特性を生かして、どのように学んでいくのかを子供たちが選択できるようになる。例えば、文章を書くときにも、原稿用紙に手で書く、ICT端末を使ってキーボードで入力する、あるいは下書きは画面上の操作で推敲を繰り返し、最後は手書きで残すなど、いろいろな組み合わせが可能になった。

「今日は、こう使うよ」と教師から指示するだけでなく、「これまでICTをどんなふうに使ってきた？」「今回の単元ではどう使っていくとよいだろうね？」など、子供たちにも方法を問いかけ、学び方を選択しながら活用していくことも大切になってくる。

〈第３学年及び第４学年　指導事項／言語活動一覧表〉

教科の目標

	言葉による見方・考え方を働かせ、言語活動を通して、国語で正確に理解し適切に表現する資質・能力を次のとおり育成することを目指す。
知識及び技能	(1)　日常生活に必要な国語について、その特質を理解し適切に使うことができるようにする。
思考力、判断力、表現力等	(2)　日常生活における人との関わりの中で伝え合う力を高め、思考力や想像力を養う。
学びに向かう力、人間性等	(3)　言葉がもつよさを認識するとともに、言語感覚を養い、国語の大切さを自覚し、国語を尊重してその能力の向上を図る態度を養う。

学年の目標

知識及び技能	(1)　日常生活に必要な国語の知識や技能を身に付けるとともに、我が国の言語文化に親しんだり理解したりすることができるようにする。
思考力、判断力、表現力等	(2)　筋道立てて考える力や豊かに感じたり想像したりする力を養い、日常生活における人との関わりの中で伝え合う力を高め、自分の思いや考えをまとめることができるようにする。
学びに向かう力、人間性等	(3)　言葉がもつよさに気付くとともに、幅広く読書をし、国語を大切にして、思いや考えを伝え合おうとする態度を養う。

〔知識及び技能〕
（１）言葉の特徴や使い方に関する事項

(1)　言葉の特徴や使い方に関する次の事項を身に付けることができるよう指導する。	
言葉の働き	ア　言葉には、考えたことや思ったことを表す働きがあることに気付くこと。
話し言葉と書き言葉	イ　相手を見て話したり聞いたりするとともに、言葉の抑揚や強弱、間の取り方などに注意して話すこと。 ウ　漢字と仮名を用いた表記、送り仮名の付け方、改行の仕方を理解して文や文章の中で使うとともに、句読点を適切に打つこと。また、第３学年においては、日常使われている簡単な単語について、ローマ字で表記されたものを読み、ローマ字で書くこと。
漢字	エ　第３学年及び第４学年の各学年においては、学年別漢字配当表*の当該学年までに配当されている漢字を読むこと。また、当該学年の前の学年までに配当されている漢字を書き、文や文章の中で使うとともに、当該学年に配当されている漢字を漸次書き、文や文章の中で使うこと。
語彙	オ　様子や行動、気持ちや性格を表す語句の量を増し、話や文章の中で使うとともに、言葉には性質や役割による語句のまとまりがあることを理解し、語彙を豊かにすること。
文や文章	カ　主語と述語との関係、修飾と被修飾との関係、指示する語句と接続する語句の役割、段落の役割について理解すること。
言葉遣い	キ　丁寧な言葉を使うとともに、敬体と常体との違いに注意しながら書くこと。
表現の技法	（第５学年及び第６学年に記載あり）
音読、朗読	ク　文章全体の構成や内容の大体を意識しながら音読すること。

＊…学年別漢字配当表は、『小学校学習指導要領（平成29年告示）』（文部科学省）を参照のこと

（２）情報の扱い方に関する事項

(2)　話や文章に含まれている情報の扱い方に関する次の事項を身に付けることができるよう指導する。	
情報と情報との関係	ア　考えとそれを支える理由や事例、全体と中心など情報と情報との関係について理解すること。
情報の整理	イ　比較や分類の仕方、必要な語句などの書き留め方、引用の仕方や出典の示し方、辞書や事典の使い方を理解し使うこと。

（３）我が国の言語文化に関する事項

(3)　我が国の言語文化に関する次の事項を身に付けることができるよう指導する。	
伝統的な言語文化	ア　易しい文語調の短歌や俳句を音読したり暗唱したりするなどして、言葉の響きやリズムに親しむこと。 イ　長い間使われてきたことわざや慣用句、故事成語などの意味を知り、使うこと。
言葉の由来や変化	ウ　漢字が、へんやつくりなどから構成されていることについて理解すること。
書写	エ　書写に関する次の事項を理解し使うこと。 (ア)文字の組立て方を理解し、形を整えて書くこと。 (イ)漢字や仮名の大きさ、配列に注意して書くこと。 (ウ)毛筆を使用して点画の書き方への理解を深め、筆圧などに注意して書くこと。
読書	オ　幅広く読書に親しみ、読書が、必要な知識や情報を得ることに役立つことに気付くこと。

〔思考力、判断力、表現力等〕
A　話すこと・聞くこと

	(1)　話すこと・聞くことに関する次の事項を身に付けることができるよう指導する。

話すこと	話題の設定	ア　目的を意識して、日常生活の中から話題を決め、集めた材料を比較したり分類したりして、伝え合うために必要な事柄を選ぶこと。
	情報の収集	
	内容の検討	
	構成の検討	イ　相手に伝わるように、理由や事例などを挙げながら、話の中心が明確になるよう話の構成を考えること。
	考えの形成	
	表現	ウ　話の中心や話す場面を意識して、言葉の抑揚や強弱、間の取り方などを工夫すること。
	共有	
聞くこと	話題の設定	【再掲】ア　目的を意識して、日常生活の中から話題を決め、集めた材料を比較したり分類したりして、伝え合うために必要な事柄を選ぶこと。
	情報の収集	
	構造と内容の把握	エ　必要なことを記録したり質問したりしながら聞き、話し手が伝えたいことや自分が聞きたいことの中心を捉え、自分の考えをもつこと。
	精査・解釈	
	考えの形成	
	共有	
話し合うこと	話題の設定	【再掲】ア　目的を意識して、日常生活の中から話題を決め、集めた材料を比較したり分類したりして、伝え合うために必要な事柄を選ぶこと。
	情報の収集	
	内容の検討	
	話合いの進め方の検討	オ　目的や進め方を確認し、司会などの役割を果たしながら話し合い、互いの意見の共通点や相違点に着目して、考えをまとめること。
	考えの形成	
	共有	
(2)　(1)に示す事項については、例えば、次のような言語活動を通して指導するものとする。		
	言語活動例	ア　説明や報告など調べたことを話したり、それらを聞いたりする活動。 イ　質問するなどして情報を集めたり、それらを発表したりする活動。 ウ　互いの考えを伝えるなどして、グループや学級全体で話し合う活動。

B　書くこと

(1)　書くことに関する次の事項を身に付けることができるよう指導する。	
題材の設定	ア　相手や目的を意識して、経験したことや想像したことなどから書くことを選び、集めた材料を比較したり分類したりして、伝えたいことを明確にすること。
情報の収集	
内容の検討	
構成の検討	イ　書く内容の中心を明確にし、内容のまとまりで段落をつくったり、段落相互の関係に注意したりして、文章の構成を考えること。
考えの形成	ウ　自分の考えとそれを支える理由や事例との関係を明確にして、書き表し方を工夫すること。
記述	
推敲	エ　間違いを正したり、相手や目的を意識した表現になっているかを確かめたりして、文や文章を整えること。
共有	オ　書こうとしたことが明確になっているかなど、文章に対する感想や意見を伝え合い、自分の文章のよいところを見付けること。
(2)　(1)に示す事項については、例えば、次のような言語活動を通して指導するものとする。	
言語活動例	ア　調べたことをまとめて報告するなど、事実やそれを基に考えたことを書く活動。 イ　行事の案内やお礼の文章を書くなど、伝えたいことを手紙に書く活動。 ウ　詩や物語をつくるなど、感じたことや想像したことを書く活動。

C　読むこと

(1)　読むことに関する次の事項を身に付けることができるよう指導する。	
構造と内容の把握	ア　段落相互の関係に着目しながら、考えとそれを支える理由や事例との関係などについて、叙述を基に捉えること。 イ　登場人物の行動や気持ちなどについて、叙述を基に捉えること。
精査・解釈	ウ　目的を意識して、中心となる語や文を見付けて要約すること。 エ　登場人物の気持ちの変化や性格、情景について、場面の移り変わりと結び付けて具体的に想像すること。
考えの形成	オ　文章を読んで理解したことに基づいて、感想や考えをもつこと。
共有	カ　文章を読んで感じたことや考えたことを共有し、一人一人の感じ方などに違いがあることに気付くこと。
(2)　(1)に示す事項については、例えば、次のような言語活動を通して指導するものとする。	
言語活動例	ア　記録や報告などの文章を読み、文章の一部を引用して、分かったことや考えたことを説明したり、意見を述べたりする活動。 イ　詩や物語などを読み、内容を説明したり、考えたことなどを伝え合ったりする活動。 ウ　学校図書館などを利用し、事典や図鑑などから情報を得て、分かったことなどをまとめて説明する活動。

第３学年の指導内容と身に付けたい国語力

1 第３学年の国語力の特色

第３学年は、中学年の国語科学習のスタートである。社会科や理科の学習も始まるということで、新たな学びに学習への意欲も高まっている時期でもある。また、読んだり書いたりする能力も急速に伸びていく時期なので、低学年の学習の定着を図りながら、それを基盤として国語学力の中核となる基礎的・基本的な知識や技能、態度をしっかりと身に付けていかなければならない学年でもある。さらに、中学年では、学習の対象が学級・学年から、異学年、学校全体、地域へと広がりをもつようになり、明確な相手意識・目的意識のもとに、現実的・社会的な幅広い枠組みでの表現を考えたり工夫したりすることも必要になってくる。また、ICT 機器の普及で情報活用能力や発信力が一段と求められる学年となってきている。

第３学年及び第４学年の「知識及び技能」に関する目標は、「日常生活に必要な国語の知識や技能を身に付けるとともに、我が国の言語文化に親しんだり理解したりすることができるようにする。」と書かれており、これは全学年を通して共通のものである。「思考力、判断力、表現力等」に関する目標は、「筋道を立てて考える力や豊かに感じたり想像したりする力を養い、日常生活における人との関わりの中で伝え合う力を高め、自分の思いや考えをまとめることができるようにする。」であり、特に第３学年以降では、筋道を立てて考える力の育成と自分の思いや考えをまとめることに重点が置かれている。「学びに向かう力、人間性等」に関する目標は、「言葉がもつよさに気付くとともに、幅広く読書をし、国語を大切にして、思いや考えを伝え合おうとする態度を養う。」と記され、第３学年及び第４学年では、言葉がもつよさに気付き、読書を幅広く行うことに重点が置かれている。

学習指導要領では「知識及び技能」が「⑴言葉の特徴や使い方に関する事項」「⑵情報の扱い方に関する事項」「⑶我が国の言語文化に関する事項」の三項から構成されているが、「思考力、判断力、表現力等」と「知識及び技能」を個別に身に付けたり順序性をもたせたりするものではない。一方、「学びに向う力、人間性等」に関しては、「知識及び技能」と「思考力、判断力、表現力等」の育成を支えるものとして、併せて育成を図ることが大切である。

2 第３学年の学習指導内容

〔知識及び技能〕

⑴に関して、話し言葉と書き言葉に注目してみよう。ここでは、漢字と仮名を用いた表記、送り仮名の付け方、改行の仕方、句読点の打ち方、主語と述語・修飾語・被修飾語の関係、指示する語句と接続する語句の役割、段落の役割、敬体と常体を理解することと、文や文章の中で適切に使えることが大切である。また、言葉の働きとして、思考や感情を表出する働きと他者に伝える働きがあることに気付くことも重要である。また、一文一文というより全体で何が書かれているかを把握したり、登場人物の行動や気持ちの変化を大筋で捉えたりするために、積極的に音読を取り入れたい。

第３学年で特に注目すべきは、ローマ字の読み書きの定着であり、ICT 活用の面から重点を置きたい。さらに、様子や行動、気持ちや性格を表す語句の拡充とともに、言葉には性質や役割によってまとまりがあることの理解も求められている。

⑵は、新設された事項であり、注目すべき事項である。話や文章に含まれている情報を取り出して

整理したり、その関係を捉えたりすることは、正確な理解につながる。また、自分のもつ情報を整理してその関係を分かりやすく明確にすることが、適正に表現することにつながる。そのために、「考えとそれを支える理由や事例」「全体と中心」などの情報と情報との関係を理解することが肝要である。情報の整理としては、比較や分類、引用というように、情報の取り出しや活用の仕方を取り上げていることも押さえておきたい。

⑶に関しては、易しい文語調の短歌や俳句を暗唱したり、ことわざや慣用句、故事成語などの言葉の意味を知り、使ったりすることで、言葉への興味や関心を高めることが求められている。また、多様な本や文章があることを知り、読書の幅を広げることに重点が置かれている。読書をすることで、疑問が解決したり新しい世界が広がったりする経験を、学習の中で積み重ねたい。

〔思考力、判断力、表現力等〕

⑴話すこと・聞くこと

まず、どのような目的で、話したり聞いたり話し合ったりするのかを明確にし、そのために集めた材料が目的に合致しているか検討したり、集めた材料の共通点や相違点を探したりする活動を大切にしたい。次に、話の中心が明確になるように理由や事例を挙げるなどの話の構成を考える活動に進む。実際に話す場面では、言葉の抑揚や強弱、間の取り方を工夫させたい。その際に、ICT 機器を使い、実際の活動を振り返ることも効果的である。一方、聞くことでは、話し手の伝えたいことや自分が聞きたいことの中心を意識して、必要なことを記録したり質問したりすることが大切である。その結果、自分の考えがもてるようになることまでを意識することが肝心である。

話し合う活動では、司会などの役割を担うことになる。司会者は、互いの意見の共通点や相違点に着目して全体の考えをまとめていく意識が必要である。教師は、司会者、提案者、参加者の立場を理解し話し合いの流れに沿った発言ができているかなど、評価の視点を明確にもっておきたい。

⑵書くこと

相手意識、目的意識を明確にもち、経験したことや想像したことなどを書くことに重点が置かれている。まずは、集めた材料を比較・分類して中心を明確にした上で、内容のまとまりで段落を作ったり関係性に注意を払ったりして内容と構成を検討する。具体的には、述べたいことの中心を一つに絞り、中心とそれに関わる事柄とを区別しながら、まとまりごとに段落を作ることを意識させたい。自分の考えとそれを支える理由や事例との関係を明確にして書き進める際には、理由や事例を記述するための表現を用いるようにしたり、文末表現まで意識をしたりして書くことを指導したい。最後は、誤字脱字を確認し、相手や目的を意識した表現となっているかを確かめて文章を仕上げるようにする。そのときには、主語と述語、修飾語と被修飾語の関係の明確さや長音、拗音、促音、撥音、助詞の表記の仕方の以外に、敬体と常体、断定や推量、疑問などの文末表現にも意識を向けた推敲を行うよう促すとよい。また、相手や書く目的に照らして、構成や書き表し方が適切かどうかも判断させたい。最終的に、下書きと推敲後の文章を比べるなどして、自分の文章がよりよくなったことが実感できるように指導に当たることが重要である。

⑶読むこと

説明的文章の学習では、「書くこと」と同様に考えとそれを支える理由や事例との関係を把握し、話の中心となる語や文を見つけることに重点が置かれている。そのためには、書き手の考えがどのような理由によって説明され、どのような事例によって具現化されているのか、叙述を基に捉えていくことが求められる。文章全体を目的に沿って要約することも大切である。その結果、必要な情報にたどり着いたり、簡潔に発信したりする力が育まれるのである。

一方、文学的文章では、叙述から登場人物の行動や気持ちを捉え、さらに、登場人物の気持ちの変化や性格、情景を具体的に想像することが求められている。その際、複数の場面の叙述を結び付けながら場面や登場人物の気持ちがどのように変化しているかを見いだし、具体的に想像することが大切である。

説明的文章でも文学的文章でも、「構造と内容の把握」と「精査・解釈」の学習活動をもとに、自分の既有の知識や様々な体験と結び付け、感想や考えをもつことがゴールとなる。感想や考えを共有することは、一人一人の感じ方などには違いがあることに気付き、互いの考えを尊重し自分の考えを広げていくことへつながる。

「読むこと」の学習では、読書の機会を増やし、様々なジャンルやテーマの本にふれるために学校図書館の利用を積極的に取り入れるとよいだろう。

3 第3学年における国語科の学習指導の工夫

以上の「国語力の特色」及び「学習指導内容」から、学習指導を工夫する際にいつも意識しておきたいキーワードとして、以下の5点を挙げておきたい。

「目的と相手」、「比較と分類」、「理由と事例」、「考えと中心」、「まとまりとつながり」

社会科、理科、総合的な学習の時間が始まる3年生。学習を通して新たな事象に出合い、多くの人に出会う。様々な資料を読み、地域の方や働いている人たちから話を聞き、書いたり話したりして自分の思いや考えを伝える場が豊富に用意されている。そんな3年生だからこそ、年間を通して上記のキーワードを意識して学習活動を工夫したい。以下、キーワードごとに工夫点を簡単にまとめてみよう。

●**目的と相手**：目的と相手が変われば、内容と表現が変わる。多様な目的と相手を用意する。
●**比較と分類**：手に入れた材料を比較したり分類・整理したりする必要のある課題を設定する。
●**理由と事例**：複数の理由や事例を挙げると自分の考えが補強されることを実感できる場を設ける。
●**考えと中心**：聞く場、読む場でも、自分の考えとその中心を他者に表現する機会を設ける。
●**まとまりとつながり**：内容をまとめたり、内容のつながりに目を向けたりする活動を取り入れる。

3年生は、粗削りな面が多々ある。だらだらと話したり書いたりし、的を射ないこともあるだろう。しかし、3年生だからこその自己表出の意欲を大切にしながら、上記のキーワードを意識した学習活動を展開したい。“自分”を伝えようとする子供の姿に教師がどれだけ寛容になれるか、が勝負となる。教師が焦らず、待つ姿勢を心がけることにより、子供は他者との様々な“ずれ”に気付くチャンスが生まれる。その気付きは、自ら対話を求め、対話を生み出す子供の姿へとつながっていく。ここからは、領域ごとに学習活動の具体的な工夫を紹介する。

⑴話すこと・聞くことにおける工夫

【実の場・繰り返し】

同じクラスや学年の友達だけでなく、下級生、保護者、地域の方など様々な**相手**や人数の場を用意する。それによって、相手や人数などが変われば、話したり聞いたりする際の言葉遣いや声の大きさ、視線に対する意識に変化が芽生えることを実感できるようにしたい。また、ICT機器を使って録音や録画をすることで、自らの話し方や聞き方を振り返って改善し、再度話し、聞き、話し合う機会を設定するとよい。つい最初から上手な活動を求めてしまうが、活動→振り返り→活動というスパイラルを大切にし、まずはやってみるという発想をもちたい。

【話し手：話題・情報・効果】
　話し手しか知らないこと、聞き手がつい質問したくなること、みんなで考えたくなること…子供の実態に応じた話題を吟味したい。また、自分の経験、他者から聞いたこと、本などで調べたことをはじめ様々な種類の情報（**事例**）が豊富に集まり、**比較・分類**できるかも大事な点である。多くの情報が集まれば、話の構成を考える必然性が生まれる。最後に効果である。例えば、相手を見て話すことは聞き手の注意を引き付け、話の内容が伝わっているか把握できる。型を示すだけで終わらせず、そのような効果を子供が理解できるように声掛けを進んで行いたい。

【聞き手：質問・効果・変化】
　積極的な聞き手へといざなうため、「いつ・どこで・だれが・なにを・どのように・なぜ」といった質問の種類を増やすとよい。また、相手を見て聞くことには、話し手に反応（共感や反対、疑問など）を伝える効果があることなど、話すこと同様、聞くことでも子供にその大切さを知らせたい。話し合いでは、自分や他者の思いや考え、クラスや学年といった身の回りの生活環境の変化を意識するとよい。話し合うと自分、他者、周囲などの何かが変化する。話し合うことは身の回り生活環境の変化につながる、その気付きが、その学習以降の話したり聞いたりする活動に取り組む原動力となる。

⑵書くことにおける工夫
【まとめ、つなぐ】
　段落は一つの内容の**まとまり**である。各段落に小見出しを付けたり、キーワードを抜き出したり、重要な一文を決めたりする活動は、内容の**まとまり**に目を向けるきっかけとなる。次に、**つながり**。文章内のつなぎ言葉に線を引いてみる。段落の冒頭につなぎ言葉がない場合には、あえて入れてみる。段落の小見出しをつなげてもよい。つなぎ言葉があまりにも少ない、つなぎ言葉が入れられない、小見出しがつながらない。このような場合、段落同士の**つながり**があいまいだと分かり、自ら段落構成を見直す契機となる。

【観点と自信をもつ】
　主語と述語が分かりやすい、敬体と常体が統一されている、**考えと理由・事例**が区別されている、**考えとその中心**が明確になっているなど、既習を基に読み合う観点を設定する。その観点を用いて友達の文章のよいところ、自分が工夫したところを具体的に伝え合いたい。また、学級外の様々な人が読み、文章のよいところを見つけてもらう活動を設定すると、より自信が高まるだろう。自信を積み重ね、最終的に自分の文章のよさ、工夫を進んで表現できる子供を目指したい。

【生かし、広げる】
　ミニ物語文を作る、教室にある物に使い方の説明書きを付けるなど、読むことで学んだ説明文や物語文の書き方を生かす短時間の活動を継続したい。また、他教科や領域で文章を書く際に、「国語で学んだ書き方を生かそう！」と投げ掛け、「学習した〇〇の書き方を生かしているね！」と価値付け、国語科の学びを他教科等に積極的に広げ、子供が国語科学習と他教科・領域での活動の関連を自覚できるようにしたい。そのためにも学んだ書き方が一目で共有できる掲示物があるとよいだろう。学びの足跡をタブレットにデータとして保存することも有効である。

⑶読むことにおける工夫

【視点と書き手】

物語文は心が動かされ、説明文は新たな発見に頭が動かされる。作者や筆者は伝えるプロであり、子供の心と頭に届くよう、たくさんの労力をさいている。多くの魅力がつまった文章だけに、つい内容に目が向くが、読む際の視点を共有することを忘れてはならない。物語文ならば例えば、語り手、色彩表現、情景、登場人物の性格など。説明文ならば、要点、要約、事例、理由などが挙げられる。また、３年生から少しずつ書き手の表現の工夫や**考え**に目を向ける発問をし、「作者の○○さんの〜な表現が上手！」「筆者の○○さんの考えが〜から伝わってくる」など、書き手の名前が飛び交う学習にしたい。物語も説明文も書き手の血が通う熱のこもった文章であることを子供が実感できるように指導を工夫したい。

【**まとまり**と**つながり**】

中学年になると文章が長くなる。そのため、何となく分かった気持ちになり、漠然と内容を理解している子供も多い。だからこそ、「はじめ、中、おわり」などの**まとまり**、場面の移り変わりや気持ちの変化などの**つながり**を意識したい。その際、心情曲線図や文章構成図、事例と考えの色分け、気持ちが分かる表現に線を引くなど目に見える活動を多くすると自分の読み方を自覚でき、文章理解のあいまいさも少なくなるだろう。

【**考え➡**“ずれ”】

「続き話を書くとしたら。」「その場面がなかったら。」「登場人物や筆者に手紙を書くとしたら。」、など子供が能動的に自分の**考え**をもち、表出したくなる場を多く設定する。それを伝え合うと必ず友達と差異や“ずれ”が生じる。その“ずれ”を交流することで自分にはなかった視点や根拠が理解でき、考えは広がり、深まり、他者と共に学ぶよさの実感に結び付く。

⑷語彙指導や読書指導などにおける工夫

【語彙：たくさん知る、使ってみる】

中学年の「知識及び技能」では、様子や行動、気持ちや性格を表す言葉の量を増やし、使うことが明示された。言葉を知り適切に使うこと。この両方ができてこその語彙力である。気持ちや性格を表す言葉の一覧表を配布したり拡大して教室に掲示したりし、常に子供の目に入る環境をつくる。物語文の学習で生かすのはもちろん、スピーチや短歌・俳句作り、国語辞典の学習と関連させたクイズやかるた遊びなどの活動にも応用できる。国語科以外でも新たに出合う言葉は大量にある。それを短冊で掲示し、年間を通して増やしていくとかなりの量となり積み重ねを実感できる。その地道な取組が、言葉に立ち止まり、言葉に敏感な子供の姿に結び付く。

【読書：ジャンルならではの魅力】

手に取る本のジャンルが偏るのはどの学年でも課題である。新たなジャンルに魅力を感じるには、そのジャンルの読み方を知る必要がある。３年生では「知らないことは学校や地域にある図書館に行けば分かる」と実感できるよう、様々な学習で図書館を利用する機会を増やしたい。その上で、普段手に取る機会の少ない文種、本（例えば、図鑑や科学読み物）を紹介し、どこに着目するのか、どこを見ると便利かなど読み方を知らせ、図鑑や科学読み物だから味わえる「へぇ！」「そうなんだ！」という発見の喜びや楽しさを味わわせたい。

2

第 3 学年の授業展開

場面をくらべながら読み、感想を書こう

ちいちゃんのかげおくり （10時間扱い）

単元の目標

知識及び技能	・様子や行動、気持ちや性格を表す語句の量を増し、話や文章の中で使い、語彙を豊かにすることができる。((1)オ)
思考力、判断力、表現力等	・文章を読んで理解したことに基づいて、感想や考えをもつことができる。(C オ) ・登場人物の気持ちの変化や性格、情景について、場面の移り変わりと結び付けて具体的に想像することができる。(C エ)
学びに向かう力、人間性等	・言葉がもつよさに気付くとともに、幅広く読書をし、国語を大切にして、思いや考えを伝え合おうとする。

評価規準

知識・技能	❶様子や行動、気持ちや性格を表す語句の量を増し、話や文章の中で使い、語彙を豊かにしている。(〔知識及び技能〕(1)オ)
思考・判断・表現	❷「読むこと」において、文章を読んで理解したことに基づいて、感想や考えをもっている。(〔思考力、判断力、表現力等〕C オ) ❸「読むこと」において、登場人物の気持ちの変化や性格、情景について、場面の移り変わりと結び付けて具体的に想像している。(〔思考力、判断力、表現力等〕C エ)
主体的に学習に取り組む態度	❹文章を読んで理解したことに基づいて、進んで感想や考えをもち、学習課題に沿って物語を読んだ感想をまとめようとしている。

単元の流れ

次	時	主な学習活動	評価
一	1	・題名を見て、どのようなお話か想像する。 ・範読を聞き、設定や場面を確認する。 ・各場面を読んだときの自分の気持ちを一言で書く。	
	2	学習の見通しをもつ ・場面ごとの一言感想を比べ、学習課題を設定する。 物語のどの言葉から自分の気持ちは生まれているのか、場面ごとに考えよう。	
二	3	第１場面から自分の気持ち（あたたかい・寂しいなど）が生まれたわけを考える。	
	4	第２場面から自分の気持ち（怖い・悲しい・寂しいなど）が生まれたわけを考える。	❶
	5	第３場面から自分の気持ち（心配・悲しい・寂しいなど）が生まれたわけを考える。	❶
	6	第４場面から自分の気持ち（悲しい・切ない・安心など）が生まれたわけを考える。	❸
	7	第５場面から自分の気持ち（安心・楽しい・寂しいなど）が生まれたわけを考える。	
三	8	教科書 p.29「まとめ方のれい」を参考に、これまでの学びを基にして感想を書く。	❷
	9	感想を読み合い、自分と友達の感想の共通点・相違点を見つける。	❹
	10	学習を振り返る	

		・教科書 p.29「ふりかえろう」、教科書 p.30「たいせつ」「いかそう」を読み、似た出来事に注目して場面を比べることや、物語のどこから感想が生まれたのかを明らかにしてまとめることができたか、という視点で学習を振り返る。 ・p.30「この本、読もう」などを参考に、戦争を題材にした物語を読む。	

授業づくりのポイント

〈単元で育てたい資質・能力〉

本単元のねらいは、文章を読んで理解したことに基づいて、感想や考えをもてるようにすることである。単元の目標に「文章を読んで理解したことに基づいて」とあるように、登場人物の行動や会話、気持ち、登場人物や場面の移り変わりを具体的に想像し、感想や考えをもつことが重要である。

[具体例]

○戦争の犠牲になるという出来事だけでも、読者にとって「悲しい」「かわいそう」という気持ちが生まれてくる。さらに、「深くうなずきました」「ほしいいを、また少しかじりました」といった細かい行動描写に着目すると、ちいちゃんにとって過酷な状況であることが具体的に想像できる。まずは、このような登場人物の細かい行動や会話や場面の様子に着目できるようにしたい。場面ごとに読んだことを生かして、第４場面では第１場面とのかげおくりの違いや、第５場面では第１～４場面との違いに着目する発問をすることで、登場人物や場面の移り変わりに気付けるようにする。

〈教材・題材の特徴〉

本教材は、戦争によって幼い子供の命が絶たれる物語であり、いわゆる戦争文学である。「夏のはじめのある夜」「朝になりました。」のように、「時」で５つの場面に分けられており、場面の移り変わりがはっきりしている。第５場面は「それから何十年。」とあるように、戦争がない時代が描かれているのも特徴的である。また、「空」に暗示された場面の様子、「ほのおのうずがおいかけてきます。」のような擬人法、ダッシュ（――）など様々な表現が組み込まれている。自分や友達の一言感想がこのような表現から生まれていることを捉えられるようにしたい。

〈言語活動の工夫〉

言語活動として、「物語の感想を書き、友達と読み合う」という活動を設定している。単元の序盤は、各場面を読んだ後の自分の気持ちを一言感想で書く活動、単元の最後には物語全体を通した感想を書く活動を設定している。単元の最初に書く感想は、読み手によって様々な気持ちがあることを知り、単元を通して「どの言葉から自分の気持ちは生まれるのだろう」ということを考えられるようにしたい。単元の最後に書く感想では、物語全体を読み深めてどのような気持ちが生まれたのか、物語のどこからその気持ちが生まれたのかを、これまでの学びを基にまとめられるようにしたい。さらに、友達は物語全体からどんな気持ちになったのか、どの言葉からそれを感じたのかという視点で感想を読むことで、自分の考えとのずれを見つけやすく、友達と読み合う意味を実感しやすくしたい。

〈ICT の効果的な活用〉

共有：学習支援ソフトを活用することで、単元の最初の一言感想や、単元末の時間で書いた感想を教師も子供も手軽に共有できるようにする。

本時案

ちいちゃんのかげおくり

本時の目標

・物語を読み、設定や場面を捉え、各場面を読んだときの自分の気持ちを書くことができる。

本時の主な評価

・初読して感じた自分の気持ちを場面ごとに分けて書いている。

資料等の準備

特になし

・第四場面「明るい光が顔に当たって、目がさめました」
・第五場面「それから何十年」
⬇時間がたつときに場面はかわっている

4 物語を読んだときの自分の気持ちを一言で表すと…
・とてもつらい　・悲しい　・かわいそう
・さいごは少しあん心
←場面によってちがう→
○かく場面を読んだときの自分の気持ちを一言で書こう。

授業の流れ ▷▷▷

1 題名から、どのようなお話か想像する 〈5分〉

T 「ちいちゃんのかげおくり」という題名から、どんな登場人物が、どんなことをするお話だと思いますか。
・「ちいちゃん」という登場人物が出てくると思います。
・「○○ちゃん」とあるから、小さい子供だと思います。幼稚園生くらいだと思います。
・「かげおくり」は、どんなことをするのかよく分からないけど、小さい子供がする遊びだと思います。
○「○○ちゃん」という敬称から、どれくらいの年齢の子供なのかを想像できるような問い返しをする。
○「かげおくり」が、物語の中で大切なことになりそうだと共通理解する。

2 範読を聞き、設定を確認する 〈15分〉

T 「ちいちゃんのかげおくり」を読むので、どんな登場人物が出てくるのか、どんな出来事が起こるのか、確かめながら聞きましょう。
T 登場人物は誰が出てきましたか。
・ちいちゃん。
・ちいちゃんの家族（お父さん、お母さん、お兄ちゃん）。
・おばさんと、知らないおじさんもいます。
・ちいちゃんと同じくらいの子供たち。
T どんなお話でしたか。
・戦争のお話。すごくつらくなるお話。
・ちいちゃんが戦争に巻き込まれて、死んじゃうお話。かわいそうなお話。
・最後には、平和になるお話。

ちいちゃんのかげおくり　あまんきみこ作

1 題名を見てどんなお話かそうぞうしよう。

・「ちいちゃん」➡小さい子どもが出てくる？
　ようち園生くらい？
　小学校てい学年くらい？
・「かげおくり」➡遊び？　物語の中で大切なことになりそう

2 〈登場人物は？〉
・ちいちゃん
・ちいちゃんの家ぞく（お父さん、お母さん、お兄ちゃん）
・おばさん
・知らないおじさん
・ちいちゃんと同じくらいの子どもたち

〈どんなお話？〉
・せんそうのお話
・ちいちゃんがせんそうにまきこまれて、死んでしまうお話
・さいごには、平和になるお話

3 ○場面の分け方をかくにんしよう。
・第一場面　「『かげおくり』って」
・第二場面　「夏のはじめのある夜」
・第三場面　「朝になりました」

3 物語を読み返し、場面を確認する 〈10分〉

T　場面が変わるところで1行空いています。場面が変わるときの最初の言葉を丸で囲みましょう。
・第2場面の最初は「夏のはじめのある夜、」です。
・第3場面は「朝になりました。」です。
・第4場面は「明るい光が顔に当たって、目がさめました。」です
・第5場面は「それから何十年。」です。
T　何が変わると場面が変わっていますか。
・夜や朝のように時間が経っています。
・第5場面だけは、すごく時間が経って場面が変わっています。

4 各場面を読んだときの自分の気持ちを一言で書く 〈15分〉

T　物語を読んだときの自分の気持ちを一言で表すとどんな気持ちですか。
・とてもつらい気持ちです。
・悲しい気持ちです。
・かわいそうな気持ちです。
・最後は少し安心した気持ちです。
・場面によって、気持ちは少し変わります。
T　場面によって、少し気持ちが違うみたいですね。場面ごとに、自分の気持ちを一言で書きましょう。
○登場人物の気持ちと混同しやすいので、読み手である自分の気持ちと区別して書く。

ICT端末の活用ポイント

Google フォームなどに入力し、一覧にできるようにするとよい。

本時案

ちいちゃんのかげおくり

本時の目標

・自分と友達が書いた場面ごとの一言感想を比べ、共通点や相違点から学習課題を設定し、学習の見通しをもつことができる。

本時の主な評価

・自分と友達が書いた場面ごとの一言感想を比べ、共通点や相違点に気付いている。

資料等の準備

特になし

「悲しい」　↑分かる！
・第四場面
「悲しい」
「安心」　↑なぜ？
・第五場面
「安心」
「悲しい」　↑なぜ？

物語のどの言葉から自分の気持ちは生まれているのか、場面ごとに考えよう。

授業の流れ ▷▷▷

1 どんなお話かを確認するために本文を音読する 〈15分〉

T　前回の授業では「ちいちゃんのかげおくり」を読んで、場面ごとに一言感想を書きました。どのようなお話だったかを確認しながら音読しましょう。
・戦争のお話でした。
・ちいちゃんが最後には死んでしまうお話でした。
・最後の場面は戦争が終わって平和になっていました。
○時間を測りながら、自分がどれくらいのスピードで音読できているのかを確認できるようにする。
○早く読み終わった子供は繰り返し読むように促す。

2 自分や友達の書いた場面ごとの一言感想を比べる 〈15分〉

T　前回の授業で、場面ごとに書いた一言感想を表にしてまとめました。同じところや違うところに印を付けながら友達と自分の感想を比べてみましょう。また、「分かる！」と思う一言感想や「なぜ？」と思う一言感想にも印を付けましょう。
・「こわい」や「悲しい」みたいなマイナスなものには青で印を付けてみます。
・「あたたかい」や「安心」のようにプラスなものには赤で印を付けてみます。
○色分けをして整理をしたり、似ている感想を線でつないだりしている子供がいたら、全体で共有し、どのように比べるとよいかを共通理解するとよい。

ちいちゃんのかげおくり　あまんきみこ作

1
○どんなお話だったかな？
・せんそうのお話
・ちいちゃんがさいごには死んでしまうお話
・さいごの場面はせんそうがおわって平和になっているお話

2
自分や友だちの書いた場面ごとの一言感想をくらべて、同じところやちがうところを見つけよう。

3
・第一場面
「あたたかい」
「さびしい」　↑分かる！
「こわい」
・第二場面
「こわい」
「かわいそう」
「悲しい」　↑分かる！
・第三場面
「かわいそう」
「心配」

3 単元を通して考えることを学習課題として設定する 〈15分〉

T　一言感想を比べて分かった同じところや違うところを発表しましょう。
・第１場面は「あたたかい」「さびしい」が多かったです。
・第２場面は「こわい」「かわいそう」「悲しい」が多かったです。
・第３場面は「心配」「悲しい」が多かったです。
・第１～３場面は、似ている感想をもっている人が多かったです。
・なぜ似ている感想をもったのか、考えてみたいです。
・注目した言葉が似ているのかもしれないです。
・クラスで注目した言葉を出し合うといいと思います。
・第４場面は「切ない」「安心」が多かったです。
・なぜ「安心」なのか疑問に思いました。
・第５場面は「安心」「悲しい」が多かったです。
・なぜ「悲しい」なのか疑問に思いました。
・どの言葉から、「安心」や「悲しい」と思ったのかを知りたいです。
T　みんなの一言感想を見るとそれぞれ感じ方が同じところや違うところがありましたね。この単元では、「物語のどの言葉から自分の気持ちは生まれるのか」を場面ごとに考えていきましょう。

本時案

ちいちゃんのかげおくり

本時の目標

・第１場面の前半と後半の変化と自分が読んだときの気持ちの変化を結び付けて、場面や登場人物の様子の変化について具体的に想像できる。

本時の主な評価

・第１場面の前半と後半を読んで、自分が読んだときの気持ちを、場面や登場人物の様子を表す言葉の変化を基に、考えている。

資料等の準備

・第１場面の文章の拡大コピー

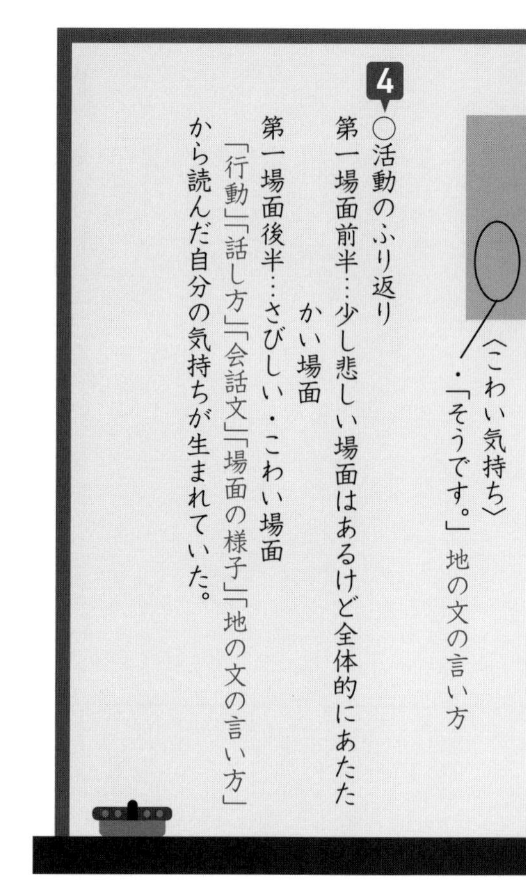

授業の流れ ▷▷▷

1 どの言葉から自分の気持ちが生まれたかを考える 〈15分〉

T 第１場面では、自分はどんな気持ちになったか、それはどの言葉から生まれたのかを文章に印を付けながら読み返して考えてみましょう。

○第１場面は、ちいちゃんが家族でかげおくりをするところと、「次の日」からお父さんが戦争に行くところで分かれるため、２つの気持ちに分けて考えるよう声をかける。

○子供が文章に印を付けるときには、細かい言葉に気付けるよう、線だけでなく丸で囲むとよいことを、拡大文で例示する。

○「出征」など難しい言葉は意味を一度確認する。

2 第一場面前半で、どの言葉からどんな気持ちが生まれたかを話し合う 〈15分〉

T 第１場面の戦争に行く前の前半部分から考えたことを話し合いましょう。

・「四人は手をつなぎました。」や、みんなで声を重ねて数えながらかげおくりをしているところから、家族が仲良しなのが伝わってあたたかい気持ちになります。

・お父さんの「〜だなあ。」とか、お母さんの「やってみましょうよ。」や「〜だこと。」の言い方が優しい感じで、あたたかくなります。

・全体的にはあたたかい気持ちだけど、「出征する前の日」に「つぶやきました。」と書いてあるから、少し悲しい気持ちもあります。

T 第１場面前半を読んだ気持ちを比べるとこの場面は全体的にはあたたかい場面ですが、悲しい場面でもあることが分かりますね。

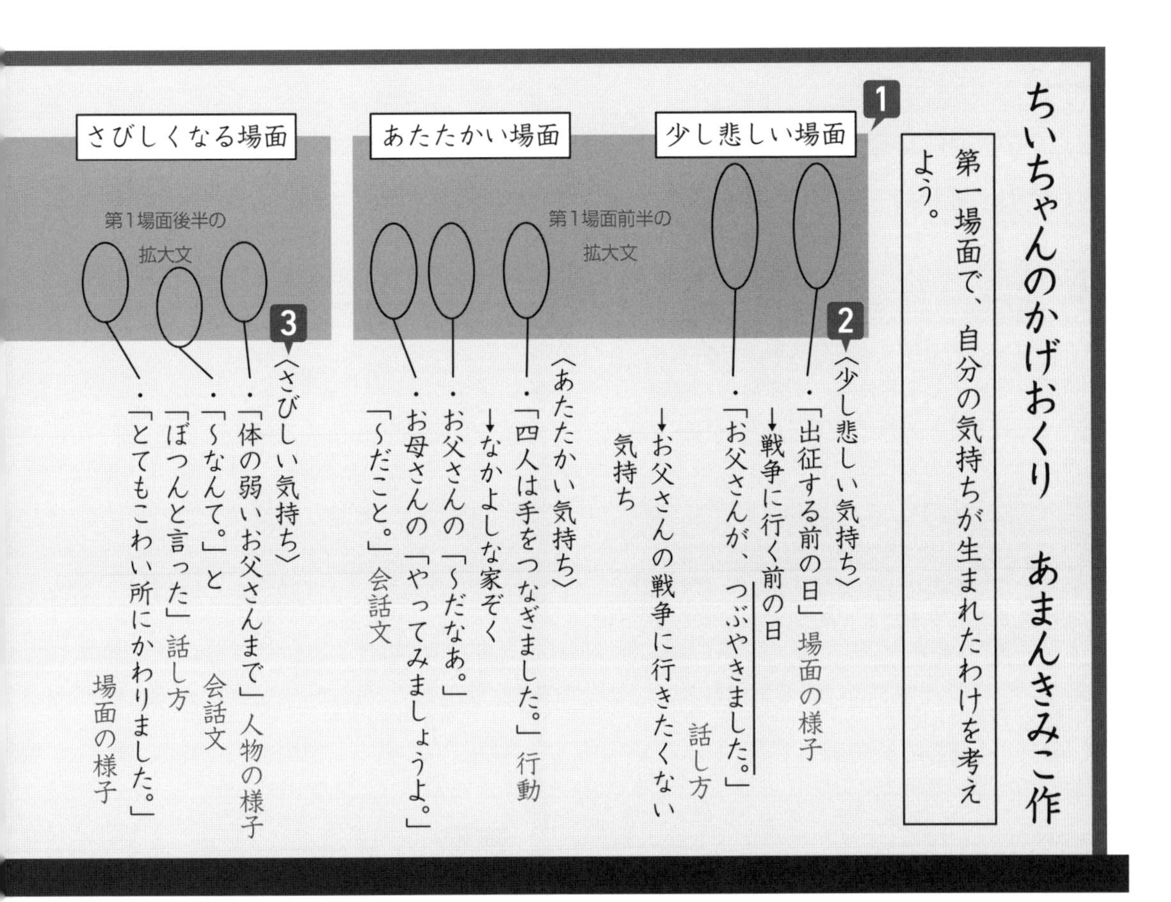

3 第一場面後半で、どの言葉からどんな気持ちが生まれたかを話し合う 〈10分〉

T 「次の日」からお父さんが戦争にいく、後半について考えたことを話し合いましょう。

・お母さんの「〜なんて。」と「ぽつんと言った」のが、寂しい感じがします。

・楽しいかげおくりをしていたのに、「とてもこわい所にかわりました。」となっているのが、読んでいて怖くなりました。

・「そうです。」という言葉に、より怖さを感じました。

T 「次の日」から始まる物語後半は「寂しい」や「怖い」のような気持ちが生まれる場面だと分かりましたね。

○拡大文にどの言葉に注目したかを書き込み、どの言葉から自分の気持ちが変化しているのかを振り返ることができるようにする。

4 活動を振り返る 〈5分〉

T 第1場面前半と後半で自分の気持ちはどのように変化していましたか。また、物語のどの言葉から変化していますか。

・第1場面の前半はあたたかい気持ちだったのに後半は寂しい気持ちになりました。「登場人物の行動」「話し方」「会話文」から自分の気持ちが生まれていました。

・「場面の様子」「地の文の言い方」からも自分の気持ちが生まれていました。

T 「登場人物の行動」「話し方」「会話文」「場面の様子」「地の文の言い方」から登場人物の気持ちや場面の様子の変化が分かりますね。

○「登場人物の行動」「話し方」「会話文」「場面の様子」「地の文の言い方」は、次の場面でも着目する視点として、板書する。

本時案

ちいちゃんのかげおくり

本時の目標

・第２場面を読んで、自分の気持ちが生まれたわけを、場面の様子や登場人物の行動を表す言葉を根拠にして考えることで語句の量を増やし、話し合いや文章の中で使うことができる。

本時の主な評価

❶第２場面を読んで、自分の気持ちが生まれたわけを、場面の様子や登場人物の行動や気持ちを表す言葉を基にして考え、語彙を豊かにしている。【知・技】

資料等の準備

・第２場面の文章の拡大コピー
・第３時の板書の写真

授業の流れ ▷▷▷

1 どの言葉から自分の気持ちが生まれたかを考える 〈15分〉

T　第２場面では、自分はどんな気持ちになったか、それはどの言葉から生まれたのかを文章に印を付けながら考えましょう。第１場面で学んだ「登場人物の行動」「話し方」「会話文」「場面の様子」「地の文の言い方」に注目しましょう。

○前時の板書を提示したり、ノートを振り返る時間を取ったりし、前時の学びを想起できるようにする。

○多くの言葉に印を付けていた子供の教科書を全体で共有し、参考にできるようにする。

2 どの言葉からどんな気持ちが生まれたかを話し合う 〈15分〉

T　第２場面は、「こわい」や「かわいそう」という気持ちの人が多かったですが、どの言葉からその気持ちが生まれたかを話し合いましょう。

・「お母さんの声。」という地の文の言い方が大変な感じがして怖い気持ちになります。
・「だれかがさけんでいます。」というのもみんなの焦りが伝わって、怖いです。
・「たくさんの人たちの中でねむりました。」は、自分だったら眠れないくらい寂しいと思うから、かわいそうだと思いました。
・「ほのおのうずがおいかけてきます。」も、火がすごく近づく感じがして怖いです。

T　本当は生きていないものが、人間のように書かれていることを「擬人法」と言います。

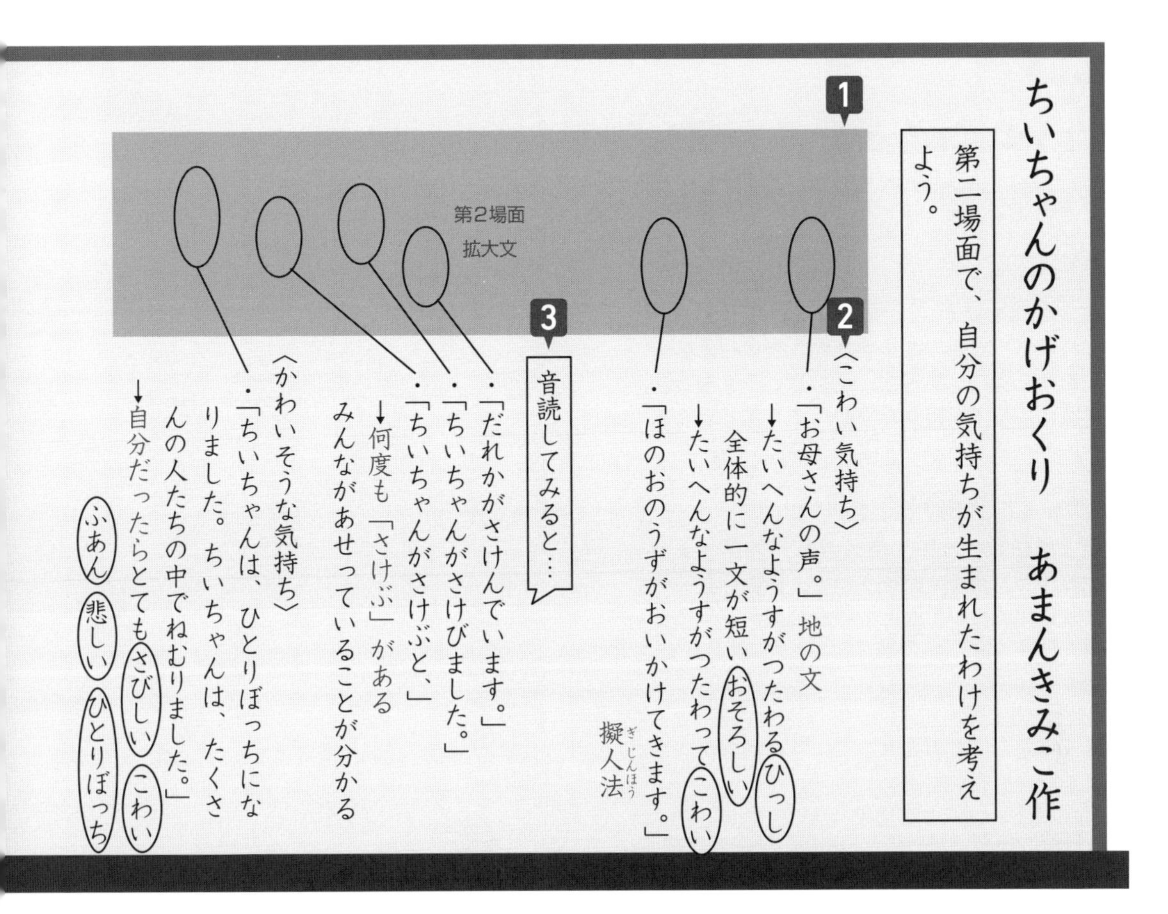

3 「さけびました。」や地の文の短さについて話し合う　〈10分〉

T　何回「さけびました」と書かれていますか。

・「だれか」が１回叫んでいて、ちいちゃんが２回叫んでいます。

T　第２場面は「お母さんの声。」など、地の文が短いものが多いです。「さけびました。」にも気を付けて一度音読してみましょう。

・叫んでいるところを意識して読むと、怖い様子がよく分かりました。

・音読すると地の文が短くて、焦っている感じがよく分かりました。

○話し合いを焦点化するために、部分的に音読を取り入れることで、「さけびました。」や地の文から場面の様子を具体的に想像できるようにする。

4 活動を振り返る　〈５分〉

T　第２場面では、全体的に地の文の一文が短いことに気付きましたね。話し合いを振り返って、友達のこんな言葉に着目していてすごいと思ったところを発表しましょう。

・「ほのおのうずがおいかけてきます。」という擬人法という書き方を初めて知りました。

・○○さんが「ひとりぼっち」という言葉から、かわいそうという気持ちになっていたのはなるほどと思いました。

・「さけびました。」みたいに、何度も使われている言葉にも注目すると、登場人物の気持ちの変化に気付きやすいことが分かりました。

○「擬人法」「地の文の短さ」「何度も使われている言葉」は、次の場面でも着目する視点として、板書する。

本時案

ちいちゃんのかげおくり 5/10

本時の目標

・第3場面を読んで、自分の気持ちが生まれたわけを、場面の様子や登場人物の行動を表す言葉を基にして考え、話し合いや文章の中で使うことで、語彙を豊かにすることができる。

本時の主な評価

❶第3場面を読んで、自分の気持ちが生まれたわけを、場面の様子や登場人物の行動を表す言葉を基にして考え、語彙を豊かにしている。【知・技】

資料等の準備

・第3場面の文章の拡大コピー
・第4時の板書の写真

3
○活動のふり返り
・友だちの、こんな言葉に着目していてすごいと思ったところ
・「ダッシュ(——)」や「食べました。」と「かじりました。」のように細かい言葉に気をつける

授業の流れ ▷▷▷

1 どの言葉から自分の気持ちが生まれたかを考える 〈10分〉

T 第3場面では、自分はどんな気持ちになったか、それはどの言葉から生まれたのかを文章に印を付けながら考えましょう。第1・2場面で学んだ「登場人物の行動」「話し方」「会話文」「場面の様子」「地の文の言い方」に注目してみましょう。

○これまでの板書を提示したり、ノートを振り返る時間を取ったりし、これまでの学びを想起できるようにするとよい。

ICT端末の活用ポイント

「ざつのう」や「ほしいい」「ぼうくうごう」などの難しい言葉は写真を見せたり、教科書に掲載されている二次元コードを活用し画像を検索したりして一度確認する。

2 どの言葉からどんな気持ちが生まれたかを話し合う 〈20分〉

T 「かわいそう」や「心配」という気持ちはどの言葉から生まれたのか考えましょう。

・「なくのをやっとこらえて」から、すごく我慢していて、かわいそうだと思いました。
・小さい子が「こわれかかった暗いぼうくうごう」で眠っていて、とても心配になりました。
・ちいちゃんは、2回も深くうなずいていて、家族に会えていないけど会えると信じる、さみしさと健気さが分かります。そこから私はかわいそうな気持ちになりました。
・「どこがうちなのか——。」の「——。」がどうにもならない感じが伝わってきます。

T 「ダッシュ(——)」は、間を表すことができる記号です。ここからも場面の様子が分かりますね。

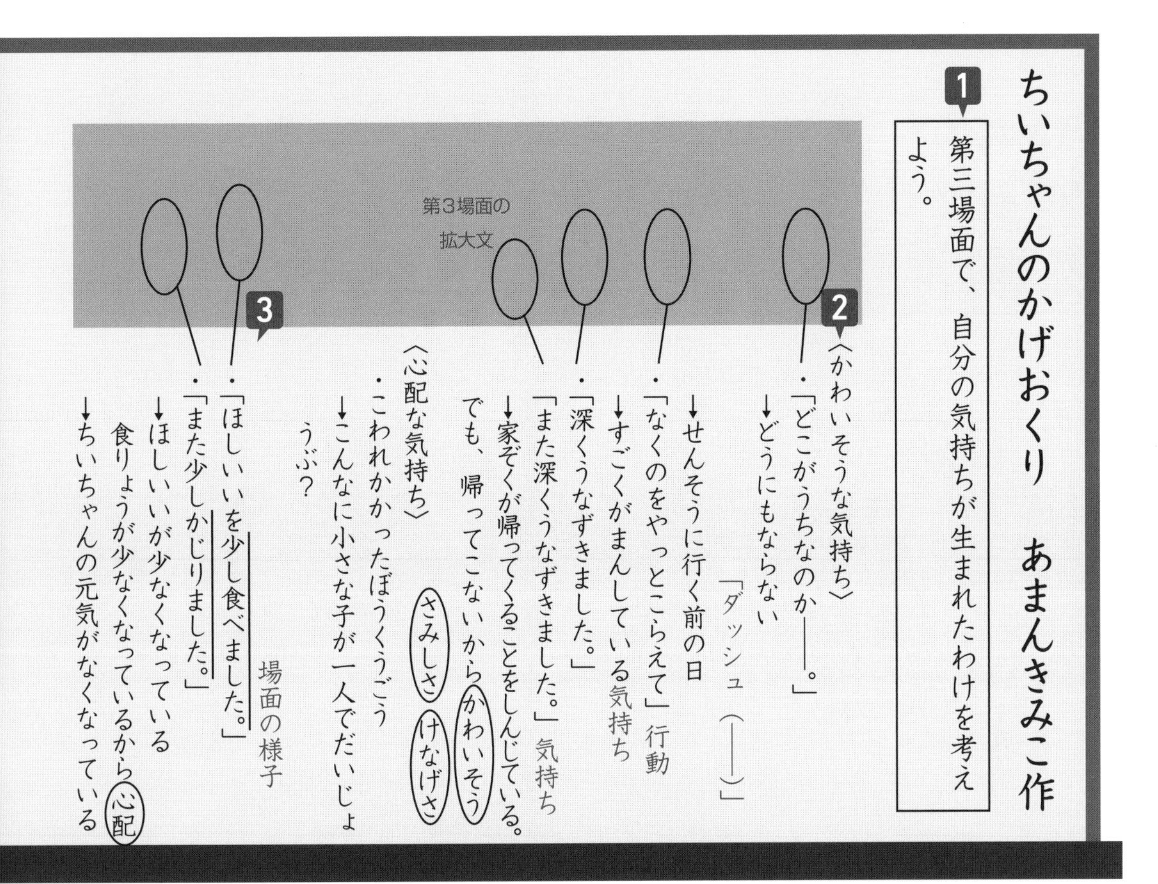

3 細かい行動描写の違いに注目して話し合う 〈10分〉

T 「ほしいい、を少し食べました。」と「また少しかじりました。」がかわいそうだと考える人もいました。その理由は何でしょう。

・「少し食べました。」から「少しかじりました。」は、どんどんほしいいが少なくなっていることが分かります。
・こんなに小さな子が、家族が帰ってくることを信じて、少ない食べ物をちょっとずつ食べているのがかわいそうです。
・それだけ食料がなくて大変だということが分かります。ちいちゃんの元気もなくなってきているのだと思います。

○「少し食べました。」と「また少しかじりました。」といった細かい行動描写をはじめ、他の細かい言葉にも着目できるとよい。

4 活動を振り返る 〈5分〉

T 話し合いを振り返って学んだことを発表しましょう。友達の、こんな言葉に着目していてすごいと思ったところを発表してもよいですよ。

・ダッシュ（――）は気付いていなかったけど、第2場面にもあったから、また見つけてみたいです。
・「深くうなずきました。」みたいに、2回使われている言葉に注目するといいと分かりました。
・○○さんが、「少し食べました。」と「また少しかじりました。」の違いに気付いたのはすごいと思ったし、なるほどと思いました。

本時案

ちいちゃんのかげおくり

本時の目標

・第１場面と第４場面の変化と自分が読んだときの気持ちの変化を、場面や登場人物の様子を表す言葉の変化に結び付けて具体的に想像できる。

本時の主な評価

❸第１場面と第４場面を読み比べ、場面や登場人物の様子を表す言葉を基に、登場人物の気持ちの変化を具体的に想像している。
【思・判・表】

資料等の準備

・第４場面の文章の拡大コピー
・第５時の板書の写真

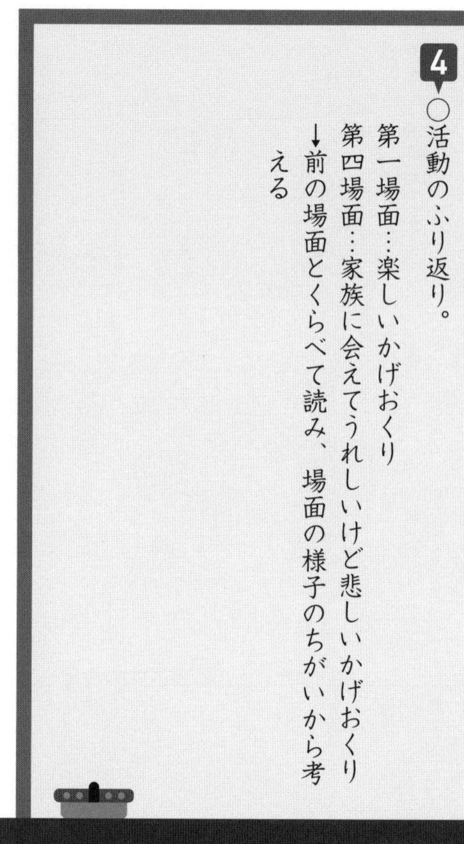

4
○活動のふり返り。
第一場面…楽しいかげおくり
第四場面…家族に会えてうれしいけど悲しいかげおくり
↓前の場面とくらべて読み、場面の様子のちがいから考える

授業の流れ ▷▷▷

1 どの言葉から自分の気持ちが生まれたかを考える 〈10分〉

T 2時間目に、第４場面を読んだ気持ちとして、大きく異なる「安心」と「悲しい」の言葉が出ました。どうしてこれらの気持ちが生まれたのかを文章に印を付けながら読み、考えましょう。

・ここはちいちゃんが死んじゃう場面なので、前の場面とは気持ちが違いそうです。
・同じかげおくりをした場面を振り返って考えてみたいです。

○「安心」以外にも「あたたかい」などの別の言葉が出てきたら、置き換えたり、併記したりしてもよい。
○これまでの板書を提示したり、ノートを振り返る時間を取ったりし、これまでの学びを想起できるようにする。

2 どの言葉からどんな気持ちが生まれたかを話し合う 〈20分〉

T 第４場面について「悲しい」や「安心」という気持ちはどの言葉から生まれたのか考えてみましょう。

・ずっと一人ぼっちだったから、現実ではないかもしれないけど、ちいちゃんが家族とかげおくりがまたできて、少し安心しました。
・「きらきらわらいだしました。」から、ちいちゃんのうれしい気持ちが伝わってきて、ぼくも安心しました。
・お父さんの低い声や、お母さんの高い声、お兄ちゃんの笑いそうな声が重なって、ちいちゃんにとっては本当にかげおくりをしているようで、うれしい気持ちだと思います。けれど、読んだ私は悲しい気持ちになりました。

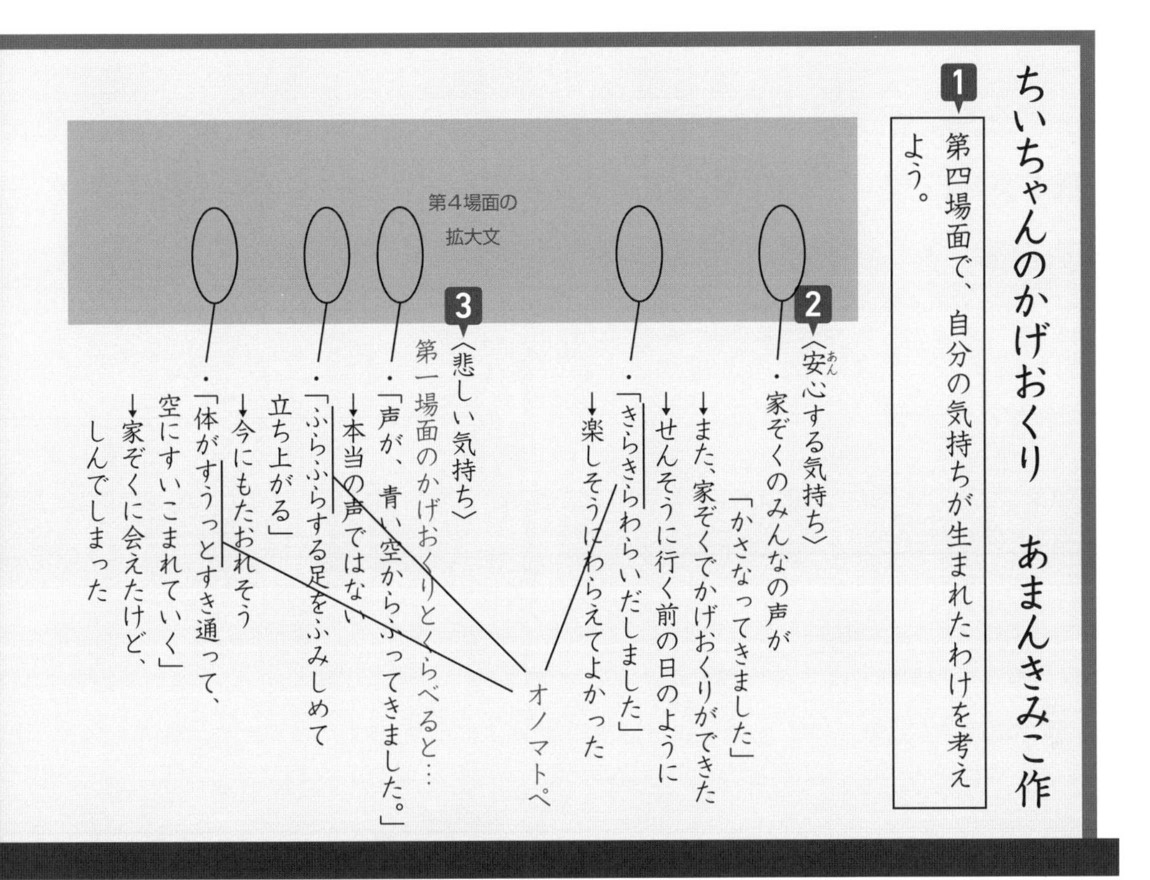

3 第1場面のかげおくりと比べて第4場面の様子を想像する〈10分〉

T　第1場面のかげおくりと第4場面のかげおくりを比べてみると、何が違いますか。

・第1場面では、家族が本当に話している声で、第4場面では青い空からふってきていて、本当の声ではないから、全然違います。
・ちいちゃんは「ふらふらする足をふみしめて立ち上がる」と書いてあるから、今にも倒れそうだと思います。とてもかわいそうだし、悲しい気持ちになります。
・第1場面と第4場面もちいちゃんはうれしそうだけど、第4場面はちいちゃんは命を落とすことになるので私は悲しい気持ちです。

○第1場面のかげおくりとは異なることに気付き、この場面の様子を具体的に想像できるようにする。

4 活動を振り返る〈5分〉

T　第4場面について話し合ったり、第1場面と第4場面を比べたりして自分の気持ちはどう変化しましたか。また、どの言葉から変化しましたか。

・家族に会えて、「きらきらわらいだした」と思うので、悲しいけどちいちゃんにとっては、よかったと思いました。
・安心する気持ちもあったけど、第1場面のかげおくりと比べるととても悲しい気持ちになりました。
・「きらきら」「ふらふら」「すうっと」のようなオノマトペからも、どんな様子なのかが想像できると思いました。

○前の場面と比べながら読むように伝え、場面の移り変わりを意識できるようにする。

本時案

ちいちゃんのかげおくり

7/10

本時の目標

・第1場面から第4場面と第5場面の文章を読み比べ、場面の変化について具体的に想像できる。

本時の主な評価

・第5場面を読んだときの気持ちを、第1～4場面と比べたり、場面や登場人物の様子を表す言葉を基にしたりしてまとめている。

資料等の準備

・第5場面の文章の拡大コピー
・第6時の板書の写真

4
○活動のふり返り。
第一～四場面…せんそうのおそろしさ
第五場面　…今の平和
大きく様子がかわる場面と前の場面をくらべて読み、場面の様子のちがいを考える。

授業の流れ▷▷▷

1 どの言葉から自分の気持ちが生まれたかを考える〈10分〉

T　2時間目に、第5場面を読んだ気持ちとして、大きく分けて「安心」と「悲しい」の言葉が出ました。これらの気持ちはどの言葉から生まれたのかを文章に印を付けながら考えましょう。
・この場面はちいちゃんが死んでしまった後の場面だったから、みんなはどんな気持ちになっているのか気になります。
・よかったと思う気持ちと、ちいちゃんのことを考えると悲しい気持ちがあります。
○これまでの板書を提示したり、ノートを振り返る時間を取ったりし、これまでの学びを想起できるようにするとよい。

2 どの言葉からどんな気持ちが生まれたかを話し合う〈15分〉

T　第5場面について、「安心」や「悲しい」という気持ちはどの言葉から生まれたのか考えてみましょう。
・「前よりもいっぱい家がたっています。」から、戦争が終わって平和になったことが分かって安心しました。
・「ちいちゃんぐらいの子どもたちが、きらきらわらい声を上げて、遊んでいます。」から、ちいちゃんの分まで楽しく遊んでくれていてよかったと思いました。
・「ちいちゃんが一人でかげおくりをした所は、小さな公園になっています。」から、ちいちゃんも戦争のころではなくて、この時代に生きていればよかったと思って、寂しい気持ちになりました。

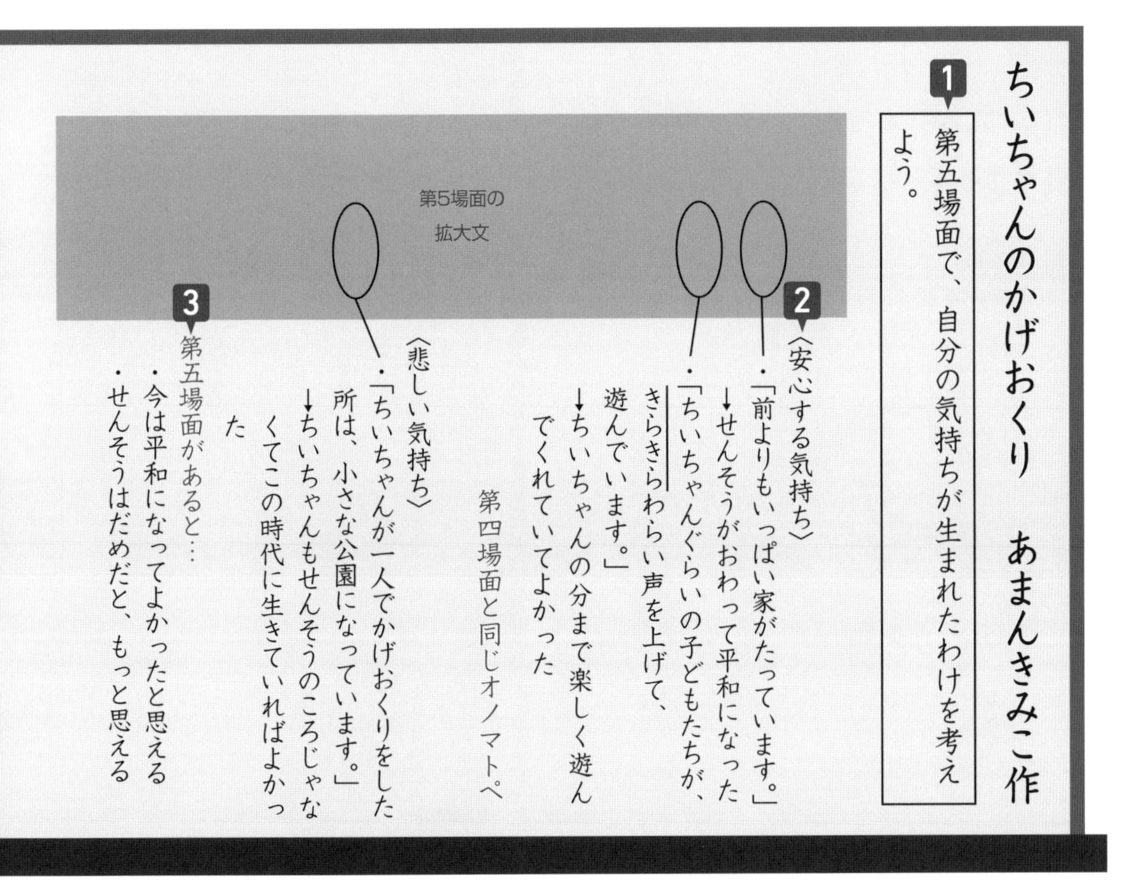

3 第５場面がある理由を考える 〈15分〉

T　第５場面がなくても、このお話は終わることができます。でも、第５場面があるとどんな感じ方の違いがありますか。また、どの言葉から感じますか。

・平和になった場面があるので、今は平和になってよかったと感じられると思います。
・今の平和なときと比べると、ちいちゃんが戦争で死んでしまったことがとても悲しいことだと分かって、より戦争はだめだということを感じました。

○第５場面がある理由を問うことで、第１～４場面と対比することができ、戦争の恐ろしさや今の平和のありがたさを感じられる効果があることに気付けるようにしたい。

4 活動を振り返る 〈５分〉

T　第５場面について話し合ったり、第５場面より前の場面と比べたりして自分の気持ちはどう変化していましたか。また、どの言葉から変化していますか。

・第１～４場面と第５場面を比べて読むことで、戦争がとても悲しいことや、今の平和を守らないといけないと、感じることができました。
・前の場面を比べて読み、場面の様子の違いを考えるとよいことが分かりました。

○前の場面と比べながら読むことを促し、場面の移り変わりを意識できるようにするとよい。

本時案

ちいちゃんのかげおくり

本時の目標

・これまでの学習を通して理解したことを基に、感想や考えをもつことができる。

本時の主な評価

❷これまでの学習を通して場面を読むときに着目する視点を振り返り、文章を読んで生まれた自分の感想を根拠と理由とともに書いている。【思・判・表】

資料等の準備

・教科書 p.29「まとめ方のれい」の拡大コピー
・教師が作成した「△もう少し」な例文の拡大コピー 01-01
・第3時から第7時の板書の写真

△もう少し

わたしは、「ちいちゃんのかげおくり」を読んで、かわいそうと思いました。
その理由は、「ほしいいを、少し食べました」「また少しかじりました」と書いてあるからです。

・「ほしいいを、少し食べました。」「また少しかじりました。」だと、なぜかわいそうなのかが書いていない
・「かわいそう」だと思った言葉をもっと書いた方がいい

授業の流れ ▷▷▷

1 ここまでの活動を振り返る 〈10分〉

T　前回まで、「ちいちゃんのかげおくり」を読んで、自分の気持ちを考えたり、友達の考えを聞いたりしましたね。物語全体を振り返って、「ちいちゃんのかげおくり」を読んだ自分の気持ちを一言で表すとどんな気持ちですか。
・やっぱり「悲しい」や「かわいそう」が大きいです。
・「あたたかさ」もあるけど、一番は「安心」という気持ちです。
T　今出てきた気持ちは文章のどの言葉から出てきたか、自分のノートや板書の写真を振り返って考えましょう。
・「登場人物の行動」「会話文」「場面の様子」「地の文の言い方」などに注目しました。

2 「まとめ方のれい」を読み、感想の書き方を確認する 〈5分〉

T　p.29の「まとめ方のれい」を読んで、どんなことに気を付けて書けばいいのか考えてみましょう。
・自分が感じていることを短い言葉で書くといいと思います。
・前回までに気付いた言葉を根拠にして、理由を書くといいと思います。
・「△もう少し」の例のように気付いた言葉を示すだけではなくて、その言葉からなぜそう思ったのかを書くといいと思います。
・どの言葉から「かわいそう」だと思ったのかを、いくつか書いた方がいいと思います。
○根拠だけになっている「△もう少し」の文章を提示し、その根拠からなぜその気持ちが生まれたのかまで書くようにする。

ちいちゃんのかげおくり　あまんきみこ作

1

これまでの学習をふり返って感想を書こう。

○「ちいちゃんのかげおくり」を読んで、どんな気持ちが生まれたかな？

悲しい　さびしい　心配　かわいそう

あたたかい　安心（あんしん）

○どんな言葉から自分の気持ちは生まれたかな？

・行動　・話し方　・会話文　・場面の様子　・地の文の言い方

・擬人法（ぎじんほう）　・地の文の短さ　・何度も使われている言葉

・ダッシュ（――）　・オノマトペ　・細かい行動

・前の場面とくらべる

2

p.29
「まとめ方のれい」
の拡大文

3 感想を書く 〈30分〉

T　感想を書いてみましょう。どのように書くか迷ってしまう人は、友達の文章の書き出しを読ませてもらってもよいです。

・読んだときの気持ちについて、どの言葉から考えたかを詳しく書きます。

・根拠になる言葉を示すだけにならないように、その言葉からなぜその気持ちが生まれたのかも書くように気を付けます。

・書き始めに迷っているので、書き始めている人の文章を読んでみます。

○どこからそう思ったのかという根拠だけを書く子供には、「なぜその言葉から○○な気持ちが生まれたの？」と問いながら指導する。

よりよい授業へのステップアップ

様々な文章を参考にできる環境づくり

ここまで学びを積み重ねているので、自分の感想を多くの子供がもっていると考えられる。しかし、書き出しが思いつかなかったり、具体的なイメージが湧かなかったりすることで、うまく書けない子供もいるだろう。そのために、内容を規定しすぎない「まとめ方のれい」を参考にすることを促す。さらに、早めに書いている友達の文章を参考にできるような環境づくりをする。具体的には学習支援ソフトで共有したり、周りの人の文章を見て回ったりするなどの方法が考えられる。

本時案

ちいちゃんのかげおくり

9/10

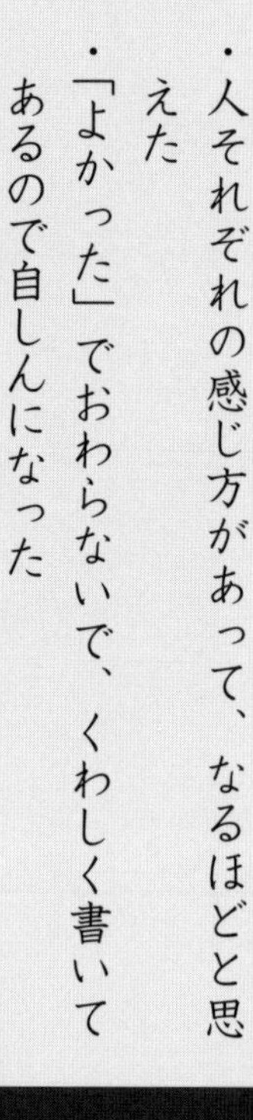

・人それぞれの感じ方があって、なるほどと思えた
・「よかった」でおわらないで、くわしく書いてあるので自しんになった

本時の目標

・互いに感想を読み合い、「ちいちゃんのかげおくり」で学んだことを基にして、感想や考えをさらに広げることができる。

本時の主な評価

❹自分と友達の感想の同じところや違うところに気付き、友達の書いた感想にコメントを書いたり、もらったコメントにお返しをしたりしようとしている。【態度】

資料等の準備

特になし

授業の流れ ▷▷▷

活動の目的や方法を確認する 〈5分〉

T　前回の授業で、これまで学んだことを生かして感想を書きましたね。今日は他の友達と感想を読み合い、コメントを書きましょう。読み合うときに気を付けるといいことは何でしょうか。

・自分と同じところや違うところのように、気を付けながら読むといいです。

・書いた人に「その気持ち分かる」「なるほど」ということや「感じ方が違った」ということを伝えたほうがいいと思います。

T　まずは同じグループの友達の感想を読んで、コメントをしましょう。そのグループで活動が終わったら、他のグループの人の感想も読んで、コメントをしましょう。

2 友達と感想を読み合う 〈30分〉

T　友達の感想を読み、コメントを書きましょう。

・「かわいそう」という気持ちや「平和になってほしい」という気持ちが一緒だった。自分が選んだこととは違ったけど、なるほどと思いました。

・「心配」な気持ちは自分にはなかったけど、〇〇さんの感想を読んでなるほどと思えた。

〇学習支援ソフトの共有機能を使って、手軽にコメントできるようにするとよい。誤字脱字ばかりに注目したコメントをしてしまう子には、「いいな」と思うところを中心にコメントするよう声をかける。

ちいちゃんのかげおくり　あまんきみこ作

1 感想を読み合い、自分の感じ方とにているところやちがうところをコメントしよう。

2 〈友だちの感想を読み合うときのポイント〉
・自分と同じところやちがうところに気をつけながら読む
・「その気持ち分かる」や「なるほど」ということを中心につたえる

〈活動の流れ〉
①同じグループの友だちの感想を読んでコメントする
②ほかのグループの友だちの感想を読んでコメントする
③自分に書かれたコメントを読む
④自分に書かれたコメントに対して

3 ○もらったコメントにお返しをしよう。
・「その気持ち分かる」や「なるほど」がたくさん書かれていてうれしかった

3 自分に書かれたコメントを読み、コメントを返す　〈10分〉

T　自分の文章に書かれたコメントを読んでみましょう。また、そのコメントにお返しのコメントをしましょう。

・「その気持ち分かる」や「なるほど」がたくさん書かれていてうれしかったです。
・「感じ方が違った」で、その人の感じ方がコメントで書いてあって、なるほどと思ったのでお返しのコメントに書いた。

○学習活動２で行った、友達と感想を読み合う活動の途中で、自分のコメントを見る活動を入れてもよい。コメントの質を高めるために、自分がどのようなコメントをされるとうれしいのか、あまりうれしくないコメントはどんなコメントか、具体的に考えるようにする。

ICT 等活用アイデア

文章を手軽に共有し、多くの人の目にふれる喜びを感じる

文章を書いてよかったと思えるようになるために、書いた文章のよさを伝え合う活動は非常に重要である。学習支援ソフトを活用して、書いた文章を共有することが手軽に行えるようになったことを生かし、多くの人の目にふれられるような活動を設定したい。また、スピード感のあるやりとりができるので、感じ方が違ったところについて、互いにコメントをし合うことで、多くの考えを交流できる。ICT を活用するよさをより生かしていきたい。

本時案

ちいちゃんのかげおくり

本時の目標

・「ちいちゃんのかげおくり」で学んだことを他の文章を読むときにも生かし、感想をもつことができる。

本時の主な評価

・「ちいちゃんのかげおくり」で学んだ場面の移り変わりに、「メロディ――大すきなわたしのピアノ」を読むときにも着目することができる。

資料等の準備

・教科書 p.30「この本、読もう」に掲載されている本

3
○この本、読もう！
〈せんそうを題ざいにした物語〉
・『だっこの木』…「せんそうがはげしくなって――」
・『えんぴつびな』…「次の日――」

授業の流れ ▷▷▷

1 ポイントを確認し、学習の振り返りを書く 〈15分〉

T 「ちいちゃんのかげおくり」の学習を通してどんなことを学びましたか。活動全体を振り返るために、教科書 p.29の「ふりかえろう」を読みましょう。どのような言葉に着目すると、物語の感想をもつことができましたか。感想をまとめ、読み合ってみてどうでしたか。

・「行動」や「話し方」など場面を読むときの視点に着目することができました。
・場面ごとに変化したことに着目するとよかったです。
・感想をまとめた後で、もう一度振り返って読むと、また新しい発見がありました。

T 今出てきたことを参考にして、この学習の振り返りを書きましょう。

2 「メロディ」の読み聞かせを聞き、共通点を考える 〈25分〉

T 「場面のうつりかわり」に着目した人も多くいましたね。p.144-147に「メロディ――大すきなわたしのピアノ」という物語があります。場面の移り変わりに着目しながら読み聞かせを聞きましょう。

T 「メロディ――大すきなわたしのピアノ」と「ちいちゃんのかげおくり」の同じところはどこでしたか。

・最初の女の子と最後の女の子がピアノを弾くところが同じだったけど、弾いている人やその様子が違いました。
・女の子が大きくなって、最後の場面でお母さんとして同じことをしている場面が、「よかった」と思えて「ちいちゃんのかげおくり」と似ていました。

ちいちゃんのかげおくり　あまんきみこ作

1

学習をふり返ろう。ほかの文章を読んでみよう。

○どんな言葉に着目すると、物語の感想をもつことができた？
・「行動」「話し方」
・場面ごとに変化（へんか）したこと

○感想をまとめ、読み合ってよかったことは？
・新しい発見がたくさんあった。

2

「メロディ——大すきなわたしのピアノ」と「ちいちゃんのかげおくり」の同じところは？

・はじめの女の子とさいごの女の子がピアノをひくところで、ひいている人が同じでもその様子がちがう
・はじめの女の子が大きくなってお母さんになって同じことをしているのが「よかった」
↓「ちいちゃんのかげおくり」と同じで場面の変（へん）化が大きい

ICT 等活用アイデア

3 本の紹介をし、場面の移り変わりを予想する　〈5分〉

T 「メロディ——大すきなわたしのピアノ」のように、場面の移り変わりのある物語や戦争が描かれた本もあるので、いろいろ読むとおもしろいかもしれませんね。
・『だっこの木』も戦争が激しくなってと書いてあるから、場面の移り変わりが大きいかもしれない。
・『えんぴつびな』も「次の日——」ってあるから、急に何か変わるのかもしれない。
○学校の図書館司書と連携したり、電子書籍を活用したり、多くの本を手に取れるように教室に並べておくとよい。

電子書籍を活用し、いろいろな本を手に取れるようにする

単元末で、関連する本を読む際には、図書室で調べるよさもあるが、読みたい本が重複してしまう可能性も考えられる。そこで、図書館で調べることと並行して、「Yomokka！」（ポプラ社）などの、電子書籍の活用も有効である。教科書単元に沿った書籍が多くそろっており、読みたい本が重複することなく、読みたい人が読みたいものを自由に読める特徴を生かすと、活動をスムーズに進めることができる。

言葉

修飾語を使って書こう　（2時間扱い）

単元の目標

知識及び技能	・主語と述語の関係、修飾と被修飾の関係について理解することができる。((1)カ) ・言葉には性質や役割による語句のまとまりがあることを理解することができる。((1)オ)
学びに向かう力、人間性等	・言葉のもつよさに気付くとともに、幅広く読書をし、国語を大切にして、思いや考えを伝え合おうとする。

評価規準

知識・技能	❶主語と述語の関係、修飾と被修飾の関係について理解している。(〔知識及び技能〕(1)カ) ❷言葉には性質や役割による語句のまとまりがあることを理解している。(〔知識及び技能〕(1)オ)
主体的に学習に取り組む態度	❸粘り強く修飾と被修飾との関係について理解し、学習課題に沿って修飾語を使って文を書こうとしている。

単元の流れ

時	主な学習活動	評価
1	学習の見通しをもつ 「くわしく分かりやすい文を書くには、どうすればよいのか」という学習課題を基に、修飾語の働きや役割について理解する。	❶
2	・修飾語について理解したことを活用して、文章を書く。 学習を振り返る ・学習した修飾語の働きや使い方について書き、学習を振り返る。	❷❸

授業づくりのポイント

〈単元で育てたい資質・能力〉

本単元のねらいは、修飾と被修飾の関係について理解し、文の構成について考える力を育むことである。そのため、主語と述語だけの文では分かりづらいことを理解し、修飾語の必要性を感じるようにすることが大切になる。

また、修飾語を用いると、自分の経験や考えをより詳しく相手に伝えることができる。このような修飾語のよさを子供が感じられるようにしたい。

[具体例]

○導入では、教科書 p.31に示された「花が、さきました。」の文を確認した後、「赤い花」「たくさんの赤い花」「たくさんの青い花」の３つの絵を提示する。子供たちに「どの絵を説明した文なのか」と問えば、「詳しいことが書いていないから分からない」と答えるだろう。そこから、「何色の花」「どのくらい」など修飾語の必要性を感じながら学習に取り組めるようにする。
○単元の最後には、教科書の写真を見て、主語、述語、修飾語がある文を作成する。作成した文を友達と見せ合い、修飾語を用いると文がより具体的になり、相手に伝わりやすくなることを実感できるようにする。しかし、過度に修飾語を用いると逆効果である。例えば、「釣竿を右手に持って、左手でえさをつけている青い半そでと茶色の短パンの服を着た短髪の男の子は、小さな犬といっしょに自転車でやってきた。」と多くの修飾語を使った文を提示し、分かりやすさを考える。子供が、修飾語が多ければ分かりやすくなるわけではなく、必要な修飾語を選択することが大切だと気付けるようにしたい。

〈言語活動の工夫〉

子供が実感をもって、修飾と被修飾の関係に気を付けながら文を構成できるようにしたい。そこで、既習の物語文の一文を使い、学習活動を行うことが考えられる。例えば、主語、述語、修飾語を短冊に分けた一文を元に戻す活動を行う。並べ替えた一文が友達や教科書と異なる場合もあるだろう。その際、どちらの方が意味を正しく伝えることができるかを比べて考える。これにより、係る修飾語は受ける言葉の近くに置くと伝わりやすいことに気付けるようにしたい。また、「書くこと」と関連付ける学習活動も考えられる。日常的に子供の書いた日記や授業の振り返りなどを取り上げることで、子供の興味・関心を高め、理解を深めることが期待できる。

[具体例]
○本単元では、「ちいちゃんのかげおくり」の「白い四つのかげぼうしが、すうっと空に上がりました。」の一文を主語、述語、修飾語の要素に分け、並べ替えを行う。この一文は主語に係る修飾語と述語に係る修飾語がある。「すうっと空に白い、四つのかげぼうしが上がりました。」と並び替える子供もいるだろう。この一文と教科書の一文とを比較することで、係る修飾語は受ける言葉の近くに置くと伝わりやすいと気付き、修飾と被修飾の関係を捉えられるようになる。

〈ICT の効果的な活用〉

表現：端末のプレゼンテーションソフトの付箋に単語を記入することで、文を作成する際に付箋を追加したり、移動させたり、端に寄せたりすることができる。この機能を使うと文を作ることが容易になり、書くことに苦手意識のある子供も相手に伝わりやすい文を作ろうと意欲が高まり、取り組む姿勢も向上するだろう。

共有：端末のプレゼンテーションソフトで作成した文は、クラスの共有フォルダ等に保存する。この方法により、クラスでの交流や自分で文を作る際に生かせるようにする。

本時案

修飾語を使って書こう

本時の目標

・主語と述語の関係に基づいて、修飾と被修飾との関係を捉え、修飾語の役割を理解することができる。

本時の主な評価

❶修飾語の働きを理解し、言葉を加え、詳しくした文を書いている。【知・技】

資料等の準備

・花 ABC のイラスト 02-01
・修飾語の語句表 02-02
・「ちいちゃんのかげおくり」の一文またはその短冊のプレゼンテーションファイル 02-03

4
○「ちいちゃんのかげおくり」の一文で考えてみよう。
・白い 四つの かげぼうしが すうっと 空に 上がりました
・すうっと 白い 空に 四つの かげぼうしが 上がりました
↓係る言葉が受ける言葉に近い方が分かりやすい
○修飾語を使うときに気をつけること
・どの言葉をくわしくしたいか考え、位置に気をつけて使う

授業の流れ ▷▷▷

1 例文とイラストを見て、本時の学習課題を把握する 〈10分〉

T 「花が、さきました。」主語と述語はどれでしょう。
・主語は「花が」で、述語は「さきました。」です。
T 主語と述語が分かりましたね。では、A～C のどの花が咲いたか分かりますか。
・どの花だろう。もっと詳しいことが書いていないと分かりません。
T 詳しく、分かりやすい文を書くにはどうすればよいでしょうか。
・何色の花かを書くといいと思います。
・どのくらい咲いているかが必要です。
○「何色か」「どのくらい」の片方だけでは、A～C のどの花のことか判断できないことに気付けるようにし、学習課題へつなげる。

2 例文を詳しくし、修飾語がどの言葉に係るか考える 〈15分〉

T 「花が、さきました」は C の絵のことを言っています。相手に伝わるように言葉を付け加えてみましょう。
・赤い花が、咲きました。
・赤い花が、たくさん咲きました。
T みなさんが文を詳しくするために付け加えた言葉を修飾語と言います。
○「どんな」「どのくらい」と修飾語の項目を全体で共有する。
T 「赤い」は主語の「花が」に係り、「たくさん」は、述語の「さきました」に係ります。
○後にくる言葉を詳しくする関係を「係る」と表現することを説明する。

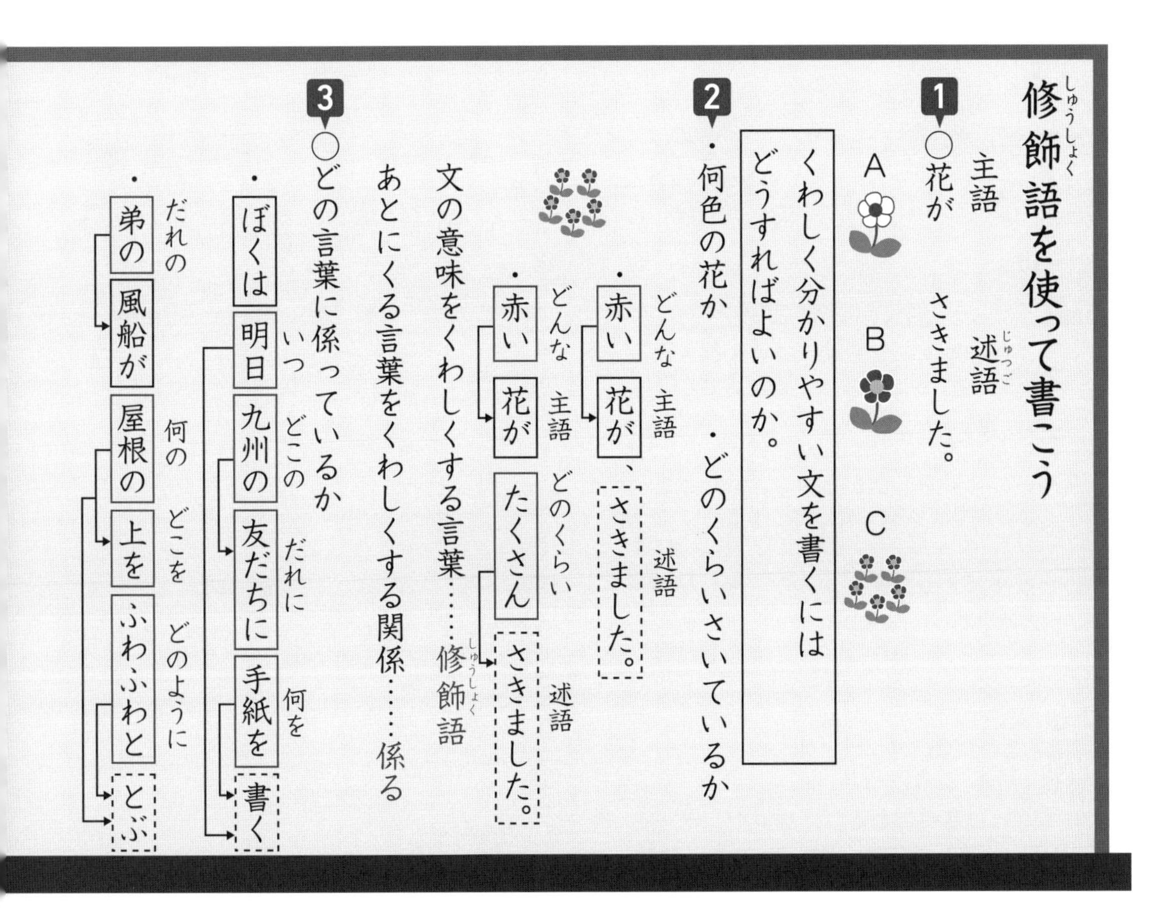

3 それぞれの言葉が、どの言葉に係っているか考える〈10分〉

T　教科書 p.33[1]を読み、赤色の□がどの言葉に係っているか確認しましょう。

○教科書にどの言葉が係るかを矢印で書き込み、グループ、全体の順で共有する。

・「明日書く」だから、「明日」は「書く」に係っています。

・「九州の」は「だれに」の「友だちに」に係っています。

・「弟の」は「弟の風船が」だから、「風船が」に係っています。

○修飾語が修飾語に係る場合があることを確認する。

T　このように「いつ」「どこの」「何を」「どのように」なども修飾語です。

4 修飾語を並び替え、既存の物語の一文にする〈10分〉

T　修飾語を並び替え、一文を作りましょう。

○「ちいちゃんのかげおくり」の一文を使う。

・「すうっと白い空に四つのかげぼうしが上がりました。」これだと白い空になってしまい、分かりづらいです。

・係る修飾語が受ける言葉に近い方が分かりやすいこともあります。

T　修飾語を使うときには、どのようなことに気を付ければよいですか。

・どの言葉を詳しくしたいかよく考え、位置に気を付けて使うことが大切です。

ICT 端末の活用ポイント

プレゼンテーションソフトの付箋機能を使うと、修飾語を付け加えやすい。

本時案

修飾語を使って書こう

本時の目標

・修飾語を用いて、日常の様子を表す文を作ることで、言葉の役割や関係について捉え直し、分かりやすい文を書くことができる。

本時の主な評価

❷言葉同士の関係や役割を理解し、修飾語を使って分かりやすい文を書いている。【知・技】

❸修飾と被修飾との関係について理解しながら、修飾語を使って文を書こうとしている。【態度】

資料等の準備

・教科書 p.33の写真
・修飾語の短冊 02-04
・p.33②③の付箋が用意されたプレゼンテーションファイル 02-05

てきた。

↓ 分かりづらい

・男の子は、近くの 大きな みずうみに
自転車で やってきた。
・小さな犬が、おとなしく見ている。

教科書p.33の写真

4
○学習のふり返り
・修飾語を使うと様子をくわしくつたえることができる
・修飾語を一文に使いすぎると分かりづらくなる
・どの言葉をくわしくしたいかよく考え、位置に
気をつけて使うことが大切

授業の流れ ▷▷▷

1 前時を振り返り、本時の学習課題を把握する 〈10分〉

T　前回の授業では修飾語について学びました。修飾語を使うときにはどんなことに気を付ければいいですか。

・主語を詳しくしたいのか、述語を詳しくしたいのかを考えることです。

・係る言葉は受ける言葉にできるだけ近いと分かりやすいです。

○「何が」「どのように」などの修飾語を短冊にして掲示し、振り返ることができるようにする。

T　今日は修飾語を使って、様子を詳しく表す文を書きましょう。まずは、「水が、流れる。」という文を詳しくしましょう。

・今日の朝、冷たい水が流れる。

・山の上から川の水が、ゆらゆら流れる。

2 修飾語を使い、例文の様子が詳しく伝わる文にする 〈15分〉

T　教科書 p.33②の文に、修飾語を加えて、詳しくしましょう。

・旅行の荷物が、多くて重い。

・友達の山田さんは、ルールを守った。

・国語の勉強は、気持ちを伝えるときに役立つ。

○困っている子供には、主語に係る言葉、述語に係る言葉を決めてから修飾語を考えるように声を掛ける。

T　作った文を発表しましょう。

ICT 端末の活用ポイント

プレゼンテーションソフトの付箋機能を使い、文を作る。クラスの共有フォルダ等に保存することで、クラスで交流したり、自分で文を作ったりする際に生かせるようにする。

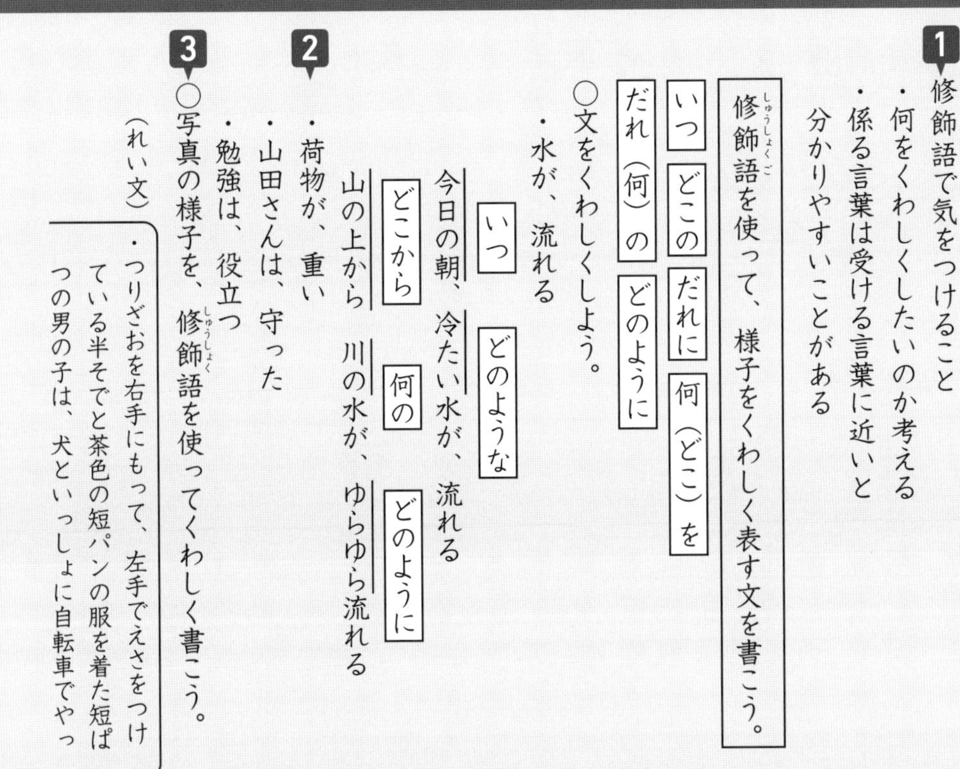

3 p.33写真の様子を、修飾語を使って詳しく書き、全体で発表する〈15分〉

T　p.33写真の様子を、修飾語を使って詳しく書きましょう。

○最初に教師が一文を例示し、修飾語を使いすぎると分かりづらくなることを確認する。

・男の子は、近くの大きな湖に自転車でやってきた。

・「自転車で」は「やってきた」に係ります。

・小さな犬が、おとなしく見ている。

・「小さな」は「犬が」に係ります。

○主語と述語を決めてから修飾語を考えるように声を掛ける。

○修飾語がどの言葉を詳しくしているか、その位置を意識できるようにしたい。

T　グループで発表した後に、全体で発表しましょう。

4 学習全体を振り返る〈5分〉

T　修飾語の学習をして気付いたことや思ったことを書きましょう。

・修飾語を使うと様子を詳しく伝えることができます。

・修飾語を使いすぎると分かりづらくなることがあります。

・どの言葉を詳しくしたいのかよく考え、位置に気を付けて使うことが大切です。

○修飾語は、継続して意識できるようにする。日常的に修飾語の短冊を確認したり、子供の書いた文を取り上げ、適切な修飾語の使い方や位置、一文の長さなどを共有することで意識を高めることができる。

資料

1 第1時　修飾語の語句表 02-02

修飾語を使って書こう

年　　組

修飾語の語句表

いつ	今日、きのう、今、その時、昔、かつて、少し前、以前、その前、年、月、日、毎日、いつも、しばらく、たまに、今まで、今から、朝、昼、夕ばん、今度、とつぜん、雨の日、晴れの日、最初、最後
どこ	場所（公園）、国（日本）、地域、たて物（学校）、お店、近く、○m先、方向（上下左右、前後）、方位（東西南北）、空、地面、うちゅう、地下、空港、駅、道、山、川、湖、海
だれ	家族（お母さん）、男の子、女の子、先生、近所の人（商店がいの○○さん）、友だち（○○さん）、昔の人、有名人、となりの人、
どんな	大きい、小さい、巨大な、たくさん、少し、ほとんど、ぜんぜん、速く、遅く、すばらしい、ふつう、特別、うれしい、びっくり、かなしい、ほっとする、はっとする、新しい、古い、明るい、静かな、うるさい、長い、短い、美しい、高い、ひくい、重い、軽い、すばらしい、まるい、四角い、カラフルな、あざやか、とうめい、だいたん、細かい、ゆめのような、すずしい、ねむい、あまい、にがい
どのように	いっしょうけんめい、ていねい、せっきょくてき、てきかく、しんちょう、いそいで、ゆっくりと、楽しく、うれしそう、しずか、だいたん、がんばって、のんびり、ひたすら、ずっと、きんちょうして、いきおいよく、どっしり、むちゅう、生き生き、がむしゃら、こつこつ、もじもじ、地道、きらきら、あっという間、うきうき、びしょびしょ、眠そう、どきどき
どのくらい	すこし、わずか、そこそこ、まあまあ、かなり、すごく、ひじょうに、たくさん、くらい、ほど、までに、多く、山ほど

2 第2時　修飾語の短冊 02-04

この

どこの

だれに

何（どこ）を

だれ（何）の

どのように

きせつの言葉 3

秋のくらし （2時間扱い）

単元の目標

知識及び技能	・語句の量を増し、話や文章の中で使い、語彙を豊かにすることができる。((1)オ)
思考力、判断力、表現力等	・経験したことや想像したことなどから書くことを選び、伝えたいことを明確にすることができる。(B ア)
学びに向かう力、人間性等	・言葉がもつよさに気付くとともに、幅広く読書をし、国語を大切にして、思いや考えを伝え合おうとする。

評価規準

知識・技能	❶語句の量を増し、話や文章の中で使い、語彙を豊かにしている。(〔知識及び技能〕(1)オ)
思考・判断・表現	❷「書くこと」において、経験したことや想像したことなどから書くことを選び、伝えたいことを明確にしている。(〔思考力、判断力、表現力等〕B ア)
主体的に学習に取り組む態度	❸進んで身の回りの物事や経験したことの中から、秋に関する言葉を見つけ、学習の見通しをもって文章を書こうとしている。

単元の流れ

時	主な学習活動	評価
1	学習の見通しをもつ ・「虫の声」の唱歌を聞き、出てきた虫や言葉について発表する。 ・秋を感じるものを出し合い、秋に関する言葉を増やす。 ・単元の学習課題を設定する。 3年○組で、一さつの「オリジナル秋ブック」を作ろう。	❶
2	・「オリジナル秋ブック」の書き方を知り、秋を感じるものを文章で表す。 ・書いた文章を読み合う。 学習を振り返る ・新しく知った秋に関する言葉をノートに書き、学習を振り返る。	❷❸

授業づくりのポイント

〈単元で育てたい資質・能力〉

本単元では、暮らしの中にある秋を感じる言葉を出し合い、その言葉を用いて文章を作ることで、子供の語彙を豊かにすることをねらいとする。子供たち自身、日々の生活の中で秋を感じる事象を、自然と五感で感じている。その自然と感じていることを、みんなで言語化したり文章化したりすることを通して、改めてその季節がもつよさを感じられるようにし、実感を伴った語彙の充実を図りたい。

〈教材・題材の特徴〉

多くの子供が音楽の授業で聞いたり歌ったりしたことのある「虫の声」（文部省唱歌）が用いられている。また、「〇〇の秋」という慣用的な言い方や秋に旬を迎える食べ物を言葉と絵で表現しており、子供たちが秋を感じ取りやすい教材となっている。さらに、用いられている文章も、生活の中で感じた事象を分かりやすく言葉で書かれているため、文章づくりに生かせるものである。

[具体例]

〇「虫の声」を聞いたり歌ったりすることから学習を始め、興味をもてるようにする。その際、「どんな虫が出てきたか」や「どんな鳴き声だったか」など、秋に関連する言葉に着目できるようにする。また、「夜長」の意味を、漢字から推測したり国語辞典を活用したりして押さえたい。

〇秋を感じるものを出し合う際には、「秋と言えば……」など、子供から様々な秋を感じる言葉が出るようにする。出てきた秋に関する言葉を、食べ物や自然などに分類して板書していく。例えば、「栗」や「柿」は食べ物に分類し、「銀杏」や「紅葉」は自然の仲間に分類する。教師の分類の仕方の意図を子供たちに問いかけることで、「〇〇の秋」という慣用句的な言い方につなげる。

〇文章づくり（「オリジナル秋ブック」づくり）をする際には、「〇〇の秋」をテーマにして、自分が見つけてきた秋の言葉の中から１つ選び、感じたことを文章で書き表す。

〈言語活動の工夫〉

本単元の学習課題を「３年〇組で、一さつの『オリジナル秋ブック』を作ろう」とした。「オリジナル」とすることで特別感が生まれ、自分たちで作りたいという意欲が湧くだろう。この「オリジナル秋ブック」を書くために、１時間目と２時間目の間を少し空けて、自分たちで秋を探す時間を取りたい。秋を感じた際には写真を撮影し、ICT 端末を使って撮り溜めていったり、教室後方に秋探しコーナーの紙を貼って、自由に書き足せるようにしたりして、言葉を増やしていく。

〈ICT の効果的な活用〉

記録：端末のカメラ機能を用いて、見つけた秋を感じるものを写真に残す。色づいた校庭の葉を撮ったり、家で食べた秋の食べ物を撮ったりして写真を溜めていく。そして、その見つけた秋の写真を基に、「オリジナル秋ブック」を作成する。

本時案

秋のくらし

本時の目標

・秋に関する唱歌や事柄を基に、秋を感じる言葉を増やすことができる。

本時の主な評価

❶秋に関する語句の量を増し、話や文章の中で使い、語彙を豊かにしている。【知・技】

資料等の準備

・唱歌「虫の声」の CD（2 年生の音楽の CD を借りてもよい）
・教科書 p.34の唱歌「虫の声」の穴あき歌詞 03-01
・「オリジナル秋ブック」を作るまでの手順を書いた模造紙 03-02

「オリジナル秋ブック」を作るまで
①学校や家などで見つける
②見つけた秋を記ろくする（教室後ろの紙やタブレットで）
③みじかい文でまとめる（いつ・どこで・思ったことなど）

作成手順は、模造紙などに書いておくとよい

授業の流れ ▷▷▷

1 「虫の声」の唱歌を流し、出てきた虫などを発表する〈10分〉

T　今から、秋を感じる曲を流します。
○「虫の声」の唱歌を流す（2 回ほど）。
T　どんな秋の虫が出てきましたか。
・松虫、鈴虫です。
T　どんな鳴き方をしていましたか。
・松虫は、ちんちろちんちろ　ちんちろりんと鳴いていました。
・鈴虫は、りんりんりんりん　りいんりんと鳴いていました。
○教師の ICT 端末を使って、実際に鳴いている動画を見せてもよい。
T　「夜長」とは、どんな意味か漢字から推測したり、国語辞典で調べたりしてみましょう。
・夜長は、夜間が長いことです。

2 秋を感じるものを出し合い、秋の言葉を増やす〈25分〉

T　「松虫」のような秋を感じるものをみんなで考え、秋の言葉を増やしていきましょう。
T　秋と言えば、何が思い浮かびますか。
・さんま、栗です。
・いちょう、もみじです。
○まずは、自分で秋を感じるものをノートに書き、全体で交流する際に書いていなかった言葉を書き足すようにする。
○秋の言葉をグループに分類しながら、板書する。
T　黒板に書いた秋の言葉を見て、何か気が付いたことはありますか。
・食べ物グループに分けられます。
・自然グループに分けられます。
T　秋の言葉をグループにまとめて、「○○の秋」と言うこともあります。

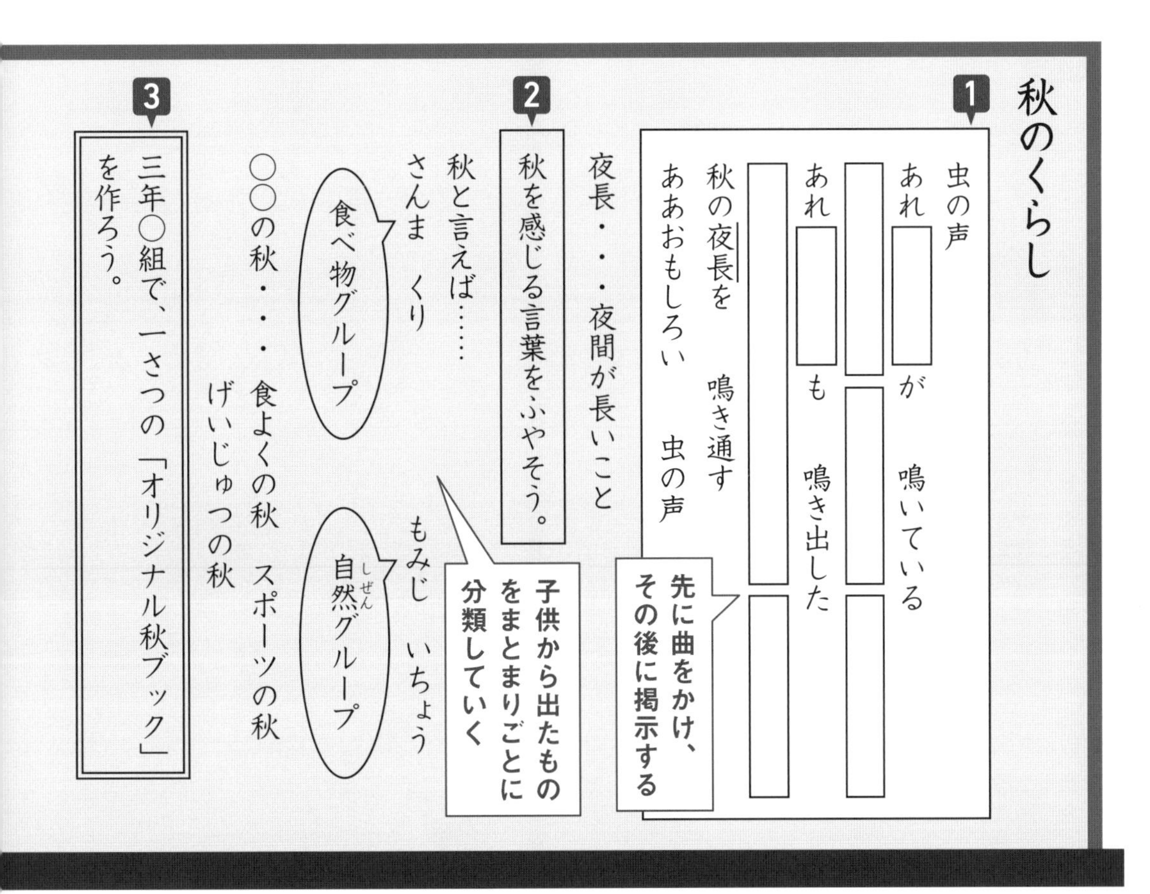

3 単元の学習課題を知る 〈10分〉

T これから、秋を感じる言葉をさらに探して、みんなで「オリジナル秋ブック」を作りましょう。

○単元の学習課題を設定する。探し方や文章でまとめるときのポイントを簡単に示す。

T 次の授業では、「オリジナル秋ブック」を作るために、秋の言葉をたくさん見つけておきましょう。

ICT 端末の活用ポイント

端末のカメラ機能を用いて、見つけた秋を写真に撮り溜める。必要に応じて家庭に持ち帰るようにしてもよい。

よりよい授業へのステップアップ

唱歌の生かし方

学習の導入時に「虫の声」の唱歌を流し、子供の興味・関心を高める。また、「虫の声」の歌詞の一部（虫の名前や鳴き声）を穴埋め問題にすることで、子供たちのやる気を引き出す。

画像の活用方法

秋の言葉の中で、子供がイメージしにくいものがあれば、ICT 端末を用いて、画像を見せられるようにする。

グループごとの言葉探し

秋の言葉を探す際には、食べ物グループや自然グループなどのように分担して探すこともできる。

本時案

秋のくらし

2/2

本時の目標

・秋に関する言葉を経験や想像したことから選び、自分の伝えたいことを明確にすることができる。

本時の主な評価

❷経験したことや想像したことなどから秋を感じる言葉を選び、伝えたいことを明確にしている。【思・判・表】
❸進んで身の回りや経験したことの中から、秋に関する言葉を見つけ、学習課題に沿って文章を書こうとしている。【態度】

資料等の準備

・「オリジナル秋ブック」の用紙  03-03
・教科書 p.34文章例の拡大コピー

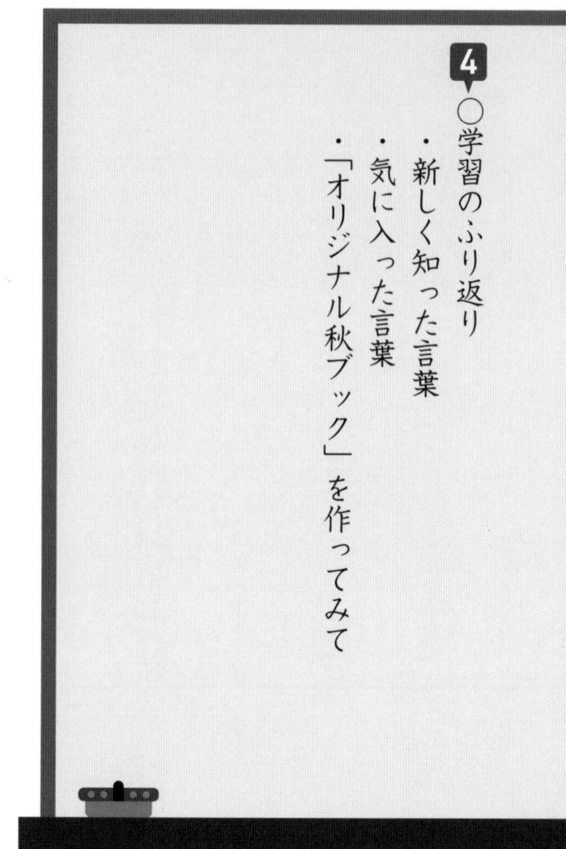

授業の流れ ▷▷▷

1 見つけた秋の言葉をグループで伝え合う 〈7分〉

T　見つけた秋の言葉をグループで伝え合いましょう。
・さつまいもを見つけました。
・昨日、下校中にすすきを見つけました。
・紅葉も秋の言葉だと思います。
○撮った秋の写真や描いた秋の絵を基に、グループで発表していく。その際、聞く側の子供は、簡単な質問や感想（いつ見つけたのかなど）を伝えるようにする。
T　上手にグループで伝え合うことができました。では、実際に書いていきましょう。

2 書き方を知り、実際に書く 〈25分〉

T　書き方を説明します。
○ p.34の文章を参考にしながら、説明する。「いつ」「どこで」「何を」「どうした」「思ったこと」「感じたこと」など、文章を書く際の要点を確認する。
T　今から用紙を渡すので、文章と絵（写真）でかいてみましょう。
・「食よくの秋」……昨日、家でさんまを食べました。とてもおいしかったです。
・「こう葉の秋」……一昨日、いちょうを見ました。黄色い葉っぱがきれいでした。
○テーマを「○○の秋」にして、各自が見つけた秋の言葉を使って文章を書いていく。

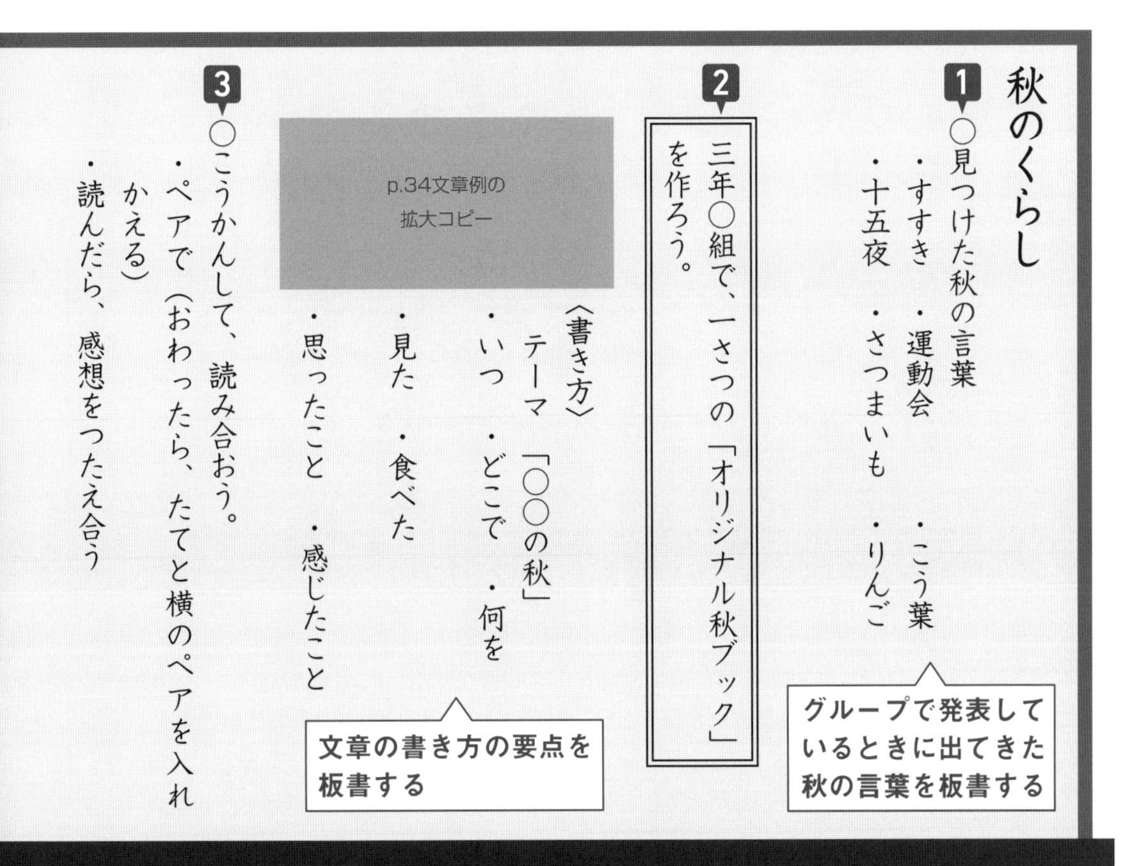

3 交換して読み合う〈8分〉

T　ペアで読み合い、感想を伝えましょう。
・さんまがとてもおいしそうで、食べたくなりました。
・いちょうがとてもきれいでした。私は、もみじを見たことがあります。
○横や縦のペアで、交換してお互いに読み合い、感想を伝え合う。
T　みんなの前で発表してくれる人はいますか。
・「行事の秋」……先週、運動会がありました。一生懸命がんばりました。
○時間に余裕があれば、全体で発表する時間を取ってもよい。

4 学習を振り返る〈5分〉

T　これまでの学習を振り返り、新しく知った秋の言葉や気に入った秋の言葉、「オリジナル秋ブック」を作ってみての感想などをノートに書きましょう。
・紅葉という言葉を初めて知りました。
・○○さんが書いていた「すすき」が気に入りました。
・秋の言葉をたくさん知ることできてよかったです。
○完成したものをまとめて綴じ込み、「オリジナル秋ブック」として教室に置き、いつでも子供が見られるようにする。また、「オリジナル秋ブック」の表紙を、子供たちが作成してもよい。

進行にそって、はんで話し合おう

おすすめの一さつを決めよう　（8時間扱い）

単元の目標

知識及び技能	・比較や分類の仕方を理解し使うことができる。((2)イ)
思考力、判断力、表現力等	・目的や進め方を確認し、司会などの役割を果たしながら話し合い、互いの意見の共通点や相違点に着目して、考えをまとめることができる。(A オ) ・目的を意識して、日常生活の中から話題を決め、集めた材料を比較したり分類したりして、伝え合うために必要な事柄を選ぶことができる。(A ア)
学びに向かう力、人間性等	・言葉がもつよさに気付くとともに、幅広く読書をし、国語を大切にして、思いや考えを伝え合おうとする。

評価規準

知識・技能	❶比較や分類の仕方を理解し使っている。(〔知識及び技能〕(2)イ)
思考・判断・表現	❷「話すこと・聞くこと」において、目的や進め方を確認し、司会などの役割を果たしながら話し合い、互いの意見の共通点や相違点に着目して、考えをまとめている。(〔思考力、判断力、表現力等〕A オ) ❸「話すこと・聞くこと」において、目的を意識して、日常生活の中から話題を決め、集めた材料を比較したり分類したりして、伝え合うために必要な事柄を選んでいる。(〔思考力、判断力、表現力等〕A ア)
主体的に学習に取り組む態度	❹粘り強く司会などの役割を果たしながら話し合い、学習の見通しをもって考えをまとめようとしている。

単元の流れ

次	時	主な学習活動	評価
一	1	学習の見通しをもつ ・1年生から依頼があり、班ごとに楽しい本を決めて紹介したいという活動に対する意欲をもつ。 ・そのために、どのように話し合いたいかについて考え、学習計画を立てる。 はんごとにおすすめの一さつを決めよう。	
二	2	・おすすめの本を選ぶための整理の仕方を確認する。 ・紹介したい本を複数選び、その理由を考え、整理する。	❶❸
	3	・教科書の二次元コードで話し合いの例を見て、話し合いのポイントを考える。 ・本を紹介するための話し合いの整理の仕方を考える。	
三	4	・1回目の話し合いを行い、2つの班をペアにし、互いの話し合いの様子を見合う。 ・1回目の話し合いを振り返り、よかった点や改善すべき点などについて話し合う。	❷
	5	1回目の話し合いを振り返り、意見をまとめるために大切なことを考える。	
	6	1回目の話し合いの振り返りを踏まえ、2回目の話し合いに向けて、一人一人が課題	❹

	7 8	を見つけ、準備を進める。 ２回目の話し合いを行い、２つの班をペアにし、互いの話し合いの様子を見合う。 学習を振り返る ２回目の話し合いを振り返り、今後の話し合いに生かすことをまとめる。	❷

授業づくりのポイント

〈単元で育てたい資質・能力〉

本単元のねらいは、目的や進め方を確認し、司会などの役割を果たしながら話し合い、互いの意見の共通点や相違点に着目して、考えをまとめる力を育むことである。そのために、司会者は話し合いがまとまるよう進行していく。また、参加者も話し合いの流れを踏まえて、積極的に自分の考えを発言したり、互いの考えの共通点や相違点に着目したりしながら、共に考えをまとめられるようにする。

〈言語活動の工夫〉

本教材は、「１年生におすすめする１冊を決める」という目的に向かって話し合うことが主な学習活動である。中学年では、相手や目的を一層強く意識して話し合うことが求められる。話し合いの進め方においても、目的に応じて、１つの考えに集約するのか、考えを広げるのかについて検討する必要がある。ここでは、結論を１つにまとめる話し合いであるということを意識するとともに、おすすめの１冊を紹介する相手は、１年生であるということが本を検討するための視点となる。話し合う前に、一人一人が相手意識をもち、複数の本を比較したり分類したりし、おすすめの１冊を選ぶ。そして、互いの意見を比較し、共通点や相違点に着目しながら考えをまとめられるようにする。

〈単元の流れの工夫〉

司会などの役割を果たしながら話し合う経験がないことも想定されるため、教科書の二次元コードを活用し、話し合いのイメージをもつ。そして、実際に他のグループの話し合いを見たり、繰り返し経験したりすることを通して、発言の仕方や話し合いの整理の仕方への気付きを増やしていく。そのために、２つの班をペアにし、互いの話し合いを見合う機会を設けるとともに、話し合う場面を２回設けることで、１回目で学んだことを２回目に生かせるようにする。また、様々な立場を経験することができるよう、２回目の話し合いはグループ編成を変えるなど、工夫して行う。

[具体例]
○話し合いの振り返りでは、１回目は話し合いでの自分の役割や進行することそのものに着目し、２回目は発言の仕方や話し合いの整理の仕方について着目できるようにする。
○役割を司会と記録・時間係の２つのグループに分け、１回目に司会を経験した子供は、２回目は記録もしくは時間係の役割を担うようにすることで、様々な立場を経験できるようにする。

〈ICT の効果的な活用〉

視聴：教科書の二次元コードを活用し動画を視聴することで、話し合いのイメージをもったり話し合いの進め方（役割など）を考えたりし、自分たちの話し合いに生かせるようにする。
分類：学習支援ソフトの付箋機能を活用することで、考えを記入した付箋を動かしながら話し合いを整理したり、共有したりできるようにする。
記録：端末の録画機能を用いて、グループで話し合いの様子を振り返ったり、他のグループの話し合いを視聴したりすることで、次の話し合いに生かせるようにする。

本時案

おすすめの一さつを決めよう 1/8

本時の目標

・1年生に紹介する本を班ごとに決めるために、どのように学習を進めていくのか見通しをもつことができる。

本時の主な評価

・1年生に紹介する本を班ごとに決めるために、どのような話し合いにしたいかを考え、本単元の学習の見通しをもっている。

資料等の準備

・1年生からの依頼の短冊

3

学習計画を立てよう。

①話し合いの仕方を知る

②一人一人がおすすめの
本をえらぶ

③話し合う→2回する

④話し合った後、
ふり返る

2から自然な流れで3へつなげる。子供が主体的に学習に取り組むことができるよう、子供とともに立てた学習計画と教師の指導計画とを関連付け、後で模造紙などにまとめ提示する

授業の流れ ▷▷▷

1 1年生からの依頼を知り、話し合いたいという意欲をもつ 〈10分〉

○1年生からの依頼を伝える。

T　1年生から「本がすきになるような楽しい本を教えてください」というお願いがありました。どんな本がいいですか。

・1年生が自分で読むことができる本がいいと思います。

・私が1年生のときは、ねずみくんシリーズが好きでした。

T　では、班ごとにおすすめの1冊を決めましょう。

○単元の学習課題を板書する。

2 どのような話し合いにしたいか考える 〈15分〉

○話し合いの課題意識をもてるようにする。

T　班で話し合うときに、どのようなことに気を付けていますか。また、これまでの話し合いを振り返って、どんなことを学びたいですか。

・みんなが意見を出し合えるようにしています。

・なかなか1つに決められずに困ったことがありました。

・多数決ではなく、みんなが納得できる話し合いにしたいです。

・みんなの意見を引き出すにはどうすればいいか知りたいです。

1

本がすきになるような楽しい本をおしえてください。

一ねんせいより

❶で問いかける
ために提示する

・一年生が自分で読める本
・絵がすてきな本
・お話がおもしろい本
・動物が出てくる本

子供たちから
出された書籍
名を板書する

はんごとにおすすめの一さつを決めよう。

2

○話し合いで気をつけていることや
これから学びたいこと
・みんなが意見を出し合う
・一つに決められずにこまった
・多数決ではなく、みんながなっとく
・みんなの意見を引き出す方ほうを学びたい

3 学びたいことを踏まえ、学習計画を立てる 〈20分〉

○本時のめあてを板書する。

T 1年生におすすめの1冊を班で決めることができるように、意見をまとめるための話し合いの仕方を学びましょう。そのために、どんな学習活動が必要ですか。

・一人一人がおすすめの本を選びます。
・話し合いの仕方が知りたいです。
・実際に班で話し合いたいです。
・何回か話し合いたいです。
・話し合った後、よかったことや困ったことを伝え合いたいです。

○子供が主体的に学習に取り組めるように、子供の発言を基に一緒に学習計画を立てていく。

よりよい授業へのステップアップ

子供自らが課題意識をもつことができる導入の工夫

子供が話し合いたいという意欲をもつためには、必然性のある課題を投げかけることが大切である。

そのため本時では、これまでの話し合った経験を踏まえ、子供の気付きや困った出来事を引き出すことで、本単元でどのようなことを学びたいか、子供が課題意識をもつことができるよう工夫している。

子供の課題意識を基に学習計画を作成することで、単元を通して子供が自覚的に学びを進められるようにしたい。

本時案

おすすめの一さつを決めよう 2/8

本時の目標

・1年生に紹介したい複数の本を比較したり分類したりしておすすめの本を選び、その理由を考えることができる。

本時の主な評価

❶1年生に紹介したい本を選ぶ理由を考えることを通して、比較や分類の仕方について理解している。【知・技】

❸1年生に楽しい本を紹介するために、付箋などを使い、複数の本を比較したり分類したりしておすすめの本を整理し、紹介したい理由をはっきりさせている。【思・判・表】

資料等の準備

・書名を記載する短冊、模造紙
・付箋（端末の付箋機能）

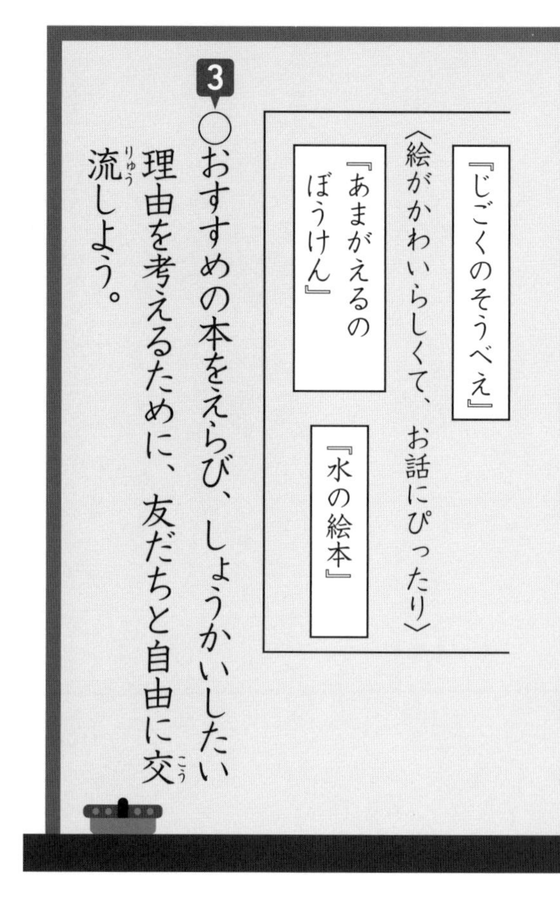

授業の流れ ▷▷▷

1 本時のめあてを確認し、目的と相手を意識する 〈5分〉

○目的と相手を確認し、本を選択する視点をもてるようにする

T　今日は、1年生が本を好きになるような楽しい本を選びます。どんな本を選ぼうと考えていますか。

・出来事が楽しい本を選びたいです。
・たくさんの動物が出てくる本が楽しいと思います。
・1年生が自分で読めるような、簡単な本がいいと思います。

T　みんなが発表したように、おすすめの本を選んだ理由をはっきりさせると、班での話し合いでも意見がまとまりそうですね。

○本時のめあてを板書する。

2 本を選ぶための整理の仕方を確認する 〈15分〉

T　おすすめの本を選ぶために、どのように整理すればよいでしょう。

・何冊かの本を比べて考えます。
・紹介したい理由ごとに本を分けます。
・一番おすすめの本に印を付けたらいいと思います。

○複数の本を比較したり分類したりし、おすすめの本を選ぶプロセスを、板書で視覚的に示しながら確認する。

T　紹介したい理由を付箋に書いて、動かしたりして、考えを整理できそうですね。

ICT 端末の活用ポイント

端末の学習支援ソフトの付箋機能を活用し、選んだ本の題名やおすすめの理由を記入し、整理することも可能である。

はんごとにおすすめの一さつを決めよう

1
一年生が本をすきになるような楽しい本をえらび、しょうかいしたい理由を考えよう。

2
〈本を選ぶための整理の仕方〉
①いろんな本をくらべる
②しょうかいしたい理由で分ける
③ふせんを動かし、整理する
④一番おすすめの本にしるしをつける

〈出来事がたくさんあり、ハラハラする〉
『たんたのたんけん』
『あまがえるのぼうけん』

〈言葉の使い方がおもしろくて、何回も言いたくなる〉
『三びきのやぎのがらがらどん』←一番おすすめ
『あいうえおばけだぞ』
『ひらがなだいぼうけん』

おすすめの一冊を紹介する相手が1年生であるということが、本を検討するための視点となるため、目的と相手を一層意識できるよう、めあてを確認する

3 おすすめの本を一冊選び、紹介したい理由を考える〈25分〉

T　では、おすすめの本を選び、友達に紹介しながら理由を伝え合いましょう。
○自分のタイミングで友達と交流することで、適時ヒントを得ることができるようにする。
・私は、ドキドキしておもしろいという理由と絵がかわいいという理由で迷っています。
・同じ本を選んでも理由が違うね。○○さんは、〜が楽しいと感じたんだね。なるほど！
○付箋に書かれた紹介したい理由や、分類したり印を付けたりしている様子を見取り、評価に生かす。
○学校司書とも連携を図り、一人一人の状況に応じて、本を紹介するなど支援する。

よりよい授業へのステップアップ

子供の目的やタイミングに応じた交流の工夫

相手や目的を意識しておすすめの本を選んだりその理由をまとめたりすることは個人差が生じる。自分なりの理由がもてず困っている子もいれば、既に考えをもち他の友達は何を選んだのか関心をもっている子もいる。

教師が画一的に本を選ぶ時間と交流時間を区切るのではなく、子供のタイミングで、1人で学ぶ時間や友達と学ぶ時間を選んだり、目的に応じて交流相手を選べるように環境面を配慮する。

本時案

おすすめの一さつを決めよう 3/8

本時の目標

・話し合いに向けて、話し合いの進め方や役割を確認し、話し合いで出た意見を整理する仕方を理解できる。

本時の主な評価

・話し合いに向けて、話し合いのポイントに気付いたり、話し合いで出た意見を整理するための比較や分類の仕方を理解したりしている。

資料等の準備

・教科書 p.38の話し合い動画
・教科書 p.39の図の拡大コピー

3
○話し合いの整理の仕方

教科書p.39の付箋を整理している図

①しょうかいしたい理由で分ける
②意見をくらべる
③ふせんを動かし、整理する

授業の流れ ▷▷▷

1 本時のめあてを確かめ、話し合いのイメージをもつ 〈10分〉

T 1年生におすすめの1冊を班で決めるために、話し合いの動画を視聴し、意見をまとめるための話し合いの仕方について考えましょう。

○本時のめあてを板書する。

○子供が話し合いのイメージをつかむために、p.38の二次元コードで話し合いの例の動画を全体で視聴し、話し合いのポイントをおおまかに捉える。

・司会、記録、時間係の人がいました。
・発言するときは、理由を言っていました。
・付箋を使っていました。

○子供たちが気付いたことをおおまかにまとめる。

2 教科書の動画を基に、話し合いのポイントを確認する 〈20分〉

T 話し合いの工夫やまとめるときのポイントは、他にもありそうですね。今度は1人で動画を視聴し、気付いたことをみんなで出し合いましょう。

○教科書の話し合い例には、すでに話し合いのポイントが記載されているため、動画を活用することで、一人一人が話し合いのポイントに気付くことができるようにしたい。

・司会が話し合いの目的と進め方、時間を確かめていました。
・分からないことを質問していました。
・時間係が残り時間を知らせていました。
・司会が決め方を確かめていました。
・司会が紹介したい理由を整理していました。

はんごとにおすすめの一さつを決めよう

意見をまとめるための話し合いの仕方について考えよう。

〔発言する人〕（全員）
・考えと理由を言う
・司会の進行にそって発言する
・決め方について話し合う

〔記ろく〕出た意見を記ろくする
・ふせんを分けたり、いどうさせたりして整理する

〔時間係〕時間を知らせる
・のこり時間の使い方を知らせる

〔司会〕話し合いを進行する
・話し合いのもくてきと進め方時間をたしかめる
・しょうかいしたい理由を整理する

1 でおおまかに話し合いのポイントを板書し、2 で子供の気付きを追加・整理し、視覚的に分かりやすくまとめる

3 話し合いの整理の仕方を考える 〈15分〉

T　話し合いの整理の仕方をもう少し詳しく考えましょう。

○ p.38–40の話し合いの例を基に、意見を出し合う場面と決め方について話し合う場面を確認し、話し合いの整理の仕方を押さえる。

・紹介したい理由を基に本を整理しています。
・意見を比べて、どの楽しさがよいか話し合っています。
・付箋を使うことで整理できます。

T　付箋を動かしながら、理由を基に整理すると、話し合いの内容や進め方が分かりやすいですね。

○ 1回目の話し合いに向け、話し合いの役割を決めておく。

ICT 等活用アイデア

一人一人の目的に応じた動画の活用

実際の話し合いの様子を視聴することで、話し合いのイメージをもつことができるだけでなく、話し合いにおける役割や話し方がより理解しやすくなる。

また、1人1台端末を用いることで、一人一人が大事だと思ったタイミングで動画を止めたり、繰り返し視聴したりすることで話し合いのポイントをより明確に捉えやすくなる。

また、みんなで気付きを共有する際、動画で再度確かめることも効果的である。

本時案

おすすめの一さつを決めよう　4/8

本時の目標

・1年生に楽しい本を紹介するために、自分の役割を果たしながら話し合い、考えをまとめることができる。

本時の主な評価

❷1年生に楽しい本を紹介するために、話し合いの目的や進め方を確認し、司会などの役割を果たしながら話し合い、互いの意見の共通点や相違点に着目して、考えをまとめている。【思・判・表】

資料等の準備

・付箋
・話し合い参観シートとその上段拡大図
04-01

決め方にそって話し合う

〈発言者〉決め方にそって話し合う
〈発言者〉自分と友だちの意見の同じところとちがうところを考えながら話し合う
〈司会〉出た意見の同じところやちがうところを整理しながら進行する
〈記ろく〉大切なことをシートに書きこんだり、ふせんを動かしたりする
〈時間係〉進行にそって、のこりの時間の使い方をみんなに知らせる

話し合いをまとめる

〈司会〉決まったことをたしかめる

授業の流れ ▷▷▷

1 本時のめあてを確認する〈3分〉

○本時のめあてを確認し、板書する。

T　今日は、いよいよ1回目の話し合いです。初めての話し合いなので、司会だけに任せるのではなく、みんなで進行するという気持ちで話し合いを進めましょう。また、2つの班がペアになり、互いの話し合いを見て、次の時間にアドバイスし合いましょう。話し合いの様子は端末の録画機能を用いて撮影し、振り返りに活用します。

○話し合いに入る前に、学習の流れをおおまかに確認する。1回目の話し合いは、話し合いの流れや役割に即して進めることを目標に、「まずは、やってみよう！」という気持ちで臨みたい。

2 1回目前半グループの話し合いを行う〈20分〉

○話し合いの進め方は、黒板に掲示したり端末に格納したりすることでいつでも確認できるようにする。

T　それでは、前半グループの話し合いを始めましょう。

○話し合いを見るグループは、話し合い参観シートを基に、話し合いの流れと役割についてよかったことやもっとよくなることを記入できるようにする。

○互いの意見の共通点や相違点に着目して、話し合えている姿を価値付ける。

ICT端末の活用ポイント

端末の録画機能を用いて、話し合いの様子を振り返ったり、他のグループの話し合いを視聴したりし、次の話し合いに生かせるようにする。

はんごとにおすすめの一さつを決めよう

1
一回目の話し合いをし、
一年生におすすめの一さつを決めよう。

2 3
〈学習の流れ〉
①前半グループ話し合い 二十分 後半グループさんかん
1・3・5はん 2・4・6はん
②後半グループ話し合い 二十分 前半グループさんかん
2・4・6はん 1・3・5はん
③ふり返り 三分

話し合いの流れや役わりに注目しよう！

〈話し合いの進め方〉
〈司会〉話し合いの目的や進め方、時間をたしかめる
〈発言者〉おすすめの本とその理由を言う
〈記ろく〉出た意見のにているところやちがうところをもとに整理する
〈記ろく〉整理したことを知らせる
〈発言者〉どのような楽しさのある本がよいか考える
〈発言者〉発言するときは、考えとその理由を言う

意見を出し合う

決め方について話し合う

3 1回目後半グループの話し合い及び振り返りをする 〈22分〉

T　それでは、後半グループの話し合いを始めましょう。

○初めての話し合いであるため、うまくいかなかった班もあるだろう。そのがんばりを認め、フォローできるようにする。実際に話し合うことで、子供は困ったことや難しかったことに直面し、課題意識をもつことができる。単元を通して粘り強く課題を解決していく姿を目指したい。

T　1回目の話し合いはどうでしたか。今日は個人で振り返りましょう。次の時間に班で振り返ったりペアの班からのアドバイスをもらったりし、2回目の話し合いに生かしましょう。

よりよい授業へのステップアップ

話し合いを、繰り返し経験したり見たりする

話し合いは、繰り返し経験することで気付きが生まれる。一方、互いのやり取りの中で話し合いが進むことから、自分たちの話し合いを客観的に見ることが難しい。

何度も話し合いを経験したり、他の班の話し合いを見たりすることで、まずは、話し合いの流れと役割について理解し、そして発言の仕方や話し合いの整理の仕方へ子供の意識を広げながら、話し合う力を高めたい。

本時案

おすすめの一さつを決めよう 5/8

本時の目標

・1回目の話し合いを振り返り、司会などの役割に着目しながら、話し合いの課題と改善策を考えることができる。

本時の主な評価

・1回目の話し合いを振り返り、司会などの役割に着目しながら、互いの意見の共通点や相違点を踏まえ、考えをまとめるための工夫を考えている。

資料等の準備

・前時に撮影した話し合いの動画
・話し合いのポイントの短冊

04-02

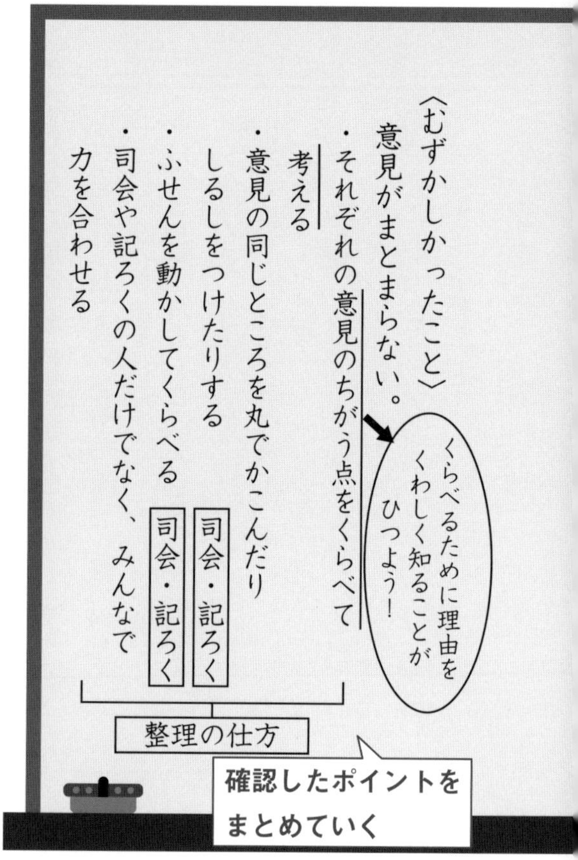

〈むずかしかったこと〉
意見がまとまらない。
・それぞれの意見のちがう点をくらべて考える
・意見の同じところを丸でかこんだりしるしをつけたりする
・ふせんを動かしてくらべる
・司会や記ろくの人だけでなく、みんなで力を合わせる
司会・記ろく
司会・記ろく
整理の仕方
くらべるために理由をくわしく知ることがひつよう！
確認したポイントをまとめていく

授業の流れ

1 本時のめあてを確認する 〈5分〉

T　1回目の話し合いはどうでしたか。
・司会が進め方に沿って、うまく進行してくれました。
・途中で意見が出なくなり、話し合いが進みませんでした。
・進めることばかり考えていて、話し合いを整理することができませんでした。
・時間係が本の決め方を話し合うときに、時間を知らせてくれました。
T　今日は、班で振り返ったり、ペアの班からアドバイスをもらったりし、意見をまとめるために大切なことを考えましょう。
○本時のめあてを板書する。

2 班で振り返ったりペアの班からアドバイスをもらったりする 〈20分〉

○班での振り返り → ペアの班からのアドバイスの順で行う。
T　話し合いの流れとそれぞれの役割についてよかったことを出し合いましょう。また、難しかったことについては、どうすればよかったのか考えましょう。
○前時に撮影した動画を振り返り、具体的な発言に着目しながら考えられるようにする。
・司会の「もう少し詳しく理由を教えてください」の発言がよかったです。
・記録係が大切なことを書きこんでいたことを、まねしたいと思いました。
・意見を整理し、話し合いをまとめることが難しかったです。同じ意見を丸で囲んだり、印を付けたりすれば、話し合いがまとまります。

はんごとにおすすめの一さつを決めよう

1
一回目の話し合いをふり返り、意見をまとめるために大切なことを考えよう。

2
○はんでふり返り→ペアのはんからアドバイス

3
〈それぞれの役わりでよかったこと〉
〈司会〉みんなの意見を聞こうとした
流れにそって進めることができた
〈記ろく〉意見の大切なことを書きこんだ
〈時間係〉のこりの時間だけでなく、本の決め方を話し合うときも時間を知らせた

〈全体の流れでよかったこと〉
・しつもんはありませんか 司会
・ほかに、意見はありませんか 司会
・ほかの人の意見につけ足すことはありませんか 司会
意見を引き出す言葉

教師が事前に提示するのではなく、子供が気付いた話し合いのポイントを書きまとめる。話し合う度に、気付きを追加していくことで、学級の学びにする

3 話し合いのポイントを共有し、課題への改善策を考える〈20分〉

T　班ごとの振り返りを聞いてみましょう。

○よかったところ、難しかったところを自由に発表する時間を設ける。教師は各役割ごとにまとめ、板書で整理する。

○班で解決できなかった課題を取り上げ、全体で改善策を考える。

T　「意見をまとめること」が難しかったみたいですね。全体で考えましょう。

・「出来事」の楽しさだけでは決められなかったです。ちがう意見を詳しく聞くことで、比べられそうです。

・○○班の記録係が丸で囲んだり、印を付けたりしていて分かりやすかったです。

○前時の話し合いの動画を視聴し、ポイントとなる場面を教え合うとよい。

ICT等活用アイデア

振り返りで動画を活用するよさ

音声は、発せられた途端に消えていくため、話し言葉はそのままではさかのぼって内容を確認することができない。そのため、子供はなんとなく進行がうまくいったと感じているが、具体的にどの発言をきっかけに話し合いが展開していったかについては、捉えられないことが多い。

動画を繰り返し視聴することで、意見を引き出す言葉や意見をまとめる言葉に着目できるようにすることが大切である。

本時案

おすすめの一さつを決めよう 6/8

本時の目標

・1回目の話し合いの振り返りを踏まえて、2回目の話し合いに向けて自分の役割を果たしながら、意見をまとめるための工夫について考えることができる。

本時の主な評価

❹1回目の話し合いの振り返りを踏まえて、2回目の話し合いに向けて各自の課題に即して、話し合いや役割の工夫を考えようとしている。【態度】

資料等の準備

・1回目の話し合いの動画
・話し合い参観シート 04-01
・1回目の話し合いを整理したシート
・話し合いのポイントの短冊 04-02

・話し合いさんかんシートのメモに、気をつけたいことをまとめる

前時で学習した話し合いのポイントを記載した短冊

3 ○ふり返り

各自が課題をもつ段階で、準備の方法を考えられる子供もいるが、準備を進める中で、方法を変更したり、新たな方法を考え出したりする子供もいることから、2の板書は、状況に応じて適宜記載する

授業の流れ ▷▷▷

1 本時のめあてを確認し、各自ががんばりたいことをもつ 〈15分〉

○2回目の話し合いは、班の編成や役割を変え、新しい班でもおすすめの1冊を決めることを子供たちと確認し、班での役割を分担する。

T 前回は、1回目の話し合いを振り返り、意見をまとめるために大切なことを考えましたね。今日は、2回目の話し合いに向けて、課題を考え、準備を進めましょう。

○本時のめあてを確認し、板書する。

・1年生に紹介したい本を、意見や理由を考えて、選び直したいです。
・司会を担当するので、動画を見直したり司会をした友達に聞いてみたりします。
・記録した他のグループの整理の仕方を参考にしてみます。

2 各自の課題に即して準備を進める 〈25分〉

T それでは、2回目の話し合いに向けて準備を進めましょう。

○各々の課題に対応できるように、1回目の話し合いの動画や話し合いのポイントを記入した短冊、話し合いを整理したシートを準備しておく。

○それぞれの学び方に応じて支援し、必要に応じて友達と学びを進めるよう声をかけたり、全体に対してもよい話し合いの進め方を知らせたりする。

○自分で課題をもつことが難しい子には、2回目の話し合いの役割やこれまでの振り返りを見返すことを促すなど、個別に支援することを大切にしたい。

はんごとにおすすめの一さつを決めよう

二回目の話し合いに向けて、じゅんびをしよう。

1〈がんばりたいこと〉
・一年生におすすめしたい本をえらびなおす
・司会や時計係の役わりをかくにんする
・話し合いの進め方のくふうを考える
・意見を引き出すくふうを考える
・意見をまとめるくふうを考える

2〈じゅんびの方法〉
・本をくらべて、理由を考える
・一回目の話し合いの動画を見る
・教科書の話し合いの動画を見なおす
・司会をした友だちにくふうしたことを聞く
・教科書をもう一度読み、くふうをまとめる
・ほかのグループの整理の仕方を見る
・友だちとそうだんする

3 振り返りを行う 〈5分〉

T それでは、今日の自分の学びを振り返りましょう。

○各自の課題に即してどのように学習を進めたのか、その結果、どんな気付きや学びが生まれたのかについて振り返ることができるようにする。

・他の班の動画を見ると、司会と記録が同じところと違うところを協力しながら整理していたので、2回目の話し合いでは、その方法を取り入れて進めたいと思いました。

・記録が整理するときに、丸で囲んだり線でつないだりしている班があり、とても分かりやすいと思いました。

よりよい授業へのステップアップ

各自の課題に即して学習を進める工夫

2回目の話し合いに向けての準備は、それぞれの役割や思いによって課題が異なる。例えば、次に司会を担う子は司会の役割について再度確認したり、紹介したい本の理由を前回よりも詳しく話したい子もいるだろう。

その際、教師は一人一人の課題を把握し、話し合い動画の見直しや話し合いを整理したシートを適宜示すなど、個別の支援を行うとともに、同じ課題の友達とつなげるなど、協働的な学びを促すことが重要である。

本時案

おすすめの一さつを決めよう　7/8

本時の目標

・1年生に楽しい本を紹介するために、自分の役割を果たしながら話し合い、考えをまとめることができる。

本時の主な評価

❷1年生に楽しい本を紹介するために、話し合いの目的や進め方を確認し、司会などの役割を果たしながら話し合い、互いの意見の共通点や相違点に着目して、考えをまとめている。【思・判・表】

資料等の準備

・付箋
・話し合い参観シートとその上段拡大図
04-01

決め方にそって話し合う

〈発言者〉決め方にそって話し合う
〈発言者〉自分と友だちの意見の同じところとちがうところを考えながら話し合う
〈司会〉出た意見の同じところやちがうところを整理しながら進行する
〈記ろく〉大切なことをシートに書きこんだり、ふせんを動かしたりする
〈時間係〉進行にそって、のこりの時間の使い方をみんなに知らせる

話し合いをまとめる

〈司会〉決まったことをたしかめる

授業の流れ ▷▷▷

1　本時のめあてを確認する　〈3分〉

○本時のめあてを確認し、板書する。
T　今日は、2回目の話し合いです。2回目の話し合いは、1回目の話し合いを踏まえて、自分のめあてを立てましょう。
・司会として発言の少ない人の意見を引き出したいです。
・みんなの意見の違うところに気を付けて話し合いたいです。
・記録係として付箋を動かしたり、書き込んだりしたいです。
○自分のめあてをもち学習に臨むことで、話し合いに主体的に参加する姿勢となる。

2　2回目前半グループの話し合い〈20分〉

○話し合いの進め方は、黒板に掲示したり端末にデータを格納したりすることで、いつでも確認できるようにする。
T　それでは、前半グループの話し合いを始めましょう。これまでに学習したことや、自分のめあてを意識して取り組みましょう。
○2回目の話し合いは、役割を変えて行う。これまで学習したことを生かすことを意識できるようにする。
○意見の共通点や相違点に着目して話し合っている姿を価値付ける。

ICT端末の活用ポイント

話し合いは一斉に行うため、教師が全ての班の様子を観察することは難しい。端末の録画機能を用いることで評価に活用することができる。

はんごとにおすすめの一さつを決めよう

1

二回目の話し合いをし、一年生におすすめの一冊を決めよう。

2

〈学習の流れ〉

3

①前半グループ話し合い 二十分 後半グループさんかん
1・3・5はん 2・4・6はん
②後半グループ話し合い 二十分 前半グループさんかん
2・4・6はん 1・3・5はん
③ふり返り 三分

発言のよさについて注目しよう！

〈話し合いの進め方〉
〈司会〉話し合いの目的や進め方、時間をたしかめる
意見を出し合う
〈発言者〉おすすめの本とその理由を言う
〈記ろく〉出た意見のにているところやちがうところをもとに整理する
〈記ろく〉整理したことを知らせる
決め方について話し合う
〈発言者〉どのような楽しさのある本がよいか考える
〈発言者〉発言するときは、考えとその理由を言う

3 2回目後半グループの話し合い及び振り返り 〈22分〉

T それでは、後半グループの話し合いを始めましょう。参観するグループは、それぞれの発言のよさに注目して、話し合い参観シートに記入できるようにしましょう。

○1回目の話し合い後の振り返りでは、話し合いの流れや役割に着目することを意識した。2回目の話し合いでは、1回目で学んだことを基に、それぞれの発言のよさに着目して、話し合い参観シートに記入できるようにする。

○一人一人のめあてを事前に把握し、個に応じた見取りを行う。振り返りの際、どの場面の発言がよかったのか、具体的に伝えるなど、次時に生かせるようにする。

よりよい授業へのステップアップ

様々な役割を経験できる班編成の工夫

本単元では、一人の子供がいろいろな役割を担うことで、役割を果たしながら話し合いを進める力を育みたい。そのために、1回目に司会を経験した子供は、2回目は記録もしくは時間係の役割を担うこととする。

また、司会だけに進行を任せるのではなく、話し合いに参加している全員が互いの意見の共通点や相違点に着目して話し合うことが重要である。子供の希望も参考に、班の編成や役割を考えたい。

本時案

おすすめの一さつを決めよう 8/8

本時の目標

・単元を通して話し合いの仕方で学んだことを振り返り、意見をまとめるための工夫について理解し、今後に生かそうとすることができる。

本時の主な評価

・単元を通して話し合いの仕方で学んだことを振り返り、司会などの役割に着目して、意見をまとめるための工夫について理解している。

資料等の準備

・前時に撮影した動画
・話し合いのポイントを記入した短冊
04-02

・これまでに出た意見は○つです 司会・記ろく
・○○さんと○○さんの考えを合わせて
〜としてもいいですね 司会
・意見の同じところとちがうところを、
整理してみましょう 司会

意見をまとめる言葉

3
○これからの話し合いに生かしたいこと
・話し合いの目的や進め方をたしかめる
・役わりを考え、みんなで力を合わせて進める
・みんなの意見を引き出し、同じところやちがうところを整理しながらまとめる

授業の流れ ▷▷▷

1 本時のめあてを確認する 〈5分〉

○単元を通しての学習の振り返りを行う。本時のめあてを板書する。

T 1回目の話し合いと比べて2回目の話し合いはどうでしたか。

・話し合いに慣れて、司会として意見を引き出すことができるように「くわしく教えてください」という言葉を使ったら、考えの違いがよく分かりました。
・みんなで意見の違いについて考えました。
・「1年生が本を好きになってくれるような楽しい本」という目的や相手を考えて話し合いました。そうすると、意見がまとまりやすかったです。

○1回目の話し合いよりも2回目の話し合いがよりよくなった実感を大切にしたい。

2 班やペアで振り返り、全体で感想を共有する 〈30分〉

○班での振り返り → ペアの班からのアドバイス → 全体共有の流れで行う。

T どんな発言で話し合いがうまく進みましたか。

・「1年生が本を好きになりそうなところはどこですか」と聞いたことで、理由がよく分かりました。
・「ここまでに出た意見は○つです」と司会の人が分かりやすくまとめてくれました。
・「○○さんと○○さんの考えを合わせて〜としてもいいですね」と2つの意見を一緒にしました。

○前時で撮影した動画を、必要に応じて活用する。

はんごとにおすすめの一さつを決めよう

1 話し合いで意見をまとめるために大切なことをまとめよう。

2 〈話し合いのポイント〉
・目的と相手を考えて話し合う

1年生が本を好きになりそうなところはどこですか？

前時のポイントを掲示

〈意見を引き出す言葉〉
・しつもんはありませんか 司会
・ほかに、意見はありませんか 司会
・ほかの人の意見につけ足すことはありませんか 司会
・理由を教えてください 司会
・くわしくせつめいしてください 司会
・みんなはどう思いますか 司会

〈意見を整理するくふう〉
・意見の同じところを丸でかこんだりしるしをつけたりする 司会・記ろく
・ふせんを動かしてくらべる 司会・記ろく

〈今日の気づき〉

前時までに子供が見いだした話し合いのポイントを掲示し、2回目の話し合いで得た新たな気付きを板書に付け加え、まとめる

3 今後の話し合いで生かしたいことをまとめる 〈10分〉

○学んだことをこれからどのように話し合いに生かしていきたいか、それぞれで考えをまとめる。

T　学校生活の中では、係や当番活動、学級会など、みんなで話し合って決める場面がたくさんあります。どのようなことを生かしていきたいですか。

・話し合いの目的や進め方を確かめて話し合いたいです。
・自分の役割を考え、みんなで力を合わせて話し合いたいです。
・みんなの意見を引き出すことができるような話し合いがしたいです。
・意見を整理することで、みんなが納得できるような話し合いがしたいです。

よりよい授業へのステップアップ

これからの話し合いに生かすための工夫

本単元で身に付けた力は、今後、特別活動や他教科等における話し合い活動などに生かすことができる。子供が「話し合うことで課題が解決できた」、「話し合うことで考えをまとめることができた」などのように、話し合うことのよさを実感できるよう、話し合い活動を充実させたい。

その際、本単元で子供が見いだした話し合いのポイントをまとめて掲示し、常に意識できるようにするとよい。

資料

1 第4・6・7時　話し合い参観シート 04-01

話し合い　さんかんシート　　月　　日（　　）はん

年　　組　　名前（　　　　　　　　）

目的　一年生が本をすきになってくれるような、楽しい本をしょうかいする。

決めること　しょうかいする本を一さつ決める。

進め方	役わりと進め方のポイント	時間	メモ
意見を出し合う	（司会）話し合いの目的や進め方、時間をたしかめる （発言者）おすすめの本とその理由を発表する （記ろく）出た意見のにているところやちがうところをもとに整理する	4分間	
決め方について話し合う	（記ろく）整理したことを知らせる （発言者）どのような楽しさのある本がよいか考える （発言者）どのような楽しさの本がよいか、考えとその理由を言う	4分間	
決め方にそって話し合う	（発言者）決め方にそって話し合う （発言者）自分と友だちの意見の同じところとちがうところを考えながら話し合う （司会）出た意見の同じところやちがうところを整理しながら進行する （記ろく）大切なことをシートに書きこんだり、ふせんを動かしたりする	10分間	
話し合いをまとめる	（時間係）進行にそって、のこりの時間の使い方をみんなに知らせる （司会）決まったことをたしかめる	2分間	

（　　）はんへのアドバイス（話し合いでよかったこと・もっとよくなること）

2 第5・8時　話し合いのポイントの短冊 04-02

〈意見を引き出す言葉〉

・しつもんはありませんか　司会

・ほかに、意見はありませんか　司会

・ほかの人の意見につけ足すことはありませんか　司会

・みんなはどう思いますか　司会

・理由を教えてください　司会

・くわしくせつめいしてください　司会

〈意見をまとめる言葉〉

・これまでに出た意見は○つです　司会・記ろく

・○○さんと○○さんの考えを合わせて……としてもいいですね　司会

・意見の同じところとちがうところを、整理してみましょう　司会

〈意見をまとめるくふう〉

・意見の同じところを丸でかこんだりしるしをつけたりする　司会・記ろく

・ふせんを動かしてくらべる　司会・記ろく

れいの書かれ方に気をつけて読み、それをいかして書こう

すがたをかえる大豆／食べ物のひみつを教えます

（12時間扱い）

単元の目標

知識及び技能	・比較や分類の仕方、辞書の使い方を理解し使うことができる。((2)イ) ・幅広く読書に親しみ、読書が、必要な知識や情報を得ることに役立つことに気付くことができる。((3)オ)
思考力、判断力、表現力等	・書く内容の中心を明確にし、内容のまとまりで段落をつくったり、段落の関係に注意したりして、文章の構成を考えることができる。(Bイ) ・目的を意識して、中心となる語や文を見つけることができる。(Cウ)
学びに向かう力、人間性等	・言葉がもつよさに気付くとともに、幅広く読書をし、国語を大切にして、思いや考えを伝え合おうとする。

評価規準

知識・技能	❶比較や分類の仕方、辞書の使い方を理解し使っている。(〔知識及び技能〕(2)イ) ❷幅広く読書に親しみ、読書が、必要な知識や情報を得ることに役立っていることに気付いている。(〔知識及び技能〕(3)オ)
思考・判断・表現	❸「書くこと」において、書く内容の中心を明確にし、内容のまとまりで段落をつくったり、段落相互の関係に注意したりして、文章の構成を考えている。(〔思考力、判断力、表現力等〕Bイ) ❹「読むこと」において、目的を意識して、中心となる語や文を見つけている。(〔思考力、判断力、表現力等〕Cウ)
主体的に学習に取り組む態度	❺目的を意識して、粘り強く中心となる語や文を見つけたり、それらを明確にして文章の構成を考えたりし、学習の見通しをもって筆者の説明の工夫を生かした文章を書こうとしている。

単元の流れ

次	時	主な学習活動	評価
一	1	学習の見通しをもつ ・題名から話題を確かめ、文章の内容を想像する。 ・全文を読み、大豆が姿を変えてできたものの中で、驚いたものや感想を伝え合う。 筆者のせつめいの仕方を知り、分かりやすいせつめいのくふうをまとめよう。	
二	2	「はじめ」「中」「終わり」の三段構成に分け、筆者が挙げている事例を表を使って整理する。	
	3	「はじめ」に「問い」がないことに気付き、どのような「問い」を入れるかを考える。	
	4	「中」の事例の順序や各段落の中心となる文を捉えながら、筆者の書き方の工夫について考える。	❹

次	時	学習活動	評価
	5	事例の順序の意味や段落構成、言葉や写真の使い方などに着目して、読む人に分かりやすいと思ってもらえるような、筆者の説明の工夫をまとめる。	
	6	食べ物について書かれた本を読み、大豆以外に姿を変えている食べ物を見つける。	❷
三	7	・教科書 p.51「たいせつ」に示された観点で、これまでの学習を振り返る。 ・「食べ物のひみつを教えます」の p.53を参考に、学んだことを生かして食べ物を紹介する文章を書く見通しを立てる。 学んだことを生かして、調べた食べ物についてせつめいする文章を書こう。	❺
	8	取り上げる食べ物を決め、調べたことを図や表にまとめ整理する。	❶
	9	教科書 p.53「食べ物のひみつを教えます」の「組み立てを考えるときは」で示されている観点で、文章の組み立てを考える。	❸
	10	・考えた文章の組み立てに沿って、説明する文章を書く。 ・書いた文章を読み返して推敲し、文章を整える。	
	11	友達と文章を読み合い、書き方と内容の両面から、自分の文章のよいところを伝え合う。	
	12	学習を振り返る 教科書 p.55「たいせつ」に示された観点で、学習を振り返る。	❺

授業づくりのポイント

〈単元で育てたい資質・能力〉

本単元では、「読むこと」の学習において、筆者の文章構成の意図を読み取る資質・能力を育てたい。具体的には筆者の事例の並べ方や接続語の使い方、段落のまとまり、中心となる文を段落の初めに示すことなどを学ぶ。

そして、「書くこと」の学習では、「読むこと」の学習で身に付けた説明の工夫を活用して、読む人にとって分かりやすい文章を書くことができる資質・能力を育てたい。例えば、段落のまとまりや事例の順序、写真の効果的な使い方など、観点を基に文章の構成を考えることを学ぶ。

〈教材・題材の特徴〉

子供たちは、説明的な文章には「問い」に対応する「答え」があることを学んできた。しかし、本教材は、「はじめ」に「問い」がない。また、おいしく食べる工夫のまとまりで段落が分けられており、5つの段落で9つの食品が取り上げられていることも、既習の教材と異なる部分といえる。内容に関しては、大豆が日常生活でこれほど身近なものであると知れば、子供たちは驚くだろう。さらに、「大豆」と「ダイズ」という言葉に着目すると、3～6段落は「大豆」の事例であり、7段落は「ダイズ」の事例であることが分かる。それ以外にも、言葉では伝わりづらい部分で写真を効果的に使うなど、3年生で扱いたい「分かりやすさ」が総合的に学習できるように工夫されている教材といえる。

〈ICT の効果的な活用〉

調査：ウェブサイトは情報量が多すぎるため、必要な情報を抜き出すことが難しいと考えられる。教科書 p.51に示されている「食べ物について書かれた本」から、イワシや麦など、調べる食べ物を決めた上で、補助的に検索を用いることが望ましいだろう。

本時案

すがたをかえる大豆

本時の目標

・「すがたをかえる大豆」を読み、驚いたことや新しく知ったことを書いたり、単元全体の見通しをもったりすることができる。

本時の主な評価

・「すがたをかえる大豆」を読み、大豆が姿を変え、様々な食品になっていることなど内容の大体を捉え感想をもっている。

資料等の準備

・教科書 p.45、p.47、p.48の大豆やとうふの写真のコピー

3

筆者のせつめいの仕方を知り、分かりやすいせつめいのくふうをまとめよう。

授業の流れ ▷▷▷

1 題名から文章の内容を想像する 〈10分〉

T　これから「すがたをかえる大豆」という説明文を学習します。どのようなことが書かれていると思いますか。

○題名の「すがたをかえる」に着目して、内容に関する興味・関心を高め、本文を読むことへの期待感を高める。

・種から芽が出て、大豆になるまでの様子が説明されていると思います。

・大豆がいろいろな食べ物に姿を変えていることを説明していると思います。

・大豆が姿を変えて、いろいろな使われ方をしていることが書かれていると思います。

○ダイズは収穫時期や栽培方法によって、「枝豆」や「もやし」になることを知っている子がいたら、説明してもらってもよい。

2 範読を聞き、驚いたことや新しく知ったことを発表する 〈20分〉

T　予想したことが説明されているか確認しながら聞きましょう。

○教師の範読を聞き、内容の大体を理解する。

T　どのような内容でしたか。

・大豆が姿を変えて、いろいろな食べ物になっているという内容でした。

T　驚いた食べ物はありましたか。また、新しく知ったことはありましたか。

・大豆がしょうゆになっていることを知り、驚きました。

・大豆が豆腐になることを初めて知りました。

・大豆とダイズがあることをはじめて知りました。どのような違いがあるか知りたいです。

○この段階では、「大豆」と「ダイズ」の区別は問わなくてよい。

すがたをかえる大豆

国分牧衛（こくぶんまきえ）

1 ○題名からそうぞうしよう。

・大豆になるまでの様子
・大豆がすがたをかえている
・大豆の使われ方

2 文章を読んで、おどろいたことや新しく知ったことを発表しよう。

・大豆 → いろんなしゅるいの食べ物にかわる
・大豆 → しょうゆ
・大豆 → とうふ
・大豆とダイズ何がちがう？

p.45 大豆の写真

p.48 しょうゆの写真

p.47 とうふの写真

事例が書かれていたページを確認しながら板書する

3 学習全体の見通しをもつ〈15分〉

T　この説明文は、読んでいて分かりやすかったですか。

・大豆が姿を変えて、いろいろな食べ物になっていることが分かりやすかったです。

T　分かりやすい文章にするために、筆者はどのような工夫をしているでしょう。

○説明文の内容だけでなく、説明の仕方にも着目できるようにする。

・写真があって、分かりやすくなっていると思います。

T　「すがたをかえる大豆」を学習することを通して、分かりやすい説明の工夫を見つけましょう。そして、学習したことを生かして、自分なりの食べ物を紹介する文章を作り、発表しましょう。

よりよい授業へのステップアップ

給食の献立表を活用する

全文の範読をした後に、「大豆は姿を変えて、どんな給食に出てきているでしょうか」などと問いかけ、説明文の内容と実生活を関連付けると、より興味をもって学習に取り組むことができるだろう。

ウェブサイトの動画教材を活用する

文章を読んで、大豆が姿を変えて他の食品になっていることを把握するだけでなく、大豆が他の食品に姿を変える過程の映像を視聴することで、説明文の内容の理解を深めることができるだろう。

本時案

すがたをかえる大豆

本時の目標

・文章を「はじめ」「中」「終わり」に分け、事例を表に整理することができる。

本時の主な評価

・大豆が様々な食べ物に姿を変えていることを捉え、段落が内容のまとまりで分けられていることを理解している。

資料等の準備

・教科書で使用されている写真
・ワークシート１とその拡大コピー 05-01

⑥	⑦
ナットウキンやコウジカビの力をかりて、にたり、まぜたり、時間をおいたりして、ちがう食品にする。	ダイズのとり入れる時期や育て方をくふうする。
・なっとう ・みそ ・しょうゆ	・えだ豆 ・もやし

終わり ⑧段落

「このように、」→全体をまとめている

食品の例の近くに、教科書で使用されている食品の写真を提示できるとよい

授業の流れ ▷▷▷

1 文章を「はじめ」「中」「終わり」に分ける 〈15分〉

T この文章は、いくつの段落に分かれていますか。
・８段落です。
T そうですね。では、この８段落の文章を「はじめ」「中」「終わり」に分けてみましょう。また、分けた理由も言えるようにしましょう。
・１・２段落が「はじめ」です。大豆が姿を変えていることを説明しているからです。
・３～７段落が「中」です。姿を変える大豆の具体的な例があるからです。
・８段落が「終わり」です。「このように」という言葉で、全体をまとめているからです。
○これまでの学習を生かして、子供自身で分けられるとよい。

2 筆者が挙げている事例を表に整理する 〈20分〉

T 筆者は、「中」でどのような例を挙げているでしょうか。表にまとめましょう。
○「段落」「大豆がすがたをかえた食べ物のしょうかい」「食品」の項目を立て、事例を表にまとめる。
・３段落に、その形のまま炒ったり、煮たりして、柔らかくする工夫をした食品として、豆まきの豆や煮豆が挙げられています。
・６段落に、目に見えない小さな生物の力を借りて違う食品にする工夫をした食品として、納豆が挙げられています。

ICT 端末の活用ポイント

事例を整理する際、端末のメモ機能やホワイトボードアプリなどを用いてまとめる。教師がまとめ方を複数提示し、選択は自由とする。

すがたをかえる大豆

国分牧衛（こくぶんまきえ）

文章を「はじめ」「中」「終わり」に分けて、書かれていることを整理しよう。

1 段落（だん）はいくつ？ → 8段落

はじめ ①②段落
大豆がすがたをかえていることをせつめいしている。

中 ③④⑤⑥⑦段落
すがたをかえる大豆の具体的（てき）なれいがある。

5つの段落
9つのれい

5つの段落で、9つの事例が取り上げられていることを確実に押さえる

3 2

段落	大豆がすがたをかえた食べ物のしょうかい	食品
③	大豆をその形のままいったり、にたりして、やわらかくする。いろんな色になる。	・豆まきの豆 ・に豆
④	大豆をこなにひく。	・きなこ
⑤	大豆からえいようを取り出して、すりつぶしたり、熱したりして、形のちがう食品にする。	・とうふ

3 5つの段落で9つの事例があることを捉える 〈10分〉

T　筆者が挙げている例は9つありました。「中」では、9つの例がどのように分けられていますか。

・5つの段落に分けられています。

・表を見ると、2つや3つ例が挙げられている段落と、1つの例しか挙げられていない段落があります。

T　筆者は、どのように段落を分けているのでしょうか。

・筆者は「おいしく食べるくふう」というまとまりで段落を分けています。

○これまでの説明文と比較して、1つの段落に複数の事例が取り上げられていることを押さえ、内容のまとまりで段落が分けられていることを捉える。

よりよい授業へのステップアップ

既習の説明文と関連付ける

本時は、新たな学びではなく、これまでの学習を振り返りながら、「段落」という学習用語の定着を図る。

既習の説明文では、1つの段落で1つの事例が挙げられていた。本時の重点は、学習活動3で、1つの段落に複数の事例が挙げられていることを捉えることである。「『文様』や『こまを楽しむ』の文章との違いは何でしょう」と問いかけることで、確実に押さえたい。さらに、事例が複数になっても、内容のまとまりで段落が分けられていることを捉えられるとよい。

本時案

すがたをかえる大豆

本時の目標

・「はじめ」に「問い」がないことを捉え、文章の内容にふさわしい「問い」の文を考えることができる。

本時の主な評価

・これまでの学習経験をふまえ、「問い」を入れる位置と内容を考えている。

資料等の準備

・「はじめ」にあたる段落の文の拡大コピー
・「問い」を書く短冊

では、大豆をおいしく食べるために、どのようなくふうをしてきたのでしょうか。

大豆は、どのようなくふうによってすがたをかえ、食べられてきたのでしょうか。

では、大豆をおいしく食べるために、どのようなくふうをしてきたのでしょうか。また、どのような食品にすがたをかえているのでしょうか。

②段落のさいご

「姿を変えた食べ物」「工夫」など、文の内容で分類して

授業の流れ ▷▷▷

1 「はじめ」を読み、「問い」がないことを捉える 〈10分〉

T　「はじめ」には、どのような文があると、これまでの学習で学んできましたか。
・「問い」の文です。その文を見つけると、文章全体で書かれていることを見通すことができる、ということを学びました。
○これまでの説明文には、「問い」と「答え」があったことを振り返ってから本文を読む。
T　では、「はじめ」を読み、「問い」を確認してみましょう。
・「問い」の文がありません。
○「何だか分かりますか。」を「問い」と捉える子供がいた場合は、文章全体を通した「問い」ではなく、読み手への「問いかけ」であることを押さえ、「それは、大豆です。」で完結していることを確認するとよい。

2 「問い」の文を考えて、短冊に書く 〈25分〉

T　この説明文には「問い」がありません。「問い」を入れるとしたら、どのような文がふさわしいか考えて、短冊に書きましょう。
・「大豆は、どのような食べ物に姿を変えているでしょうか。」がいいと思います。
・「では、大豆をおいしく食べるために、どのような工夫をしてきたのでしょうか。」という文もいいと思います。
・「大豆は、どのような工夫によって姿を変え、食べられてきたのでしょうか。」と入れます。
○「問い」の文は、「姿を変えた食べ物」を問う文と、「工夫」を問う文が考えられる。文章全体を包む「問い」となる文を価値付け、学習活動３につなげるとよい。

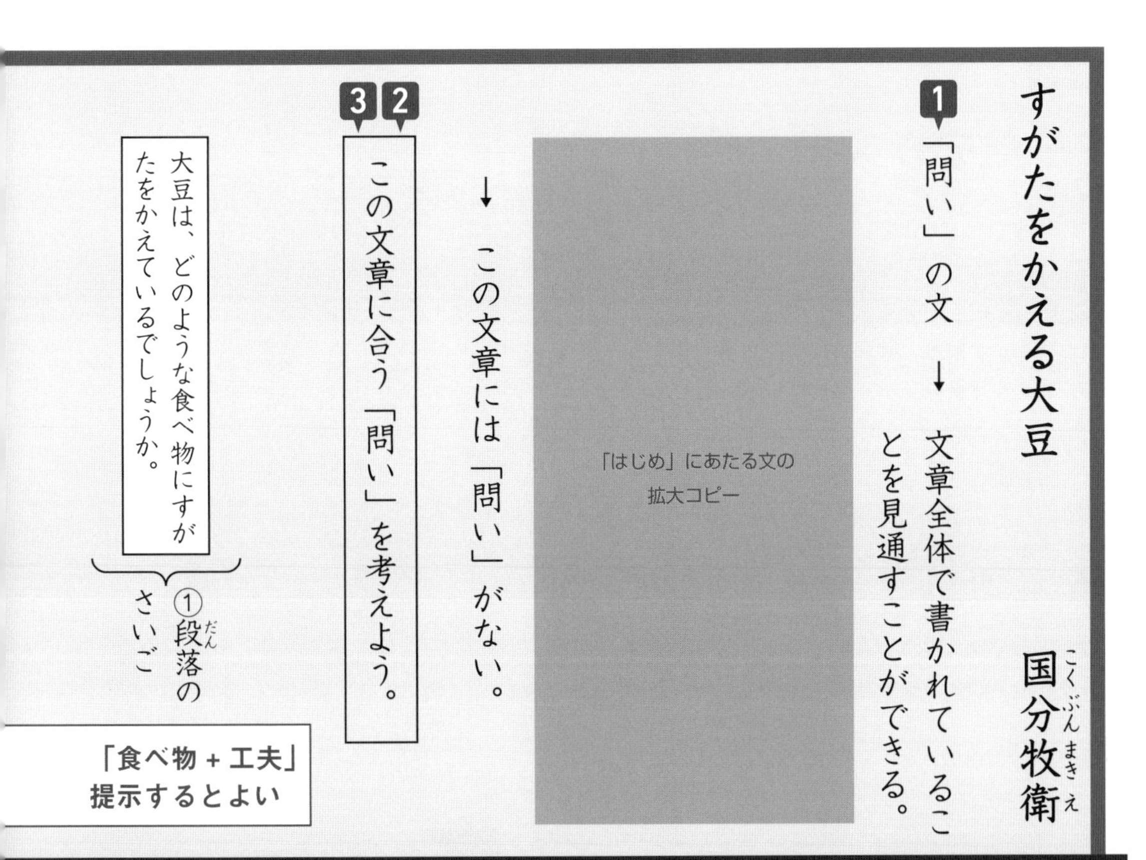

3 考えた「問い」を共有する〈10分〉

T 考えた「問い」の文と、文を入れる位置を教えてください。

○短冊に書いた「問い」の文を共有する。

・１段落の最後に、姿を変えた食べ物を問う文を入れました。

・２段落の最後に、おいしく食べる工夫を問う文を入れました。

・２段落の最後に、おいしく食べる工夫と姿を変えた食べ物の両方を問う文を入れます。

○子供たちが考えた「問い」の文を「姿を変えた食べ物を問う」「おいしく食べる工夫を問う文」「両方を問う文」で分類して提示することで、文の内容と文を入れる位置の関係について考えることができるようにするとよい。

ICT 等活用アイデア

「問い」の効果を考える

学習活動３で「問い」の文を入れる位置と内容を共有する際は、文章作成ソフトを用いて、教材文に「問い」を入れた文章を作成し、「問い」がある文章とない文章を比較することで、「問い」の効果を考えやすくできる。また、実際に文章を音読することで、違和感のない「問い」の内容や位置を考えることができるようになるだろう。さらに、「問い」の効果を考えるだけでなく、「問い」がない教材文も、文章として成立することを押さえる必要があるだろう。

本時案

すがたをかえる大豆

本時の目標

・「中」の事例の順序や各段落の中心となる文を捉えながら読み、筆者の説明の工夫を考えることができる。

本時の主な評価

❹それぞれの段落の中心となる文を見つけることを通して、読む人に分かりやすい説明にするための、筆者の説明の工夫を考えている。【思・判・表】

資料等の準備

・第２時に事例をまとめた表 05-01

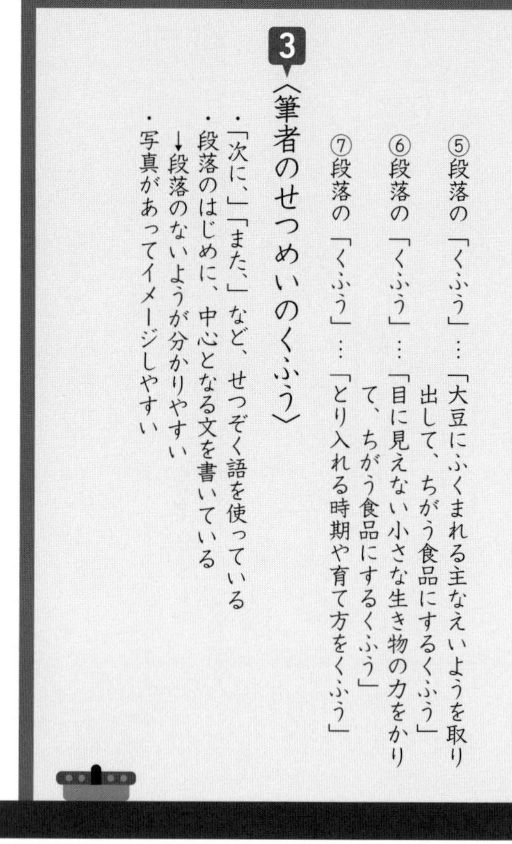

授業の流れ ▷▷▷

1 「中」の段落を読み、内容を確認する 〈10分〉

T　今日は「中」の段落の文を詳しく読みます。「中」には、どのようなことが書かれていましたか。

○第２時にまとめた表を提示し、具体的な例を挙げて説明されていることを押さえる。

・大豆が姿を変えた食べ物が書かれていました。

・５つの段落に、９つの例が書かれていました。

・１つの段落で１つの例ではなく、いくつかの例が挙げられていました。

・「おいしく食べるくふう」のまとまりで段落が分けられていました。

○「中」を読むことを通して、筆者の説明の工夫を見つけるという学習の見通しをもつ。

2 それぞれの段落の中心となる文を見つける 〈20分〉

T　では、それぞれの段落の中心となる文は、どの文でしょうか。

・食べ物が書かれている文だと思います。

・それぞれの段落の「おいしく食べるくふう」が書かれている文が、中心となる文だと思います。

・４段落のはじめに「次に」とあるので、最初の文が中心となる文だと思いました。

○話題と事例とのつながりから、それぞれの段落の中心となる文を見つけられるようにする。

T　食べ物の例は、何を説明するために書かれているのでしょうか。

・大豆を「おいしく食べるくふう」を説明するためです。

すがたをかえる大豆

国分牧衛（こくぶんまきえ）

1 「中」をくわしく読んで、筆者の書き方のくふうを考えよう。

「中」の五つの段落 → 九つのれい

段落	大豆がすがたをかえた食べ物のしょうかい	食品
③	大豆をその形のままいったり、にたりして、やわらかくする。いろんな色になる。	・豆まきの豆 ・に豆
④	大豆をこなにひく。	・きなこ
⑤	大豆からえいようを取り出して、すりつぶしたり、熱したりして、形のちがう食品にする。	・とうふ
⑥	ナットウキンやコウジカビの力をかりて、にたり、まぜたり、時間をおいたりして、ちがう食品にする。	・なっとう ・みそ ・しょうゆ
⑦	ダイズのとり入れる時期や育て方をくふうする。	・えだ豆 ・もやし

2 ○それぞれの段落の中心となる文を見つけよう。

・話題とれいとのつながりから考える

中心となる文 →「おいしく食べるくふう」の文

③段落の「くふう」…「大豆をその形のままいったり、にたりして、やわらかく、おいしくするくふう」

④段落の「くふう」…「こなにひいて食べるくふう」

3 筆者の書き方の工夫について考える 〈15分〉

T　筆者は、分かりやすい説明にするために、どのような工夫をしているのでしょうか。

・接続語が使われています。

・段落の最初に、中心となる文を書いて、説明する内容が分かるようにしています。

○「中」の段落の最初に、中心となる文が位置付けられていることを確実に押さえたい。

T　そのほかに、筆者が工夫していることはありますか。

・写真があって、イメージしやすいです。

・例の順序も工夫していると思います。

○次時は事例の順序や写真の使い方などについて考える学習に取り組む。「どうして筆者は、この順序にしたのでしょう」と問いかけ、事例の順序にふれておくとよいだろう。

よりよい授業へのステップアップ

「問い」の文を推敲する

「文様」や「こまを楽しむ」では、中心となる文を見つける手がかりとして、「問い」と「答え」に着目するとよいことを学習した。しかし、本教材には「問い」がないため、前時に作成した「問い」の文を生かすとよいだろう。学習のつながりが生まれるだけでなく、それぞれの段落の中心となる文を見つける際の手がかりにもなる。このような学習活動を通して、前時に考えた「問い」の文が、文章全体を包む「問い」になっているかを確かめ、「問い」の文を推敲するのもよいだろう。

本時案

すがたをかえる大豆

5/12

本時の目標

・「中」の事例の順序の意味や段落構成、写真の使い方などを考えることを通して、筆者の説明の工夫についてまとめることができる。

本時の主な評価

・「中」の各段落の最初に、中心となる「おいしく食べるくふう」の文が位置付けられていることをふまえ、段落と段落の順序や関係について捉えている。

資料等の準備

・教科書 p.46–49で使用されている写真

「ダイズ」のれい

7段落 「これらのほかに、」とり入れる時期や育て方のくふう

p.48 えだ豆の写真

p.49 もやしの写真

だんだん手間がかかる
↓文が多くなっている
↓すがたのかえ方もふくざつになる

4 〈筆者のれいのならべ方〉
・はじめは手間のかからない順序（じゅんじょ）
・「大豆」と「ダイズ」のまとまり　・写真を使う

授業の流れ ▷▷▷

1 筆者の事例の並べ方について考える 〈10分〉

T　これから、筆者の説明の工夫について考えます。筆者は、どうして例をこの順序にしたのでしょう。

・「いちばん分かりやすいのは」とあるので、分かりやすい順序になっていると思います。
・形が大豆のままになっている食べ物から紹介されていると思います。
・読む人が、「大豆からできているの？」とびっくりするようになる順序だと思います。
・手間のかからない順序だと思います。
・もやしや枝豆が最後になっていることが納得できません。

○「中」の各段落で、食べ物の作り方が説明されている文に線を引き、後半になると文が多くなっていることに着目するとよい。

2 言葉に着目して、事例の順序についてまとめる 〈15分〉

T　「中」の各段落のはじめの言葉に着目して、段落の内容を確認してみましょう。

・「次に、こなにひいて食べるくふう」なので、大豆の形ではなくなっている食べ物の例が書かれています。
・「また」「さらに」の後には、「ちがう食品にするくふう」が書かれています。
・だんだん作り方の手間がかかっていることが分かります。
・「これらのほかに」の後には、「ダイズ」と書かれています。
・３～６段落は「大豆」の例で、７段落は「ダイズ」の例になっています。

○「手間のかからない順序」「大豆とダイズのまとまり」を捉えることができるとよい。

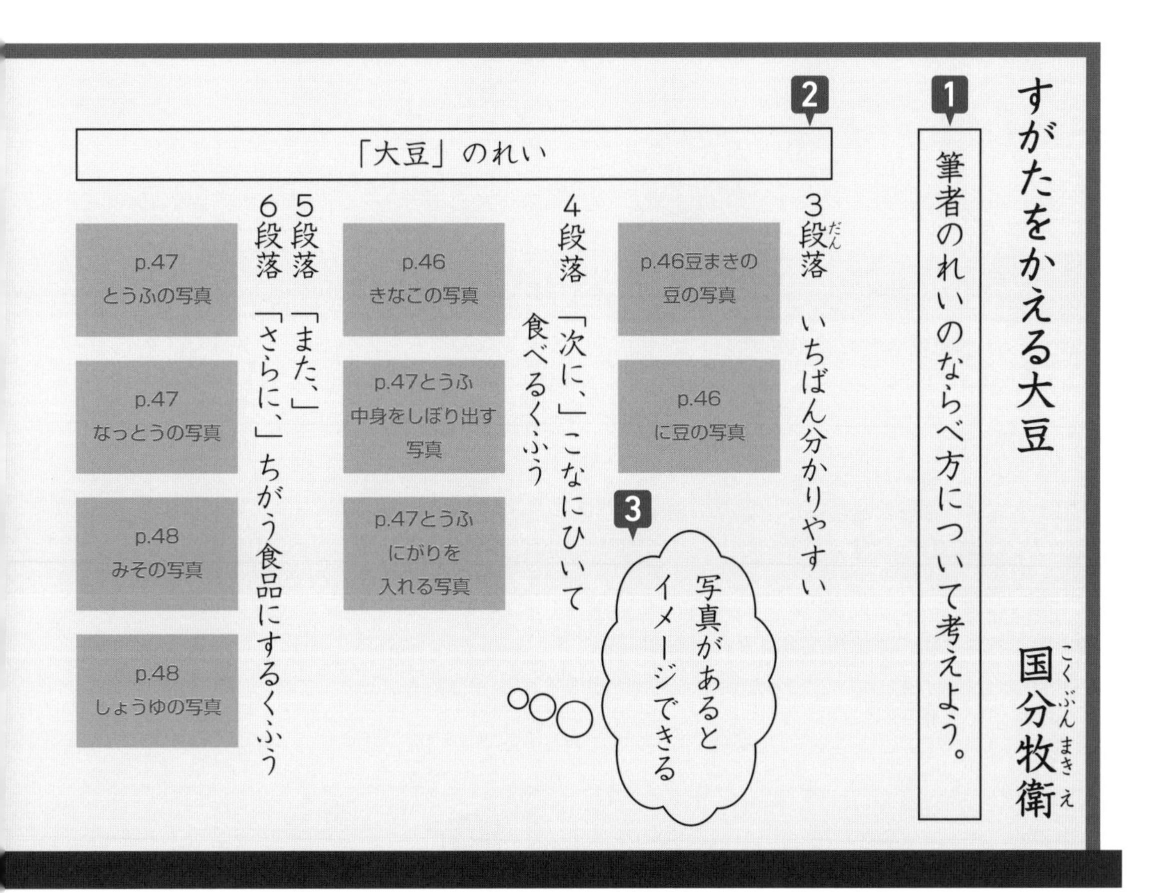

3 筆者の写真の使い方について考える 〈10分〉

T　どのような写真が使われていますか。

・全部で14枚の写真が使われています。
・大豆が姿を変えた食べ物の写真が多く使われています。
・ダイズから大豆をとった様子を表すために、広い畑と大豆の写真を使っています。
・豆腐だけ３枚の写真が使われています。

T　写真があることで、どのようなよさがありますか。

・知らない食べ物があっても、写真があることでイメージすることができます。
・中身をしぼり出したり、にがりを入れたりする様子も分かります。

○筆者が読み手を想定して、写真を選んでいることを理解できるようにする。

4 筆者の説明の工夫をまとめる 〈10分〉

T　筆者は、分かりやすい文章にするために、どのような工夫をしていましたか。

・大豆が姿を変えていくことが分かるようにしながら、はじめは作り方に手間がかからない順序で例を並べていました。
・「大豆」と「ダイズ」のまとまりで書かれていました。
・読む人に伝わらないと思うところに写真を使うことで、分かりやすくしていました。
・「中」の段落のはじめに、中心となる文を書いていました。

○「事例の順序」「内容のまとまりで段落を分ける」「効果的な写真の使い方」は、単元後半の「書くこと」に取り組む際の観点になるため、確実に押さえたい。

本時案

すがたをかえる大豆

本時の目標

・読書を通して、大豆の他に姿を変えている食べ物について知識や情報を得ることができる。

本時の主な評価

❷食べ物について書かれた本を読み、大豆の他に姿を変えている食べ物について知り、興味を広げている。【知・技】

資料等の準備

・姿を変える食べ物と変化した後の食べ物を書く短冊
・食べ物について書かれた本

3
○感想を友だちとつたえ合おう。
・はじめて知ったこと
・（本の）せつめいでよいと思ったところ

授業の流れ ▷▷▷

1 大豆の他に姿を変えている食べ物がないかを考える 〈10分〉

T　筆者は、姿を変える食べ物として「大豆」を取り上げています。大豆の他にも、姿を変えている食べ物はありますか。
○飲み物の話題も許容する。
・牛乳はバターやチーズ、ヨーグルトに姿を変えています。
・魚はかまぼこになっているそうです。
・麦が姿を変えてパンになっています。
・じゃがいもはコロッケに姿を変えています。
○読書が、必要な知識や情報を得ることに役立つことに気付けるように、教科書上巻「本で知ったことを、クイズにしよう」で、どのように本を活用したのか、問いかける。子供の食べ物に関する知識を問うのではなく、必要感のある読書活動につなげるようにしたい。

2 本を読み、姿を変えている食べ物を見つける 〈25分〉

T　みなさんが知っている食べ物の他にも、まだまだありそうですね。どうすれば調べることができますか。
・学校図書館に、食べ物について書かれた本がありました。
・タブレットで調べられます。
○学校図書館を利用する際、「図書館たんていだん」の学習で作成した学校図書館の地図を活用したり、本の分類の仕方を確認したりして、必要な本を探せるようにするとよい。ウェブブラウザは、情報量が多く、子供では扱いきれない可能性があるため、検索を用いるタイミングに留意する。
T　食べ物について書かれた本を読んで、大豆の他に姿を変える食べ物を見つけましょう。

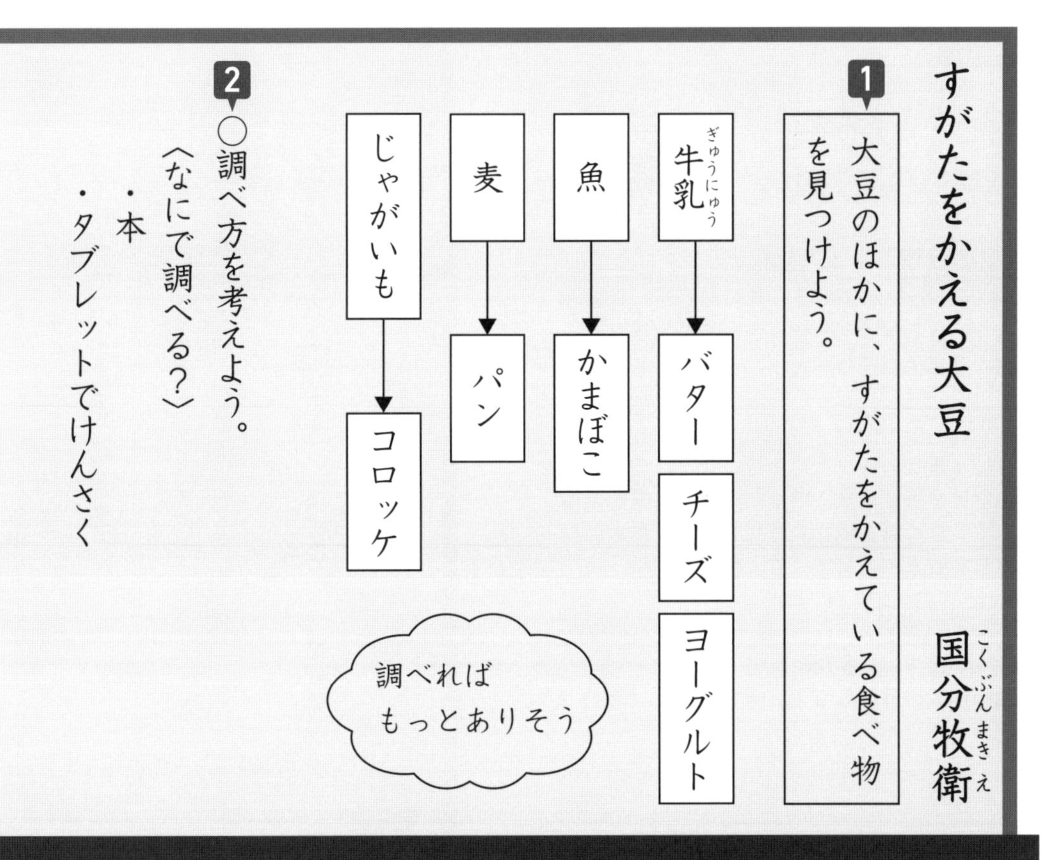

3 本を読んだ感想を友達と伝え合う〈10分〉

T　本を読んで、初めて知ったことや友達に教えたいこと、説明の仕方でよいと思ったところを友達と伝え合いましょう。

・イワシは、赤ちゃんがシラスで、少し大きくなると煮干しになるなど、大きさによって呼ばれ方や食べられ方が違うそうです。
・私が読んだ本は、イワシが大きくなる順序で説明されていて、分かりやすかったです。
・米を細かく砕くと、パンが作れるそうです。
・この本では、麦を使ったパンと米を使ったパンのまとまりで書かれていました。

○感想を伝え合う際、「米粉は、きなこにして食べる大豆と似ていますね」など、説明文の内容と関連付けることで、単元後半の「書くこと」の学習につなげることができる。

ICT 等活用アイデア

検索を用いた補助的な情報収集

食べ物を調べる際、1人1冊の本を用意することは難しい場合が多い。そのため、ウェブブラウザの検索を用いて情報を収集することが考えられる。しかし、ウェブサイトは情報量が多すぎるため、目的の情報だけを収集することが難しい。ここでは、読書活動を通して、調べる食べ物を決めた上で補助的に検索を用いることが望ましい。

検索を用いる際、関連するキーワードの選び方の指導をするなど、目的の情報が得られるように支援したい。

本時案

すがたをかえる大豆／食べ物のひみつを教えます

本時の目標

・「すがたをかえる大豆」で学んだことを振り返り、自分が調べた食べ物を紹介する文章を書くための見通しをもつことができる。

本時の主な評価

❺話題と事例の書かれ方を考えながらこれまでの学習を振り返り、学んだ説明の工夫を活用して、食べ物を紹介する文章を書くための見通しをもとうとしている。【態度】

資料等の準備

・食べ物について書かれた本
・教師作成の分かりづらい例文 05–02

3

学んだことを生かして、調べた食べ物についてせつめいする文章を書こう。

①せつめいする食べ物を決める
②文章の組み立てを考える
③文章を書く
④書いた文章を友だちと読み合い、感想をつたえ合う

授業の流れ ▷▷▷

1 p.51「たいせつ」を基に、これまでの学習を振り返る 〈15分〉

T 「話題と、れいの書かれ方を考えながら読む」ことについて、これまでの学習を振り返りましょう。
・題名から話題を確かめることをしました。
・「はじめ」に「問い」がないため、「問い」の文や文を入れる位置を考えました。
・「中」の話題の中心となる文は、それぞれの段落のはじめにありました。
・「おいしく食べる工夫」ごとのまとまりで、段落が分けられていました。
・筆者は、作る手間のかからない順序で例を並べていました。
・筆者は、言葉だけでは伝わらないと思う部分に、写真を使っていました。
○学習の流れを意識した振り返りが望ましい。

2 説明の工夫を使うことで、どのように分かりやすくなるのかまとめる〈15分〉

T 説明の工夫によって、どのように読む人にとって分かりやすくなっているか、まとめましょう。
・段落のはじめに中心となる文があると、その段落に何が書かれているのか分かりやすくなるので、よい工夫だと思いました。
・内容ごとに段落を分けてあり、話題と例の関係が分かりやすく、内容が伝わりやすいです。
・作る手間のかからない例の順序にしてあり、はじめは簡単な内容で読みやすいです。
・写真を使うと、言葉を知らない人にも伝わる説明になると思いました。
○「すがたをかえる大豆」で学習した筆者の説明の工夫についてまとめ、文章を書く際の観点にすることで、書く力を伸ばす。

すがたをかえる大豆　国分牧衛（こくぶんまきえ）

「分かりやすいせつめいのくふう」について
まとめよう。

◎「話題と、れいの書かれ方を
　考えながら読む」

1
○学習のふり返り
1. 文章の話題をたしかめた　→「題名」「はじめ」
2. 「はじめ」に入る問いの文を考えた
3. 「中」のそれぞれの段落（だんらく）の中心となる文を考えた
4. ないようごとの段落の分け方を考えた
5. れいの順序（じゅんじょ）を考えた
6. 筆者の分かりやすい写真の使い方のくふうを考えた

2
○説明のくふうを使うと、どのように分かりやすくなる？
3. その段落に何が書かれているのか分かりやすい
4. 文章の話題とれいの関係が分かりやすい
5. はじめは、分かりやすくて、読みやすい
6. むずかしい言葉を知らなくてもつたわる

p.50-51 の学習の手引きを確認し、学習の順序を意識してまとめるとよい

3 説明の工夫を活用した文章を書く見通しをもつ〈15分〉

T　これから姿を変える食べ物を説明する文章を書きます。どのようなことから取り組んでいくといいでしょうか。
・まず、説明する食べ物を決めた方がいいと思います。
・次に、「はじめ」「中」「終わり」に分けて、文章の組み立てを考えればいいと思います。
・そして、内容のまとまりを考えて、書くことを整理した方がいいと思います。
・例の順序も考えたいです。
・説明に使えそうな写真も調べた方がいいと思います。
○学習の見通しをもつ際、教科書「食べ物のひみつを教えます」の p.53を参考にする。また、文章を書く相手を設定できるとよい。

よりよい授業へのステップアップ

分かりづらい例文を提示する

文章を書く見通しをもつ際には、教科書の例文と併せて、意図的に分かりづらい文章にした教師の例文を示すと効果的である。分かりづらい文章にすることによって、子供が文章構成や内容を考える際の観点を再確認することができる。分かりづらい例文は、１つの段落に異なる食べ物の事例を挙げたり、難しい言葉を使ったりするなど、子供が気付きやすいものを作成するとよい。例文を示すことで、「どのような文章を書けばよいのか」というイメージをもつことができるだろう。

本時案

食べ物のひみつを教えます

本時の目標

・文章に書く食べ物を決め、調べた情報を整理することができる。

本時の主な評価

❶必要な情報を収集し、観点を明確にして比較したり分類したりしながら、情報を整理している。【知・技】

資料等の準備

・食べ物について書かれた本
・情報を整理するワークシートとその拡大コピー 05-03

【ちがうすがたの食べ物に】

つみれ

イワシ

【とる

しらす

図や表を使った情報の整理の仕方を例示する

食品	さしみ	つみれ	しらす	
おいしく食べるくふう	そのまま食べるくふう	すり身にするくふう	とる時期のくふう	

授業の流れ ▷▷▷

1 説明する食べ物を決める〈10分〉

T　6時間目に見つけた、姿を変える食べ物の中から、説明する食べ物を1つ決めましょう。
・りんごにします。皮をむいて食べるだけでなく、ジャムに姿を変えているということを説明したいです。
・とうもろこしにします。ポップコーンやコーンフレークに姿を変えているということを友達に知ってもらいたいです。
○大豆は、「すがたをかえる大豆」で取り上げられている事例のほかにも、豆乳やおからになったり、大豆油が抽出できたりする。同じ食べ物でも、取り上げる事例によって文章の内容が変わることを押さえ、大豆も選択肢の1つにするとよい。

2 必要な情報を収集する〈20分〉

T　説明する文章を書くために、必要な情報は揃っていますか。
・例が2つしか調べられていないので、もう少し情報が必要です。
T　それでは、本やタブレットの検索機能を使って、必要な情報を集めましょう。
・りんごは、ジャムだけでなく、ジュースやウスターソースにも姿を変えていることが分かりました。
・とうもろこしは、種類によってポップコーンになったり、コーンフレークになったりするそうです。教科書 p.54の、例文の米と同じように文章を書くことができそうです。
○情報を収集する中で、決めた食べ物を変更することも許容する。

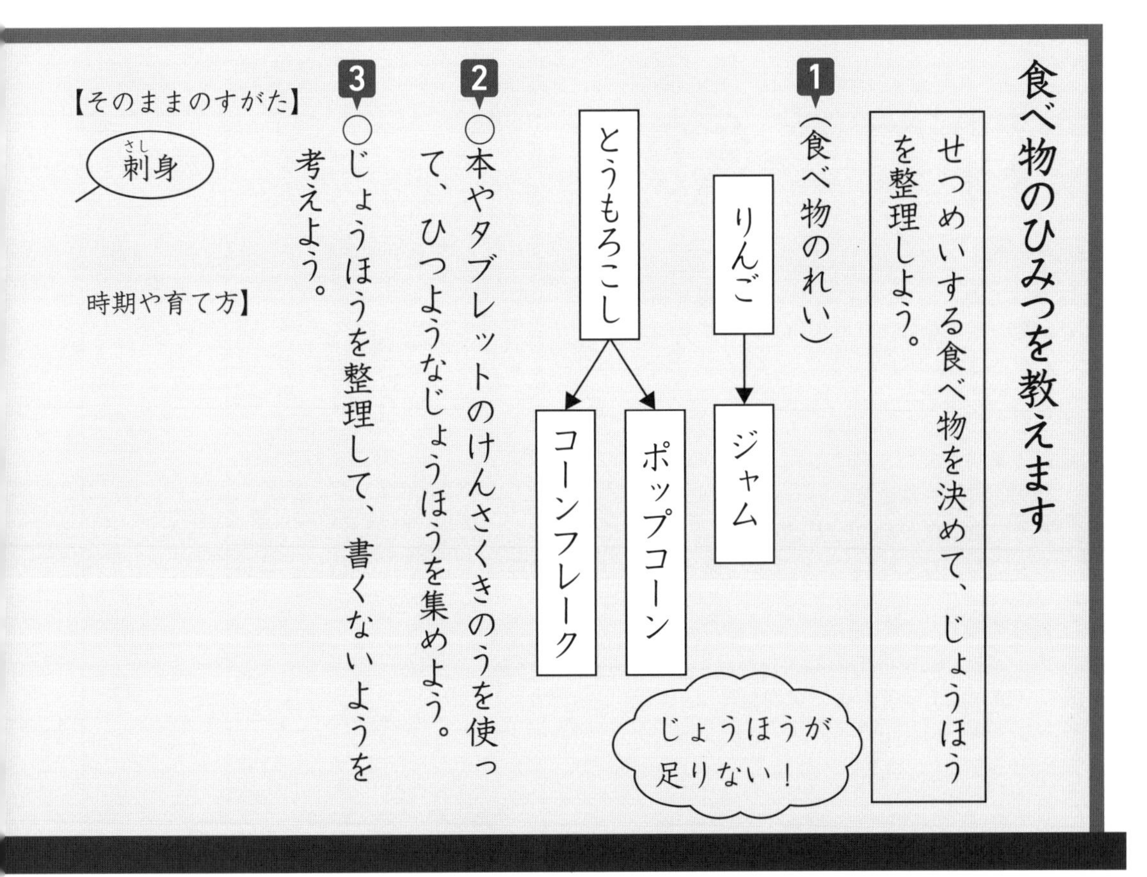

3 収集した情報を整理する〈15分〉

T　集めた情報を整理して、文章に書く内容を考えることができるようにしましょう。

・イワシは、そのまま食べる刺身、すり身にして作るつみれ、赤ちゃんのしらすと、観点ごとに分類することができました。

・玉ねぎは採る時期の工夫で名前や味が変わることを書きたいです。

○国語辞典を手元に用意し、分からない語句があった場合に調べられるようにする。

ICT 端末の活用ポイント

ホワイトボードアプリなどを用いて、「そのままの姿で食べる工夫」「違う姿の食べ物にする工夫」「採り入れる時期や育て方の工夫」の観点で、収集した情報を分類し、整理する。

よりよい授業へのステップアップ

情報収集の方法を考える

本や検索を用いた情報収集だけでなく、栄養士や調理師、地域の人などにインタビューをして情報を収集する方法が考えられる。1人1台端末の活用が促進される中でも、人とのコミュニケーションを通して、情報を得る経験を大切にしたい。

さらに、オンライン会議用アプリなどを活用して、様々な人にインタビューすることも考えられる。事前準備の手間はかかるが、遠方の人ともつながれるよさを存分に生かしたい。

本時案

食べ物のひみつを教えます 9/12

本時の目標

・「はじめ」「中」「終わり」に分けて、書く内容や事例の順序など、文章の組み立てを考えることができる。

本時の主な評価

❸収集した情報を基に、「はじめ」「中」「終わり」の文章構成や各段落に書く内容のまとまり、事例の順序などを考えている。【思・判・表】

資料等の準備

・教科書 p.53組み立てメモの拡大コピー
・前時で子供が図や表で情報を整理したワークシート
・付箋

3
○文章の組み立てを友だちにせつめいしよう。
・れいの順序（じゅんじょ）の理由をせつめいする
・なやんでいることをそうだんする

終わり	
・まとめ	

授業の流れ ▷▷▷

1 文章の組み立てを考えるときの観点を確認する 〈10分〉

T　今日は、文章の組み立てを考えます。p.53で組み立てメモを作っている原さんに、どのような助言をすればいいですか。
・原さんは、「中」の例の順序について考えているので、どちらを先に書けばいいかを助言します。
・白玉は、もち米を粉にする手間があるので、後に書いた方がいいと思います。
T　「すがたをかえる大豆」と同じ「手間のかからない順序」で考えると、ごはん→もち→白玉の順序にするといいですね。
○事例の順序を考える際の観点を確認する。そして本時では、内容のまとまりで段落を分けること、事例の順序を考えることを確認する。

2 文章の組み立てを考える 〈20分〉

T　みなさんも、原さんのような組み立てメモを作ります。p.53「組み立てを考えるときは」を見て、文章の組み立てを考えましょう。
○事例の順序を考える際に、付箋を活用するとよい。
・イワシは、刺身→つみれ→しらすの順序にしたいと思います。
・りんごは、そのまま→ジャム→ジュース→ウスターソースの順序にしようと思います。
T　取り上げる例は３つを目安にしましょう。
○調べた情報を全て取り上げるのではなく、想定した読み手に合う事例を選び、並べることができるとよい。
・りんごは、そのまま→ジャム→ウスターソースの順序にしようと思います。

食べ物のひみつを教えます

1 文章の組み立てを考えよう。

○れいの順序（じゅんじょ）を助言する。

原さんへの助言

ごはん → もち → 白玉
手間のかからない順序（じゅんじょ）

2 ○文章の組み立て

・ないようのまとまりで段落（だん）を分ける
・れいの順序（じゅんじょ）を考える

はじめ	中
・せつめいする食べ物について →りんご	・れい ①そのまま食べる ②ジャム ③ウスターソース

ICT 等活用アイデア

考えの履歴を残す

文章の構成を考える際、ホワイトボードなどを用いて、「はじめ」「中」「終わり」に書く内容や事例の順序を考えることが有効である。付箋も、貼ったり剥がしたりすることができるが、粘着力がなくなり、文章を書くときに紛失してしまうことがある。ホワイトボードアプリであれば、考えの履歴がタブレットに残され、いつでも振り返ることができる。さらに、友達と事例の順序を共有したり、比較したりすることが容易になり、文章の組み立てを考える際に効果的だろう。

3 考えた文章の組み立てについて、友達と交流する 〈15分〉

T　考えた文章の組み立てを、友達に説明しましょう。そして、例の順序などについて、悩んでいることも伝え合いましょう。

・「すがたをかえる大豆」と同じように、「手間のかからない順序」にしました。
・読む人にとって、分かりやすい順序になっていると思います。
・ポップコーンとコーンフレークは、どちらを先にしようか悩んでいます。
・コーンフレークに姿を変えていることを知らない人が多いと思うから、ポップコーンを先にした方がいいと思います。

○「手間のかからない順序」が適さない食べ物もある。その際には、子供なりの観点をもって順序を考えることができるとよい。

本時案

食べ物のひみつを教えます

本時の目標

・組み立てメモを基に、内容のまとまりで段落を分けることや事例の順序などに気を付けて、姿を変える食べ物について説明する文章を書くことができる。

本時の主な評価

・組み立てメモを基に、読む人にとって分かりやすい構成を意識して文章を書いている。

資料等の準備

・前時で用いた組み立てメモ
・チェックシートとその拡大コピー 05-04
・行間や余白の広い原稿用紙

友だちの文章を読むときは、文章のよさも見つけよう。

□せつぞく語を正しく使っている
□習った漢字を使っている
□ご字だつ字がない

授業の流れ ▷▷▷

1 本時の見通しをもつ 〈5分〉

T　これから、組み立てメモやこれまでの学習を生かして、姿を変える食べ物を説明する文章を書きます。どのようなことに気を付けて書くとよいですか。
・「はじめ」「中」「終わり」に分けて書くことです。
・内容のまとまりで段落を分けます。
・例の順序に気を付けて書きます。
・読む人に伝わらないと思う部分は、写真を使って分かりやすくします。
○「すがたをかえる大豆」でまとめた、筆者の説明の工夫（「事例の順序」「内容のまとまりで段落を分ける」「効果的な写真の使い方」）を振り返り、文章を書くときの観点を明確にすることができるとよい。

2 組み立てメモを見ながら、文章を書く 〈30分〉

T　それでは、文章を書いてみましょう。
○手書きを希望する子供がいた場合は、原稿用紙に書くように伝える。
○原稿用紙は、書き足しや修正、写真や画像を貼りやすくするために、行間や余白を広めにとった様式にする。
○自力で文章を書くことが難しい子供は、教科書 p.54の例文の形式に沿って書くようにするとよいだろう。

ICT 端末の活用ポイント

文章作成ソフトを用いて文章を書く。簡単に文章の修正や事例の順序を入れ替えることなどができ、子供の書くことに対する抵抗感を減らすことができるだろう。

食べ物のひみつを教えます

組み立てメモをもとに文章を書こう。

1
〈気をつけること〉
・「はじめ」「中」「終わり」に分けて書く
・「おいしく食べるくふう」で段落を分ける
・れいの順序に気をつけて書く
・写真を使って分かりやすくする

2
○文章を書こう。
・文章作成ソフトで書く
・原こう用紙に書く

3
○文章を見直そう。

チェックシート
□「はじめ」「中」「終わり」に分けている
□一つの段落に一つの話題になっている
（ないようのまとまりで段落を分けている）
□れいの順序に気をつけて書いている

ICT 等活用アイデア

文章をコピーして履歴を残す

文章作成ソフトを用いて書いた文章を推敲する場合、「どの部分を修正したのか」ということが分からなくなってしまう。そこで、学習活動３の前に、学習活動２で書き終えた文章をコピーして、修正する。修正前後の２つの文章を比較することができるようになり、学習の振り返りでも役立つだろう。また、修正した部分を赤字にすることで、修正箇所を可視化することができる。さらに、友達と読み合う場面では、コメント機能を用いて友達の考えを残すこともできる。

3 書いた文章を見直す 〈10分〉

T　文章を書き終えたら、チェックシートを基に、自分で読み返したり、友達に読んでもらったりしましょう。
・同じ接続語を繰り返し使っているので、直した方がいいと思います。
・同じ段落に２つの話題が書かれているので、分けた方がよいと思います。
・「やりずらい」ではなく「やりづらい」です。
○修正点を伝え合うだけでなく、文章のよさを見つけることも大切にする。
・選んだ例が分かりやすいと思いました。
・ウスターソースにりんごが入っていることを初めて知り、驚きました。
・例の順序が、「手間のかからない順序」になっていて、分かりやすいと思いました。

本時案

食べ物のひみつを教えます

本時の目標

・書いた文章を友達と読み合い、互いの文章のよいところを伝え合うことを通して、自分の文章を見つめ直すことができる。

本時の主な評価

・友達と文章を読み合い、書き方と内容について、互いの文章のよさを伝え合っている。

資料等の準備

・前時で子供が書いた文章

もっとこうすればよかった

・題名をくふうすればよかった
・ほかのれいの方がよかった
・ほかの写真の方がよかった

→次に文章を書くときに生かそう

授業の流れ ▷▷▷

1 友達の文章を読む観点を確認する 〈10分〉

T　これから、書いた文章を友達と読み合います。読む人に分かりやすい文章にするために、どのようなことに気を付けましたか。

・内容のまとまりで段落を分けました。
・「中」のそれぞれの段落に何が書かれているか分かりやすくするために、中心となる文を段落の初めに書きました。
・読む人に伝わりやすい例を選んだり、順序を考えたりしました。
・伝わりにくいと思った部分は、写真を使ってイメージできるようにしました。

○「すがたをかえる大豆」でまとめた説明の工夫を観点として取り上げる。様々な説明の工夫があるが、単元で育てたい資質・能力に即した観点を設定するとよいだろう。

2 友達と文章を読み合い、よいところを伝え合う 〈25分〉

T　それでは、隣の席の友達と文章を読み合います。読み終わったら、友達と文章のよさを伝え合い、周りの席の、別の友達と読み合ったりしましょう。

・例の順序がよく、りんごが姿を変えていることがよく分かりました。
・初めて聞いた食べ物でしたが、写真があったのでイメージすることができました。
・接続語がきちんと使われていて、いいと思いました。
・採る時期で名前が変わるごとに段落を分けていて、分かりやすかったです。

ICT 端末の活用ポイント

よいところを伝え合う際、文章作成ソフトのコメント機能を用いる。自分の文章のよさを見返す際に、友達からのコメントが役立つだろう。

食べ物のひみつを教えます

友だちと文章を読み合って、おたがいの文章のよいところをつたえ合おう。

1
〈分かりやすい文章にするために気をつけたこと〉
・ないようのまとまりで、段落を分けた
・それぞれの段落のないようを分かりやすくするために、中心となる文をはじめに書いた

2
〇友だちと文章を読み合おう。
〈文章を読むときのポイント〉
・話題が分かりやすく書けているか
・れいは分かりやすい順序になっているか
・写真を使って分かりやすくできているか

・れいの順序がよかった
・写真があって分かりやすかった
・せつぞく語が正しく使われていてよかった

3
〇自分の文章のよいところをまとめよう。
・れいの順序を考えることができた
・せつぞく語を正しく使うことができた

3 自分の文章のよいところを見つめ直す 〈10分〉

T　友達が伝えてくれたよさを意識して、もう一度自分の文章を読んでみましょう。
・自分が気を付けて書いたところを「よかった」と言ってくれてうれしかったです。
・自分では気付いていなかったよさを教えてくれて、自分の文章の見方が変わりました。
〇文章を修正する必要はないが、友達の文章を読んで、「もっとこうすればよかった」ということをまとめられるとよい。
・題名を工夫すればよかったと思いました。
・同じ食べ物の説明を書いた文章でも、選んだ例や順序が違って、「なるほど」と思いました。
・食べ物が姿を変えていく様子が分かるように、写真を使った方がよかったと思いました。

よりよい授業へのステップアップ

様々な読み手を設定する

読む人にとって分かりやすい説明の工夫を学んできた。しかし、相手に伝わる文書を書くためには、書いた文章をだれかに読んでもらうことが重要になる。読み手を明確に設定し、事例や言葉、写真の選択をすることが望ましい。

書いた文章は、友達や保護者だけでなく、インタビューをした栄養士や調理師、地域の人にも読んでもらえるとよい。より多くの人に読んでもらうことで、分かりやすい文章になっているかを振り返ることができたり、学習の成果を実感できたりするだろう。

本時案

すがたをかえる大豆／食べ物のひみつを教えます

本時の目標

・文章の書き方について振り返ることを通して、単元で学んだ分かりやすい説明の工夫についてまとめることができる。

本時の主な評価

❺単元を通して学んだ分かりやすい説明の工夫についてまとめ、学習を振り返ろうとしている。【態度】

資料等の準備

・前々時で子供が書いた文章

3

○「分かりやすいせつめいのくふう」をまとめよう。

【読】中心となる文やれいの順序（じゅんじょ）を考えながら読んだ

【書】段落の分け方やれいの順序（じゅんじょ）に気をつけて書いた

授業の流れ ▷▷▷

1 調べた情報のまとめ方を振り返る 〈15分〉

T まず、文章を書く前の準備について、振り返ります。文章を書く前に、どのようなことをしましたか。

・姿を変える食べ物について調べました。

・３つの観点ごとに、調べたことを分類して、情報を整理しました。

・情報を整理することで、文章に書く例を選んだり、順序を考えたりすることができるようになりました。

○本単元では、例えば「そのままの姿で食べる工夫」「違う姿の食べ物にする工夫」「採り入れる時期や育て方の工夫」の観点で８時間目に分類したことを振り返り、観点をもって情報を整理することのよさを押さえる。

2 教科書 p.55「たいせつ」を基に、学びを振り返る 〈15分〉

T これまでの学習を振り返りながら、「分かりやすい組み立てを考える」ことについて、まとめましょう。

・「はじめ」「中」「終わり」に分けて、書くことを考えました。

・「はじめ」には、説明する食べ物を書いて、話題が分かるようにしました。

・「中」では、内容のまとまりで段落を分けることで、書かれている話題が分かるようにしました。

・姿を変えているということが分かりやすい例を選ぶことが大切でした。

・例の順序を考えることで、内容の分かりやすさも変わりました。

○学習の流れを意識した振り返りが望ましい。

すがたをかえる大豆／食べ物のひみつを教えます

学習をふり返り、学んだことをまとめよう。

1
○文章を書く前のじゅんびをふり返ろう。
◎調べたことを「くふう」ごとに分けて整理した

・文章に書くれいをえらびやすくなった
・れいの順序（じゅんじょ）を考えやすくなった

じょうほうを整理する「よさ」

2
○分かりやすい組み立てを考えよう。
・「はじめ」「中」「終わり」に分ける
・「はじめ」→話題を書く
・「中」→ないようのまとまりで段落を分ける
→分かりやすいれいをえらぶ

分かりやすさのポイント

3 単元全体で学んだ、分かりやすい説明の工夫をまとめる 〈15分〉

T　今回の単元では、分かりやすい説明の工夫について学んできました。まず、どのような学習に取り組みましたか。
・「すがたをかえる大豆」で、筆者の説明の工夫を考えました。
・「中」の段落の中心となる文を見つけたり、例の順序について考えたりしました。
T　筆者の説明の工夫を学びましたね。次に、どのような学習に取り組みましたか。
・分かりやすい説明の工夫を使って、姿を変える食べ物を説明する文章を書きました。
・例の順序を考えることが難しかったです。
○「読むこと」の学習で学んだことを生かすことで、「書くこと」の力も伸ばすことができることを押さえる。

よりよい授業へのステップアップ

他教科でも学びを生かす

本単元で学んだ情報の取り扱いは、社会科や総合的な学習の時間など、収集した情報を整理する場面で生かすことができる。観点をもって情報を分類することで、取り上げる事例の選択や順序を考える際に役立つだろう。さらに、分かりやすい説明の工夫を使って文章を書いた経験は、プレゼンテーションなど、説明の組み立てを考える場面で生かすことができる。

そして、他教科や普段の生活場面でも、適切な事例の選択をしたり、順序を考えたりするようになるだろう。

資料

1 第2時　ワークシート1　05-01

すがたをかえる大豆

3年　組　番　名前

「中」を読んで、大豆がすがたをかえた食べ物のしょうかいと食品をまとめよう。

段落	大豆がすがたをかえた食べ物のしょうかい	食品

筆者のせつめいの仕方で気づいたこと

2 第7時　分かりづらい例文　05-02

いろいろなすがたになる米

米には、いろいろな食べ方のくふうがあります。

はじめに、江戸時代には、米はお金のかわりにもなっていました。ぎしきに使われることもあり、「にいなめさい」が有名です。お正月に食べるおもちも米がすがたをかえた食べ物です。

まず、米を使ったアイスを食べたことがあります。夏の暑い日に食べたので、とてもおいしかったです。また、食べようと思います。

そして、すいはんきでたくと、ふっくらしていておいしいごはんになります。これらのほかに、ボディーシャンプーや顔をあらうせっけん、けしょう水などにも、すがたをかえています。

そして、昔から米がすがたをかえたものは、かんきょうにもやさしく、ヘルシーな食品になるため、とても人気です。

このように、米は、くふうされて、いろいろなすがたになって食べられているのです。

3 第８時　ワークシート２ 05-03

食べ物のひみつを教えます

３年　組　番　名前

「中」を読んで、おいしく食べるくふうと食品をまとめよう。

【表でまとめる】

おいしく食べるくふう				
食品				

【図でまとめる】

4 第10時　チェックシート 05-04

食べ物のひみつを教えます

３年　組　番　名前

書いた文章をチェックしながら読み返してみましょう。

チェックシート

- □「はじめ」「中」「終わり」に分けている
- □一つの段落に一つの話題になっている
  （ないようのまとまりで段落を分けている）
- □れいの順序（じゅんじょ）に気をつけて書いている
- □せつぞく語を正しく使えている
- □習った漢字を使えている
- □ご字だつ字がない

友だちと文章を読み合って、おたがいの文章をチェックしましょう。

文章をチェックしてもらった友だち（　　　　）

チェックシート

- □「はじめ」「中」「終わり」に分けている
- □一つの段落に一つの話題になっている
  （ないようのまとまりで段落を分けられている）
- □れいの順序（じゅんじょ）に気をつけて書いている
- □せつぞく語を正しく使っている
- □習った漢字を使っている
- □ご字だつ字がない

つたわる言葉

ことわざ・故事成語 （4時間扱い）

単元の目標

知識及び技能	・長い間使われてきたことわざや故事成語などの意味を知り、使うことができる。((3)イ)
思考力、判断力、表現力等	・目的を意識して、伝えたいことを明確にすることができる。(B ア)
学びに向かう力、人間性等	・言葉がもつよさに気付くとともに、幅広く読書をし、国語を大切にして、思いや考えを伝え合おうとする。

評価規準

知識・技能	❶長い間使われてきたことわざや故事成語などの意味を知り、使っている。(〔知識及び技能〕(3)イ)
思考・判断・表現	❷「書くこと」において、目的を意識して、伝えたいことを明確にしている。(〔思考力、判断力、表現力等〕B ア)
主体的に学習に取り組む態度	❸積極的にことわざや慣用句、故事成語などの意味を知り、使い、学習課題に沿ってことわざ辞典を作ろうとしている。

単元の流れ

次	時	主な学習活動	評価
一	1	学習の見通しをもつ ・ことわざや故事成語について知り、その意味や特徴について理解する。 ・「ことわざ・故事成語辞典」を見せたい人（相手意識）や作る目的（目的意識）を確認する（次ページの具体例参照）。 オリジナルの「ことわざ・故事成語辞典」を作ろう。	❶
	2	「お家の人」や「落ち込んでいる人」を「励ますことができる」、といった相手や目的に合わせて、好きなことわざ・故事成語を3～5個選び、調べる。	❷
二	3	・一人一人が選んだことわざ・故事成語をグループで紹介し合い、「ことわざ・故事成語辞典」に掲載するものを選び、順番を決める。 ・選んだことわざ・故事成語の意味や例文などをワークシートなどに書き、「ことわざ・故事成語辞典」を完成させる。	❸
	4	学習を振り返る 作成した「ことわざ・故事成語辞典」を読み合い、感想を伝えたりお気に入りのことわざ・故事成語を選んだりする。	❸

授業づくりのポイント

〈単元で育てたい資質・能力〉

本単元では、ことわざや故事成語を扱う。これらの言葉は、先人たちが見いだし伝えてきた物事の道理、教訓、人の本質などが込められたものである。このような言葉の意味を知り、使用できるようになることは、言葉のよさを感じるとともに、言語感覚を豊かにすることへつながる。また、自身の生き方や物事を考える基盤づくりにも役立つ。

相手や目的を意識しながらことわざ・故事成語を探し、意味などを知る中で、書く題材を決めたり伝えたいことを明確にしたりする力の育成を目指したい。

〈教材・題材の特徴〉

ことわざは、主に日本の先人たちによって伝えられた言葉であり、故事成語は、中国に伝わる古い出来事や物語などが元になってできた言葉である。どちらも、生きていく上での知恵を、短い言葉や言い回しで表している。

教科書 p.58の注意書きにもあるように、ことわざや故事成語の中には、現代では意味が伝わりにくいものや使い方によって相手を嫌な気持ちにさせるものもある。また、間違った解釈が広がってしまっているものもある。学習を進める際は、意味をよく考えたり、国語辞典や本などの確実な手段で情報を集めたりすることが重要である。また、手にした辞書や調べたサイトによって、書かれ方が異なる場合もある。そのため、複数の情報源を比較しながら、内容を理解することも必要である。

〈言語活動の工夫〉

本単元では、ことわざ・故事成語を探し、意味などを知る活動の後に「ことわざ・故事成語辞典」を作成する言語活動を設定している。その際、相手や目的を確認しておくことで、調べ学習やグループでの活動をより主体的なものにすることができる。また、グループで取り組むことで調べた情報を交換し合ったり、推敲し合ったりすることができ、対話的に学習を進めることができるだろう。

[具体例]

○「ことわざ・故事成語辞典」を作成するという言語活動を設定する際、その相手や目的を子供たちと考えたい。相手意識の例としては「お家の人」や「下級生」「上級生」、「〜な（前向きになりたい）人」などである。「〜な人」などの相手意識により、ことわざや故事成語の意味に着目する姿を期待している。目的意識の例としては、「自分のお気に入りを紹介する」や「図書室に置いて読んでもらう」などである。

○調べ学習を行う際、「１人３〜５個の候補を選ぶ」などの条件を付けることで、様々なことわざや故事成語にふれさせたい。調べたものを持ち寄り、上述した相手や目的意識を共有することで、グループ活動を活発にすることができるだろう。

〈ICT の効果的な活用〉

調査：ウェブブラウザを活用して様々なことわざや故事成語について調べることで、グループ活動に生かせるようにする。

共有：スクリーンショットや写真データを端末や学習支援ソフトを用いて見せ合うことで、スムーズに交流できるようにする。

記録：ウェブブラウザで調べたことをスクリーンショットで記録したり、文章作成ソフトでメモしたりすることで、「ことわざ・故事成語辞典」に載せる候補を簡単に増やせるようにする。

本時案

ことわざ・故事成語

本時の目標

・ことわざや故事成語について知り、その意味や特徴について理解できる。

本時の主な評価

❶ことわざや故事成語について知り、その意味や特徴について理解している。【知・技】

資料等の準備

・教科書 p.57–58の挿絵
・ことわざや故事成語を書いた短冊

3

p.58の挿絵

……

五十歩百歩

故事成語…中国につたわる古い出来事や物語がもとになってできた言葉

4

オリジナルの「ことわざ・故事成語辞典」を作ろう。

だれにことわざ辞典を見せる？→お家の人や学校のみんな
どんな言葉をえらぶ？
→自分がいいなと思ったもの
聞いたことがないもの

授業の流れ ▷▷▷

1 イラストが表す様子を考え、ことわざにふれる 〈15分〉

T　このイラストを見てください。どんな様子が描かれていますか。
・①は、さるが木から落ちている様子です。
・②は、朝起きてカーテンを開けている様子です。
・③は、何か小さいものが山のように積もっている様子です。
〇「さるも木から落ちる」などのことわざに関する発言があった場合は、取り上げる。
T　これらのイラストは、ある「ことわざ」を表したものです。何という「ことわざ」か知っていますか。
・①は、「さるも木から落ちる」です。
・②は、分かりません。
〇ことわざの短冊を黒板に貼り、確認する。

2 ことわざについて知り、その意味を考える 〈10分〉

T　このような言葉を「ことわざ」と言います。ことわざは、日本で昔から伝わる、生きていく上での知恵を短い言葉や言い回しで表したものです。
T　黒板に貼ったことわざの意味は分かりますか。
・「さるが木から落ちる」ことです。
・「さるも」だよ。
・さるも人も木から落ちるということですか。
・「木登りが得意なさるも木から落ちることがある」ということです。
〇意味の想像が困難な場合は挿絵を示し、「これは塵を表しています」などのヒントを提示する。意味を想像することを通して、表現のおもしろさにも気付けるようにしたい。

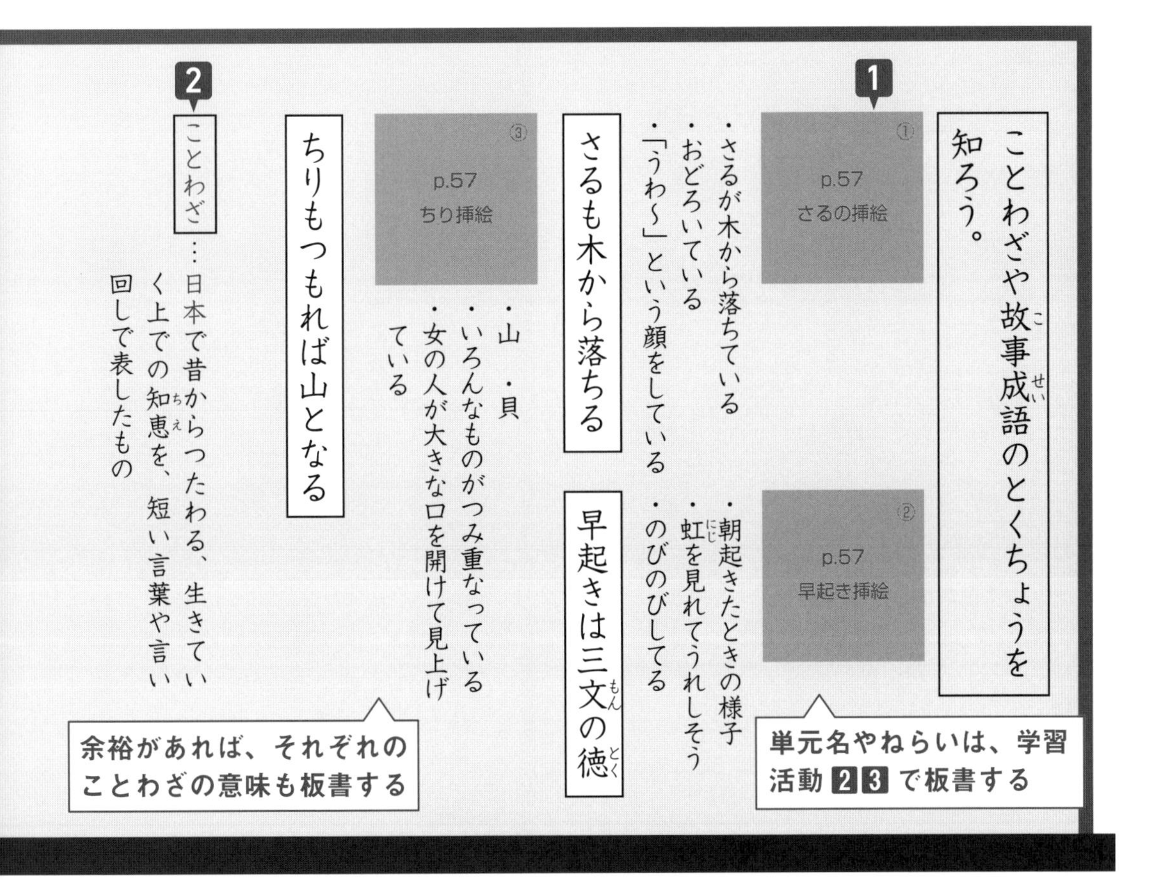

3 故事成語について知り、その意味を考える　〈10分〉

T　このイラストを見てください。これは、「五十歩百歩」という言葉の意味を表したものです。どんな意味を表しているか分かりますか。

・五十歩進んで百歩戻ることですか。

・五十歩も百歩もあまり変わらないということだと思います。

T　日本以外の国の出来事が元になってできた言葉なのですが、どこの国か分かりますか。

・中国か韓国だと思います。

T　中国です。このように、ことわざに似た短い言葉で、中国に伝わる古い出来事や物語が元になってできた言葉を「故事成語」と言います。

4 「ことわざ・故事成語辞典」を作ることを知り、見通しをもつ　〈10分〉

T　これからの学習では、調べたことわざや故事成語をグループで１冊にまとめ、「ことわざ・故事成語辞典」を作っていきましょう。

T　作成したものを誰に見てもらいたいですか。

・お家の人です。

・学校の人たちです。

・おじいちゃんやおばあちゃんです。

T　どんなことわざや故事成語を選んだらよいのでしょうか。

・読んだ人が知らないものがあるといいと思います。

・自分がいいなと思ったものがいいと思います。

T　残りの時間で、少し調べてみましょう。

本時案

ことわざ・故事成語

本時の目標

・相手や目的に合わせて好きなことわざ・故事成語を調べることができる。

本時の主な評価

❷相手や目的に合わせて好きなことわざ・故事成語について調べ、伝えたいことを明確にしている。【思・判・表】

資料等の準備

・ことわざや故事成語を調べる本
・国語辞典
・ワークシート１ 06-01

使用するワークシートの拡大図

調べながらワークシートに記載していく方法もあるが、冊数が限られている場合や１時間で終わらず調べ直したりする場合に効果的である

授業の流れ▷▷▷

1 調べたことわざや故事成語を想起し、辞典づくりの見通しをもつ 〈10分〉

T　前回の授業では、ことわざや故事成語について学習しましたね。
　「いいな」や「なるほど」と思ったものがあった人はいますか。それは、どのようなものですか。
・「石の上にも三年」です。
・「能ある鷹は爪を隠す」です。
・「万事塞翁が馬」です。
T　辞典や絵本で調べると新しい言葉や考え方に出合えますね。
T　それでは、「ことわざ・故事成語辞典」を作るためにことわざや故事成語を調べましょう。

2 調べる内容を確認する 〈10分〉

T　どのようなことわざ・故事成語を選べばいいでしょうか。
・読んだ人が知らないものがいいと思います。
・自分がいいなと思ったものです。
T　どのような内容を調べて載せれば、ことわざや故事成語をより知ってもらうことができるでしょうか。
・意味は入れた方がいいと思います。
・私の国語辞典には、どうしてその言葉ができたのか（由来）が載っていました。
・イラストを入れると分かりやすくなります。
・例文を載せてもいいと思います。
○似た意味のことわざがあることや反対の意味のことわざがあることにもふれ、様々な視点で調べることができるようにしたい。

ことわざ・故事成語

ことわざや故事成語についてくわしく調べよう。

1
○はじめて知ったことわざ
・万事塞翁（ばんじさいおう）が馬
・能ある鷹は爪を隠す（のうあるたかはつめをかくす）

2
○どんなことわざや故事成語をえらぶといいだろう。
・読んだ人が知らないもの →学校の人に向けて
・自分がいいなと思ったもの →お家の人に向けて

○どのようなことを調べてのせるといいだろう。
・意味 ・由来やなり立ち
・イラスト（さし絵） ・にていることわざ
・反対のことわざ ・れい文など

3
○ことわざや故事成語を調べよう。
①ことわざを調べるか故事成語を調べるか決める
②本やインターネットで調べる（三〜五こ）
③調べたものをスクリーンショットでとったり、ノートにメモしたりする
④調べたことをワークシートに書く

3 ことわざ・故事成語を調べる〈25分〉

T それでは、実際に「ことわざ・故事成語辞典」を作るために、様々なことわざや故事成語を調べてみましょう。

T まずは、ことわざを調べるのか故事成語を調べるのかを決め、次に、調べたものをワークシートに記録していきましょう。

○「1人3〜5個の候補を見つけよう」など調べる数を具体的に示すことで、子供たちが多くのことわざ・故事成語にふれられるようにしたい。ただし、数が多いと調べることや次時の活動が大変になることが予想されるので、実態に応じた課題を設定するとよい。

よりよい授業へのステップアップ

辞典作成を子供たちから引き出すための工夫

ことわざや故事成語にふれた際、見つけた言葉や気に入った理由などを多く引き出したい。その中で、ことわざ等を知ることのメリットを押さえたい。

その上で、どのような活動ができるのかを子供たちと考え、「もっと調べる」や「みんなでまとめて紹介する（本を作る）」などの活動につなげていきたい。

難しい場合は、「辞書を作る」「○○に紹介する」といった例を提示し、選択する場をつくることもできるだろう。

本時案

ことわざ・故事成語

本時の目標

・グループで話し合い、相手や目的に合わせてことわざ・故事成語を選んだり、順番を決めたりすることができる。

本時の主な評価

❸どんな本にするかグループで話し合い、必要なことわざ・故事成語について考えようとしている。【態度】

資料等の準備

・ワークシート１ 06-01
・ワークシート２ 06-02
・ことわざや故事成語を調べる本
・国語辞典

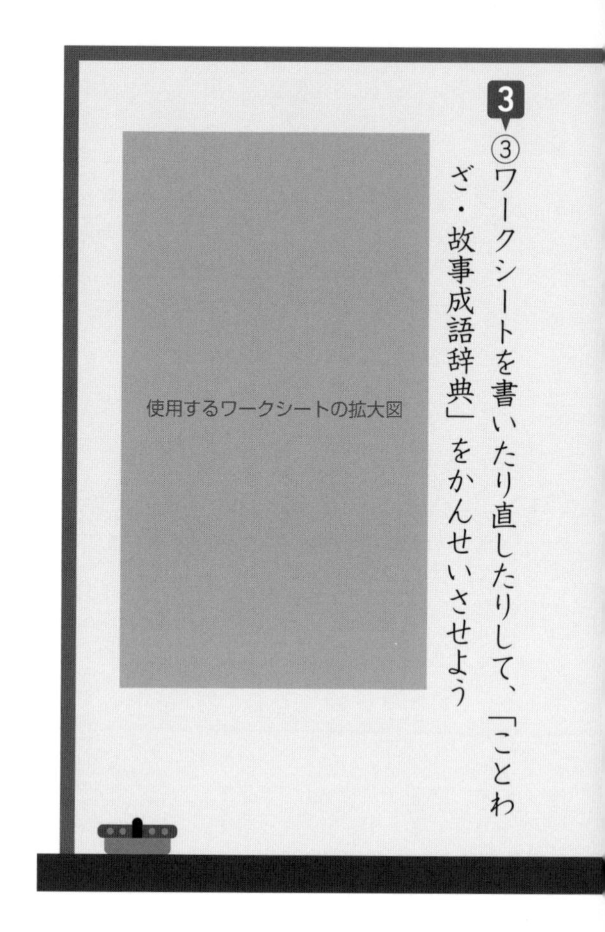

授業の流れ ▷▷▷

1 ことわざ・故事成語を選んだりアドバイスしたりする 〈10分〉

T　グループでどのことわざ・故事成語を辞典に入れるか選んだり、書いてある内容を確認したりしましょう。
○板書で手順を示しながら説明する。
○１人３～５個のことわざ・故事成語を調べた状態で話し合う。
○相手意識（「○○に伝えたい」）などを、選ぶ基準として示す。
T　調べたものを見せ合い、気になることがあれば伝えましょう。
・みんな由来を入れているから、○○さんも入れた方がいいと思います。
・○○さんの例文が分かりやすいです。
・○○さんのことわざの使い方は、合っているのかな。

2 ことわざ・故事成語の順番を決める 〈15分〉

T　選んだことわざ・故事成語をどのような順番で並べるかグループで考えましょう。
・あいうえお順がいいと思います。
・種類ごとに分けるのがいいと思います。
・小さい子にも読んでほしいので、分かりやすい順で並べたいです。
○「健康」「友情」「努力」「感動」「動物」「数字」などの種類を提示してもよい。
○種類を提示し、調べたことわざ・故事成語がどこに当てはまるか考える活動を行うことで、内容理解につなげることもできる。

ICT 端末の活用ポイント

共有アプリなどを活用することで、同じものを見つけやすくなったり並べ替えが容易になったりする。

ことわざ・故事成語

ことわざ・故事成語をえらんで、辞典をかんせいさせよう。

1

〈かんせいまでの手順〉

①グループでそれぞれが調べたものを見せ合う

・かさなっていることわざ・故事成語はないか

・どんな内容を辞典にのせるか

↓・意味　・由来やなり立ち

・イラスト（さし絵）　・にていることわざ

・反対のことわざ　・れい文など

2

②えらんだことわざ・故事成語のならべる順番を考える

・あいうえお順

・しゅるいごと

↓ けんこう　友だち　どりょく

どうぶつ　数字など　かんどう

・いいなと思った人が多い順

3 「ことわざ・故事成語辞典」を完成させる 〈20分〉

T　それでは、「ことわざ・故事成語辞典」を完成させましょう。

○学習活動１でのアドバイスを参考に、修正したり付け足したりして、よりよいものになるように声がけをする。

○ワークシート２のようなレイアウトを提示したり、グループごとにレイアウトを考えるように促す。

・○○さんの例文が分かりやすかったので、私も紹介する言葉に例文をつけたいです。

ICT 端末の活用ポイント

スライドや文章作成ソフトなどを用いることで、グループごとにオリジナルのレイアウトを考えることもできる。また、書くことが苦手な子供もみんなと同じように作成できる。

よりよい授業へのステップアップ

グループづくりの工夫

グループを決める際、どんなグループがよいか子供たちと話し合う活動を設定する。

グループ例としては、「同じ相手意識をもったグループ」「同じ種類を調べたグループ」などが挙げられる。

このようなグループにすることで、ことわざを選んだりアドバイスをしたりする土台をつくることができる。

また、「辞典に名前をつける」といった活動を設定することで、オリジナリティのある辞典にすることができるだろう。

本時案

ことわざ・故事成語

本時の目標

・作成した「ことわざ・故事成語辞典」を読み合い、感想を伝えたりお気に入りのことわざ・故事成語を選んだりすることができる。

本時の主な評価

❸積極的に作成した「ことわざ・故事成語辞典」を読み合い、感想を伝えたりお気に入りのことわざ・故事成語を選んだりしようとしている。【態度】

資料等の準備

・作成した「ことわざ・故事成語辞典」
・ワークシート2 06-02
・ワークシート3 06-03

④せきにもどって、ワークシートにえらんだ言葉とそのよいと思ったところを書く
⑤感想を、書いたグループにとどける
⑥えらんだことわざ・故事成語を使ったれい文を書く

3
○学習のふり返り
・今まで知らなかった言葉が知れて勉強になった
・ことわざや故事成語を使ってみたいと思った
・昔からある言葉だけど、自分たちにも当てはまることが多いと思った

授業の流れ ▷▷▷

1 「ことわざ・故事成語辞典」を見せ合う 〈10分〉

T　完成した「ことわざ・故事成語辞典」でよくできたと思うところはどこですか。
・みんなで話し合いながら作れたところです。
・「からだことわざ辞典」というように工夫してタイトルをつけられたところです。
・あいうえお順に並べて、見つけやすくしたところです。
・色を付けたり丁寧に書いたりして、もっといいものにできたところです。
T　グループによって、様々なよいところがありそうですね。他のグループが作ったものも見てみましょう。いいなと思ったところを見つけましょう。
・例文が分かりやすいです。
・似たものが近くにあって読みやすいです。

2 感想や例文を書く 〈25分〉

T　他のグループの辞典のいいなと思ったところをワークシート3に書いて、そのグループに渡しましょう。
・自分の体験を表した例文がおもしろかったです。まねしたいと思いました。
・イラストが分かりやすくて、ことわざの内容がよく伝わってきました。
○ワークシート3、付箋、ICT 機器など、目の前の子供たちの実態に応じて媒体を選択する。
T　他のグループが作った辞典の中から、2個ことわざや故事成語を選び、それを使った例文を作ってみましょう。

ICT 端末の活用ポイント

共有アプリなどを活用すれば、ワークシートを切り取る、付箋を書いて貼る手間が省ける。

ことわざ・故事成語

作ったものを見せ合い、感想をつたえ合おう。

1

○「ことわざ・故事成語辞典」を作ってみて

・すごくよくできたところ → みんなで話し合いながら作れたから

・よくできたところ → 見せたい相手や順番などをよく考えたから

・できたところ → 色をつけたりていねいに書いたり、もっといいものにできたと思うから

2

○ほかのグループの辞典を読んだ感想や、のっていた言葉を使ってれい文を書こう。

〈感想をつたえ合う手順〉

①ほかのグループの作品を見に行く

②いいところを見つける

→順番　・見せたい相手　・れい文　・イラスト

読みやすさなど

③いいと思ったことわざ・故事成語をえらぶ

→はじめて知ったもの・おもしろいと思ったものなど

作成の過程で引き出した観点を示す

3 学習を振り返る 〈10分〉

T　ことわざや故事成語を調べたり、辞典を作って感想を伝え合ったりして、学習を振り返りましょう。

○ワークシート、ICT 機器等で記述及び入力できるようにする。

・今まで知らなかった言葉が知れて勉強になりました。

・ことわざや故事成語を使ってみたいと思いました。

・昔からある言葉だけど、自分たちにも当てはまることが多いと思いました。

○調べたことや辞典づくりの振り返りだけでなく、ことわざ・故事成語のおもしろさや、これらを生み出した先人たちの偉大さにもふれたい。

よりよい授業へのステップアップ

主体的に交流するための工夫

辞書を作成している時点から、「他グループの辞典が気になる」といったつぶやきなどを引き出せるようにしたい。そのためには、グループを回る中で、「へ～、知らなかった」「すごいね」などの言葉を全体に投げかけ、子供の反応を探りたい。

この学習を契機に、ことわざなどに興味・関心を広げられるような環境を整え、日常生活で用いることができるようにしたい。

資料

1 第２・３時　ワークシート１ 06-01

ことわざ・故事成語（こせい） ワークシート１

年　組　名前（　　　　　）

言葉	意味
（　）	
（　）	
（　）	
（　）	
（　）	
（　）	

2 第3・4時　ワークシート2　06-02

ことわざ・故事成語　ワークシート2

年　組　名前（　　　　）

意味	れい文		

3 第4時　ワークシート3　06-03

ことわざ・故事成語　ワークシート3

年　組　名前（　　　　）

○ほかのグループの辞典を見て、いいなと思ったことわざ・故事成語をえらびましょう。また、自分でれい文を考えてみましょう。

えらんだことわざ・故事成語	自分で考えたれい文	えらんだことわざ・故事成語	自分で考えたれい文

○ほかのグループの辞典を見て、いいなと思ったところを書きましょう（切り取ってわたす）。

よいと思ったところ		
理由		

言葉

漢字の意味　（2時間扱い）

単元の目標

知識及び技能	・漢字と仮名を用いた表記を理解して文や文章の中で使うことができる。((1)ウ)
学びに向かう力、人間性等	・言葉がもつよさに気付くとともに、幅広く読書をし、国語を大切にして、思いや考えを伝え合おうとする。

評価規準

知識・技能	❶漢字と仮名を用いた表記を理解して文や文章の中で使っている。(〔知識及び技能〕(1)ウ)
主体的に学習に取り組む態度	❷積極的に漢字と仮名を用いた表記を理解し、これまでの学習を生かして文や文章の中で使おうとしている。

単元の流れ

時	主な学習活動	評価
1	・同じ発音でも、意味が違えば使われる漢字が違うことを知る。 ・これまでに習った漢字から、同じ読み方で意味の異なる漢字を見つけ、短文を作る。	❶
2	・同じ発音でも意味が異なる漢字でクイズを作り、クイズ大会を開く。 ・学習を振り返る。	❷

授業づくりのポイント

〈単元で育てたい資質・能力〉

本単元のねらいは、表意文字としての漢字の役割に気付き、漢字を使用することのよさや、その必要性に気付くことである。漢字にはそれぞれに意味があり、意味によって使い分けがなされていることを理解し、実際の場面に合わせて文や文章中で活用する力も育む。学習後には、今まで以上に新出漢字に対して興味をもつようになることも期待できる。様々な同音異義語を知ることで、語彙を豊かにすることや文字の意味を踏まえて漢字の理解を深めることもできるだろう。

〈教材・題材の特徴〉

本教材は、内容の系統としては、4年「漢字を正しく使おう」、5年「同じ読み方の漢字」、6年「漢字の形と音・意味」と直接的に関わっている。子供は、これまでの「書くこと」の活動を通して、漢字には意味があり、音が同じでも、ある文脈では使えない漢字があるということに気付いている。

このような学習経験の中に、本教材が位置している。子供が、平仮名では意味の区別がつかないものも、漢字を使えばすぐに区別がつくことや、漢字が違えば文の意味が違ってくることを理解し、漢字の利便性や漢字を正しく使うことの大切さに気付くことを期待したい。そのためには、文脈から判断し、正しい言葉を選ぶ経験が大切となる。

〈言語活動の工夫〉

教科書で取り上げられている語は、同音異字・同訓異字のごくわずかな例に過ぎない。子供の日常の言語生活の中に見られる多くの例を提示したり、子供自身が出したりすることで、意味を理解、判別するときに、漢字表記が有用であることに気付けるような工夫を考えたい。その際、国語辞典を積極的に活用するようにし、国語辞典の使い方も習熟できるようになるとよいだろう。

楽しく漢字の理解を図るには、クイズづくりや漢字かるた、漢字すごろくなどのゲームを取り入れる方法もある。これらは、本単元だけでなく他の漢字を中心に扱う単元でも取り入れたり、日常的な活動の1つとして取り組んだりすると、漢字への興味を引き出すことができると考えられる。

本単元では、ただ設問を解いて終わりにするのではなく、文中で漢字や語の意味を考えるという経験を重ねたい。初めは教師が例を提示するが、学習が進むにつれて子供が自分で例を探すようにする。活用の場面では、楽しい活動を通して学ぶことができるようにしたい。

[具体例]

○「クイズづくり」では、国語辞典や端末の漢字変換機能を用いて、同音異義語を集め、短文を使った問題を作る。それを友達と互いに解き合うことで、子供たちは楽しみながら理解を定着することができる。

〈ICT の効果的な活用〉

調査：端末の漢字変換機能を用いて、同じ読み方の熟語や漢字から正しいものを選ぶなどの学習活動が考えられる。

共有：「カードづくり」や「クイズづくり」などの活動を行う際に、端末の文章作成ソフトや学習支援ソフトなどを用いることで、より多くの友達と共有し、出題し合うことができる。

表現：日常の漢字の学習の際に見つけた同音異義語を、文章作成ソフトなどに書き溜めていくことで「オリジナル同音異義語辞典」を作成する。語彙を豊かにすることにもつながるだろう。

本時案

漢字の意味

本時の目標

・漢字には意味があることを理解し、前後の文脈から漢字の意味を考えて書いたり、漢字と仮名を交ぜて書いたりすることができる。

本時の主な評価

❶漢字と仮名を用いた表記を理解して、文や文章の中で使っている。【知・技】

資料等の準備

・教科書 p.60の絵の拡大コピー
・国語辞典（可能であれば１人１冊）

・山□の消火作業を行う
・□のてつだいで、じゃがいもの皮むきと皿洗いをする

3 ○同じ読み方で意味がちがう漢字を使って文を作ろう。
見つけた漢字　（遠・園）（消・小）
（・明日の遠足が楽しみだ　・公園で友だちと遊ぶ）
（・消化もよくありません　・小学校に行く）
（れい）はははははじょうぶです。⬇ 母は歯はじょうぶです。

まとめ
○漢字で書くと、
・意味が分かりやすい
・文が読みやすい

授業の流れ ▷▷▷

1 本時の学習内容を把握する 〈５分〉

○「人形にはなをつける」の文を板書する。
T　この文の様子を想像してみてください。
・イメージが湧きました。
○ p.60の人形の絵２つを掲示する。
T　この文からどちらの絵を想像しましたか。
・私は上の絵です。
・どちらでもいいと思います。
・漢字で書けばはっきりするけれど……。
T　どんな漢字を入れればよいですか。
・上の絵ならお花の「花」です。
・下の絵は顔にある「鼻」です。
○本時のめあてと内容を確認する。
T　同じ読み方でも、漢字が違えば文の意味が変わるということですね。今日は、意味に気を付けて、漢字を使ってみましょう。

2 絵に合う漢字、文脈に合う漢字を当てはめる 〈25分〉

T　p.60[1]の下の絵にはどのような漢字が当てはまるでしょうか。
・①の上は「歯」で、下は「葉」です。
・②の上は、炎とか燃える「火」です。下は、お日様の「日」です。
・読むと同じなのに、漢字が違うと意味が全く違っておもしろいです。
○表意文字と気付いたことを価値付ける。
T　次の文にはどちらの漢字が当てはまるでしょうか。
・世カイは「界」、２カイ目は「回」です。
・１つ目の文の中で、別のところにもカイがあります。それは「階」です。
・インタビューは「記者」、駅だから「汽車」。
・消火だから「火事」、お手伝いは「家事」。

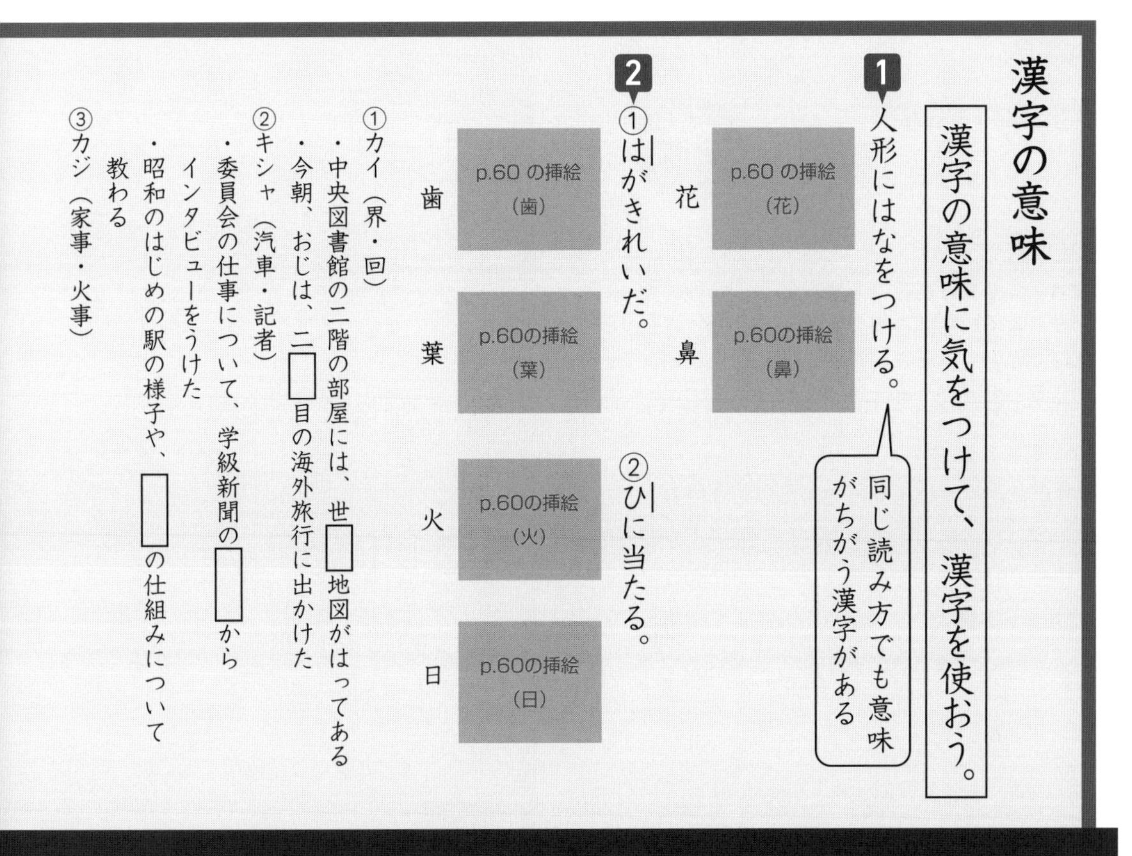

3 同音異義語を使って文を作り、本時の学習をまとめる 〈15分〉

T　同じ読みの漢字を探し、それらの漢字を使って文を書きましょう。

・「明日の遠足が楽しみだ」と「公園で友達と遊ぶ」を書きました。

・「消化もよくありません」と「小学校に行く」を書きました。

○思いつかない子供には、国語辞典で例文を調べてもよいことを伝える。

○「はははははじょうぶです。」を板書する。

T　この文を読みましょう。意味が分かるように、漢字に直してノートに書きましょう。

・母は歯はじょうぶです。

T　漢字を使うとどんなよさがありますか。

・漢字で書くと意味が分かりやすいです。

・漢字で書くと文が読みやすいです。

よりよい授業へのステップアップ

漢字を選ぶ、漢字から選ぶ

同音異字・同訓異字の区別は、3年生にとっては比較的難しい学習だといえる。そこで、絵や文脈に合う漢字を考え、選ぶ活動だけでなく、漢字に合う絵や文を選ぶ活動を取り入れるのはどうだろうか。例えば、「服」「福」や「田」「電」という漢字を提示し、いくつかの選択肢から漢字に合う絵や文を選ぶというような活動である。

そうすることで、漢字が苦手な子供でも、漢字はそれ自体だけでも意味が読み取れるということを、より実感を伴って捉えられるようになる。

本時案

漢字の意味

本時の目標

・漢字には意味があることを理解し、前後の文脈から漢字の意味を考えて書くことのよさに気付くとともに、その漢字の意味に合う短文を作ることができる。

本時の主な評価

❷積極的に漢字と仮名を用いた表記を理解し、これまでの学習を生かして文や文章の中で使おうとしている。【態度】

資料等の準備

・国語辞典（可能であれば１人１冊）

・ぼくときみは、小さいころからシン友だ
・シン海に住む魚のことを調べる

○ふり返ろう。
この学習で……
①分かったこと
②おもしろいと
思ったこと
③考えたこと

同じ読み方でもちがう漢字はたくさんあること

漢字がちがうと文の意味がちがって、つたわらないこと

文を書くときに、意味を考えて漢字を使い分けること

振り返りの視点を示す

授業の流れ ▷▷▷

1 前時を振り返り、本時の学習内容を確かめる 〈５分〉

T　前回の授業では、何を学びましたか。
・漢字はそれだけで意味も表すことです。
・同じ読み方でも意味が違う漢字があることを学びました。
T　今日は、そのことを踏まえてクイズづくりをします。まずは、先生が作った例題のクイズを解いてみましょう。
・①は漢字だから「漢」です。
・②は時間だから「間」だと思います。
○例題を解きながら本時の活動を確かめる。

ICT 端末の活用ポイント

本時では、学習支援ソフトを使い共有することで、友達が見つけた漢字を使ったり、友達が作ったクイズを参考にしたりすることができる。

2 クイズづくりを通して、同じ発音でも意味が異なる漢字について考える〈25分〉

T　同じ読み方で違う意味の漢字集めをしましょう。教科書 p.159～162「この本で習う漢字」や国語辞典を使って調べます。音読み、訓読み、熟語でもよいです。見つけたものをみんなで共有しましょう。
・「ガク」は「学」と「楽」があります。
○全員で探し方を確認した後、個別の時間とする。熟語も集めると語彙が広がる。
T　みんなで集めた漢字を使ってクイズづくりをしましょう。さっそくクイズを思いついた人はいますか。
・「ぼくは今、漢字の意味をガク習している」と「ぼくは将来、音ガク家になりたい」です。
○子供と一緒にいくつか例文を考えてから取り組むように促すと、問題を作りやすい。

漢字の意味

同じ読み方でもちがう意味の漢字がある

1 それだけでも意味を表す

同じ読み方の漢字を使ってクイズを作り、とき合おう。

（れい題）

①新しいかん字を学習する。（漢）

②やくそくの時かんにおくれる。（間）

2 ○同じ読み方でちがう漢字

ガク　…学　楽　（学習　音楽）

キョウ　…教　強　（教科　強化）

コウ　…校　光　（学校　日光）

きる　…切る　着る

かんじ　…漢字　感じ

〈クイズづくり〉

・ぼくは今、漢字の意味をガク習している

・ぼくはしょうらい、音ガク家になりたい

・わたしは、学コウが大すきです

・ねこが、日コウのよく当たるところでねている

3 ○クイズ大会を開こう。

子供が集めた漢字や作ったクイズは学習支援ソフトで共有する方法も考えられる

3 友達とクイズを出し合い、単元の学習を振り返る 〈15分〉

T　それでは、クイズ大会をします。問題を画面に映すので、みんなが答えを書いた後に、問題を作成した人は答えを教えてください。

・ぼくときみは、小さい頃からシン友だ。

・シン海に住む魚のことを調べる。

○学級全体ではなく、ペアやグループでクイズを出し合うことも考えられる。

T　この学習で学んだことを振り返りましょう。

・同じ読み方でも違う漢字はたくさんあると知りました。

・漢字が違うと文の意味が全く変わって、伝わらないことがおもしろいと思いました。

・文を書くときに、意味を考えて漢字を使い分けることが大切だと思いました。

ICT 等活用アイデア

日常使いに近づける

端末の漢字変換機能を使うことは、これからの子供たちにとって日常になってくるだろう。本単元でも、クイズづくりの活動の際にその機能を使うことで、実生活に生きる活動につなげたい。クイズを解く際に漢字変換機能を使用するのもよい。

また、国語辞典や教科書巻末 p.159～162で同音異字・同訓異字の漢字を探したり意味調べをしたりして、学習支援ソフトを使い共有することで、学級全員で語彙集を作成することもできる。

声に出して楽しもう

短歌を楽しもう　1時間扱い

単元の目標

知識及び技能	・易しい文語調の短歌を音読したり暗唱したりするなどして、言葉の響きやリズムに親しむことができる。((3)ア)
学びに向かう力、人間性等	・言葉がもつよさに気付くとともに、幅広く読書をし、国語を大切にして、思いや考えを伝え合おうとする。

評価規準

知識・理解	❶易しい文語調の短歌を音読したり暗唱したりするなどして、言葉の響きやリズムに親しんでいる。(〔知識及び技能〕(3)ア)
主体的に学習に取り組む態度	❷使用されている言葉の意味を確認して情景を想像し、短歌を進んで音読したり暗唱したりするなどして、言葉の響きやリズムに親しもうとしている。

単元の流れ

時	主な学習活動	評価
1	・短歌について知り、使用されている言葉の意味を確認しながら情景を想像する。 ・お気に入りの短歌を1首選び、言葉の調子や響きを楽しみながら繰り返し音読する。	❶❷

授業づくりのポイント

〈単元で育てたい資質・能力〉

本単元は、「我が国の言語文化」に関する事項として位置付けられている。教科書で扱われている4首を基に、五・七・五・七・七の五句体からなる短歌の特徴を子供が理解できるようにする。また、現代とは異なる表現や助詞・助動詞の意味を確認しながら、昔の人々の心情や作者が描いた情景を想像できるようにしたい。意味を確認して情景を想像した上で短歌を繰り返し音読することを通して、言葉の響きや五七調のリズムに親しめるようにすることが大切である。子供が今の自分と昔の人の、感じ方や表現の共通点と相違点に目を向けることで、今後の古典文学の学習への意欲を高められるようにする。

〈教材・題材の特徴〉

短歌の説明が明示されており、既習である俳句との違いを意識しながら各作品にふれることができる。文語調のリズムや現代とは異なる意味の助詞・助動詞などは、現代語訳と比較することで、それぞれの表現の意味や作者の思いが読み取れる。秋の訪れに対する心情の表現が異なる4首を扱っているため、子供は音読をしながら情景や心情を想像し、自分のお気に入りの作品を選ぶことができるだろう。

〈言語活動の工夫〉

本単元では、教科書に掲載されている4首の中から、お気に入りの短歌を選び、繰り返し音読したり、暗唱したりする活動を取り入れる。子供がお気に入りを選ぶ視点が明確になるように、「内容」「リズム」「表現」「現代との違い」など、様々な特徴を確認できるようにする。本単元で育てたい資質・能力は、文語調の言葉の響きやリズムに親しみをもつことであるため、音読をしながら短歌の特徴を考える場を設定したい。音読の仕方に目を向けるだけではなく、子供がどのような理由でその短歌を選んだのかを見取れるような言語活動の工夫も必要である。

[具体例]

○短歌の特徴を確認し、4首を現代語訳と照らし合わせながら音読し、それぞれの言葉の意味を捉え、どのような情景や心情が想像できるのかを考える。また、繰り返し音読をしながら、易しい文語調の短歌の言葉の響きやリズムに親しめるようにする。

○選んだ短歌を友達同士で紹介する活動を設定する。その際、選んだ理由を伝えるようにする。必要に応じてワークシート（学習支援ソフトで共有なども可）を用意し、短歌を視写して、そこに理由を記述する方法でもよい。

○本単元で学習したことを基に様々な短歌にふれられるよう、短歌集を学級文庫に置き、お気に入りの1首に付箋を付けていったり、百人一首などを休み時間等に行ったりすることも、文語調に親しむきっかけとなるだろう。

〈ICT の活用〉

調査：教科書に記載されている二次元コードを読み取り、音声を聞いて正しい発音や文節を確認する。その際、音声を聞きながら区切る部分を見つけ、教科書に横線などを引くようにする。

記録：自分の音読を録音し、二次元コードの音声と聞き比べて正しい発音や文節になっているかを確認する。また、自分が選んだ短歌や選んだ理由を共有アプリなどに記録する。

本時案

短歌を楽しもう

本時の目標

・短歌の特徴を知り、情景を想像しながら音読して文語調の言葉の響きやリズムに親しむことができる。

本時の主な評価

❶易しい文語調の短歌を音読したり暗唱したりするなどして、言葉の響きや五七調のリズムに親しんでいる。【知・技】

❷活用されている言葉の意味を確認して情景を想像し、短歌を進んで音読したり暗唱したりするなどして、言葉の響きやリズムに親しみ、自分のお気に入りの短歌を選ぼうとしている。【態度】

資料等の準備

・短歌を書いた大きめの短冊

3
○お気に入りの短歌を一首えらんで音読しよう。
〈えらんだ理由〉
・「風の音にぞおどろかれぬる」という言葉で、風の音で秋らしさを感じておどろくことがおもしろいと思ったから
・良寛(りょうかん)の短歌はリズムが読みやすいと思ったから

それぞれの短歌を選んだ理由が自覚できるようにする

授業の流れ ▷▷▷

1 短歌の特徴を知る 〈10分〉

T　今日は短歌について学習をします。短歌はどのようなものか、まずは１首読んでみましょう（良寛の短歌を貼り、読む）。
T　俳句と比べてみましょう。似ているところや違うところはありますか。
・俳句より長いです。
・五・七・五のリズムまでは「俳句」と同じです。
・季語は使うのかな。
T　様子を想像しながら短歌を声に出して読み、言葉の調子や響きを楽しみましょう。
○短歌が、五・七・五・七・七、計31音からなる日本の独特の短い詩であることと、31音で情景や心情を表したものであることを確認する。

2 短歌を読んで情景や心情を想像する 〈20分〉

T　いろいろな短歌を読んで、作者が思い描いた情景や心情を想像してみましょう。現代語訳と比べながら声に出して読み、言葉の意味を確認していきましょう。
T　短歌を読んで気付いたことはありますか。
・４首とも秋をテーマにしています。
・詠んでいる人で秋の感じ方が違います。
・「秋来ぬと」は「秋が来た」という意味だと初めて知りました。
・「〜けり」や「〜ぞ」など今では使わない言葉がありました。

ICT 端末の活用ポイント

二次元コードが教科書に掲載されており、正しい区切りや発音がこれで確認できる。リズムを捉えるために積極的に活用したい。

短歌を楽しもう

1

短歌を声に出して読み、言葉の調子やひびきを楽しもう。

（良寛の短歌）
むしのねも―のこりすくなに―なりにけり―
よなよなかぜの―さむくしなれば

短歌…五・七・五・七・七（三十一音）で作られた短い詩
数は一首・二首…と数える。

じょうけい…しぜんの様子　心じょう…感じたこと・気持ち

2

（藤原敏行の短歌）区切りで横線を引く
秋来ぬと―目にはさやかに―見えねども―
風の音にぞ―おどろかれぬる

（紀貫之の短歌）区切りで横線を引く
秋風の―吹きにし日より―音羽山―峰のこずゑも―
色づきにけり

（猿丸大夫の短歌）区切りで横線を引く
奥山に―紅葉踏み分け―鳴く鹿の―声聞く時ぞ―
秋は悲しき

短歌の特徴を捉えられるようにする

3 お気に入りの短歌を選び、音読する〈15分〉

T　繰り返し音読をしながら自分のお気に入りの短歌を選びましょう。

○お気に入りの短歌を選んだら、視写したり、文章作成ソフトで書き写したりする（学習支援ソフトなどで共有）。

T　お気に入りの短歌を１首選んだら、声に出して読んでみましょう。暗唱できる人はチャレンジしてみてください。また、友達に選んだ短歌のお気に入りの理由を伝えましょう。

・「風の音にぞおどろかれぬる」という言葉の、風の音で秋らしさを感じて驚くということが、おもしろいと思ったからです。
・良寛の短歌はリズムがよくて、読みやすいと思ったからです。

ICT 等活用アイデア

視覚と聴覚の情報から想像を広げる

伝統的な言語文化を扱う学習では、子供が言葉の意味を捉えられなかったり、言葉から想像が広がらなかったりすることが予想される。

そこで音羽山の紅葉の様子や鹿が紅葉の上を歩く様子などの視覚的な教材を用いたり、音声データを活用して子供が正しいリズムや発音を聞けるようにしたりするとよい。そうすることで、子供が場面の様子に対して想像を広げながら、短歌を読むことができるだろう。

2年生で習った漢字

漢字の広場④　2時間扱い

単元の目標

知識及び技能	・第2学年までに配当されている漢字を書き、文や文章の中で使うことができる。((1)エ)
思考力、判断力、表現力等	・間違いを正したり、相手や目的を意識した表現になっているかを確かめたりして、文や文章を整えることができる。(B エ)
学びに向かう力、人間性等	・言葉がもつよさに気付くとともに、幅広く読書をし、国語を大切にして、思いや考えを伝え合おうとする。

評価規準

知識・技能	❶第2学年までに配当されている漢字を書き、文や文章の中で使っている。(〔知識及び技能〕(1)エ)
思考・判断・表現	❷「書くこと」において、間違いを正したり、相手や目的を意識した表現になっているかを確かめたりして、文や文章を整えている。(〔思考力、判断力、表現力等〕B エ)
主体的に学習に取り組む態度	❸積極的に第2学年までに配当されている漢字を書き、これまでの学習を生かして、漢字を適切に使った文を作ろうとしている。

単元の流れ

時	主な学習活動	評価
1	学習の見通しをもつ ・提示されている漢字の読み方、書き方を確認する。 ・教科書 p.64の絵を見て、町の様子を説明する。 絵の中の町に住んでいるつもりで、町の様子をせつめいする文を書こう。	❶
2	・提示されている漢字やそれ以外の既習の漢字を使って、町の様子を説明する文を書く。 ・書いた文を学級で共有したりして、友達と読み合う。 学習を振り返る ・学習を振り返り、自己評価を行う。	❷❸

授業づくりのポイント

〈単元で育てたい資質・能力〉

本単元のねらいは、第2学年までに配当されている漢字を書き、文や文章の中で使うことができる力を育むことである。そのため、町の説明といった身近な事柄を文として適切に組み立てる上で、漢字をどのように用いれば、相手により分かりやすく伝わるのかを理解できるようにしたい。本単元を通して、絵の中で提示されている漢字の中から複数を選んで組み合わせて、自然な文脈を作る中で、漢字を正しく確実に使えることができるようにしたい。

〈教材・題材の特徴〉

本教材で提示されている漢字として、「北」や「東」といった方位を表す漢字、「天文台」や「交番」といった建物や場所を表す漢字、「活気」や「新しい」といった様子や状態を表す漢字などがある。教科書 p.64内の（れい）に示されているように、中心となる建物や場所を決め、その周辺に提示されている複数の漢字を組み合わせて書くことで、町の様子を説明する文を作ることができるようになっている。この例文をうまく活用したい。

また、教材が「絵」であることを踏まえ、まだ提示されていない言葉や漢字も「絵」から想像し、引き出しやすくなっていることも本教材の特徴といえる。

〈言語活動の工夫〉

はじめに、「絵の中の町に住んでいるつもりで、町の様子を説明する文を書く」という言語活動をきちんと押さえ、子供たちが見通しをもてるようにすることが重要である。この見通しをもつ中で、説明するためには、町の様子をよく知らなければいけないことや説明する相手にとって分かりやすく書き表す必要があることに、子供自身が気付けるようにすることが大切である。

[具体例]

○提示されている漢字を押さえた上で、「絵の中の町に住んでいるつもりで、町の様子を説明する」活動をより促す一例として、「この町の中で私のいちばんのお気に入りの場所を説明しよう」という課題を設定する。「お気に入り」の場所とすることで、選ぶ場所が個別化され、絵を基に、子供たちは提示されている漢字を用いて、より具体的にその場所の様子を想像しながら説明しようとすることが期待できる。

〈ICT の効果的な活用〉

調査：提示されているものの中に、普段あまり使用していない漢字や言葉がある場合、辞書のほか、インターネットによる検索を用いて、その漢字や言葉の使い方や使用例を調べ、書く活動に生かせるようにする。

共有：提示されている漢字を用いて文を作ったり、提示されていない漢字を書き出したりする際のヒントとして、ホワイトボードアプリなどを用いて、子供たち一人一人のアイデアを共有することが考えられる。

記録：提示されていない漢字の中で、絵を基に書き表すことができるものは、端末のメモ機能や文章作成ソフトを用いて蓄積しておき、自分が書きたいときに生かせるようにする。

本時案

漢字の広場④

本時の目標

・第２学年までに配当されている漢字を書くことができる。

本時の主な評価

❶第２学年までに配当されている漢字を用いて、町の様子を説明する文を書いている。【知・技】

資料等の準備

・教科書 p.64の絵の拡大コピー

3

○教科書にはないけれど、使えそうな漢字や言葉
魚　野さい　長い　遠い　星　電車　親切
元気　大切　楽しい　思い出　買い物　など

4

○学習の進め方
・漢字を使うと、町のどこにどんなものがあるかなどを分かりやすく表せそう
↓　読む人に意味がつたわりやすい文になる
・みんなのお気に入りの場所を出し合いたい

次時の見通しを板書する

授業の流れ ▷▷▷

1 学習のめあてや例文を押さえ、見通しをもつ 〈10分〉

○絵を提示し、何が描かれているのかを出し合ってから、学習のめあてや例文を示す。

T　この絵には、何が描かれていますか。

・町の様子が描かれています。

・公園や広場で子供が遊んでいます。

・お寺があります。

・電車が通っています。

○絵から得られる情報を引き出すことで、学習のめあてにつなげられるようにしたい。

T　この p.64の（れい）のように、町に住んでいるつもりで、町の様子を説明する文を書きましょう。

2 ２年生の漢字を復習する 〈20分〉

○教科書の中で示されている漢字を出し合いながら、読み方や書き方を復習する。

T　絵の中にどんな漢字が書かれていますか。

・（絵の中の該当漢字を指しながら）「活気」という漢字があります。

T　どんな意味か分かりますか。

・元気とか生き生きしているみたいな意味だと思います。

○出された漢字をまとまりごとに板書し、最後に「方角」や「様子」といった名前をつけることも考えられる。

T　「北」「東」「南」「西」をまとめて何といいますか。

・「方角」です。

T　「方角」も文の中で使えそうですね。

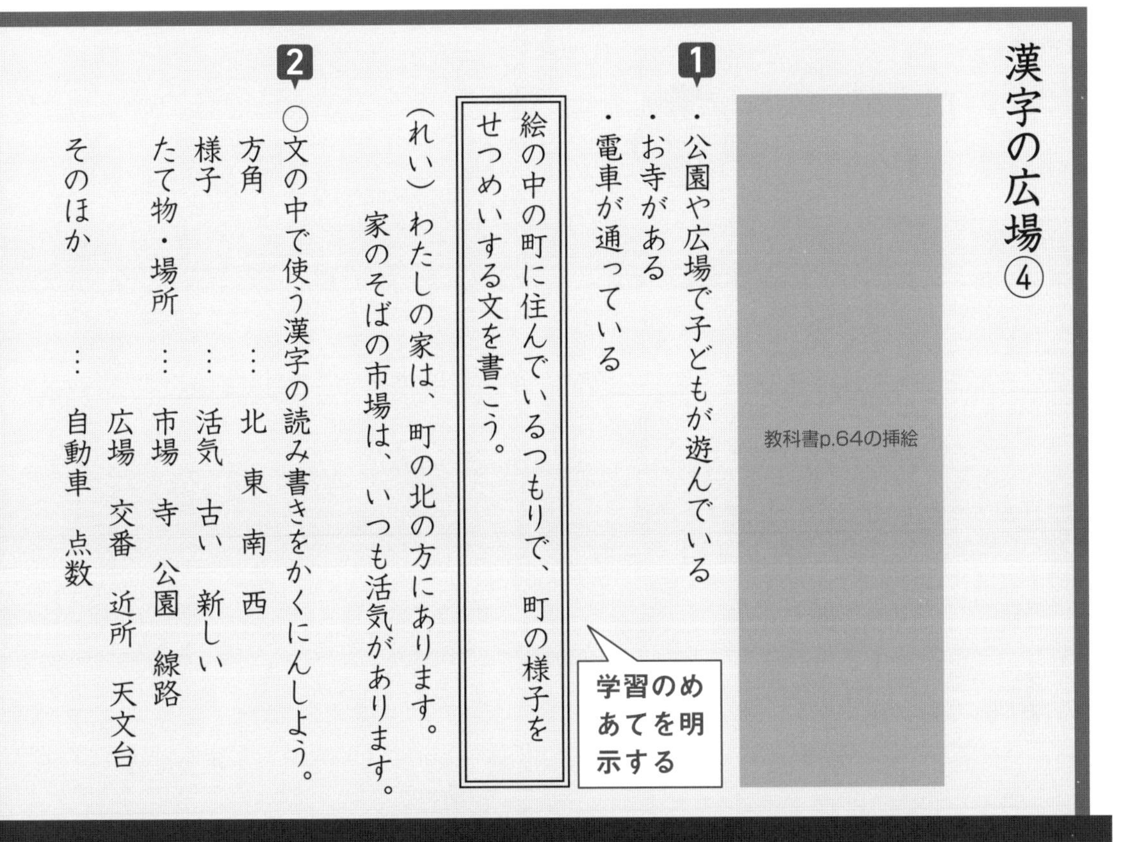

3 文の中で使うことができそうな漢字や言葉を出し合う 〈10分〉

○教科書には示されていない漢字や言葉を出し合い、文を作るヒントになるようにする。

T　ここには書かれていないけれど、使うことができそうな漢字や言葉はありますか。

・（絵の中の「市場」の辺りを示しながら）ここで「魚」「野さい」「売る」「買う」という漢字が使えそうです。

T　どんな文が作れそうですか。

・「魚や野菜などが売られています。たくさんの人が買い物に来て、活気があります。」

ICT 端末の活用ポイント

絵を基に書き表すことができる言葉は、端末のメモ機能や文書作成ソフトを用いて蓄積しておき、次時の学習で生かせるようにする。

4 学習の進め方を決め、次時の見通しをもつ 〈5分〉

○本時の学習を踏まえ、次時の学習の進め方を子供と一緒に考えて決め、学習の見通しがもてるようにする。

T　すでに習った漢字で町の様子を説明することができそうですか。

・漢字を使うと、町のどこにどんなものがあるかなどを分かりやすく表せそうです。

T　そうですね。漢字を使うと読む人に意味が伝わりやすくなりますね。では、次の時間はどのように学習を進めていきますか。

・せっかく色々な建物や場所があるから、お気に入りの場所をみんなで出し合いたいです。

○学習の目標を押さえながら、子供の意見を聞いて、次時の学習の方向性を決めるとよい。

本時案

漢字の広場④

本時の目標

・絵に描かれている町の様子を説明する文を書くことができる。

本時の主な評価

❷間違いを正したり、町の様子を説明することを意識した表現になっているかを確かめたりして、文を整えている。【思・判・表】
❸第２学年までに配当されている漢字を適切に用いた文を作ろうとしている。【態度】
・第２学年までに配当されている漢字を町の様子を説明する文の中で使っている。

資料等の準備

・教科書 p.64の絵の拡大コピー

〈南〉町の南の方には、駅があります。
オレンジ色の電車が線路の上を通り、トンネルの方へ行きます。
〈西〉町の西の方には、わたしが通っている学校があります。
新しくできた白い校しゃが、とてもきれいです。

子供から出てきた文を板書する

3
○学習のふり返り
・お気に入りの場所について、漢字をつかって読みやすい文を作ることができた
・友だちの考えた文は、思いつかなかった
・意外とたくさんの漢字を使えることに気づいた

授業の流れ ▷▷▷

1 前時を振り返り、本時の見通しをもつ 〈５分〉

○前時の学習を振り返り、本時の学習の進め方を確認し、見通しをもてるようにする。
T　前の時間に今日の学習の進め方を確認しました。今日は何から始めますか。
・p.64の（れい）のように、絵の町の様子を説明する文を考えることから始めます。
T　考える基になるものは、何かありますか。
・「方角」や「様子」「使えそうな漢字や言葉」などから言葉を集めると、文が作れそうです。
○学級の実態に応じて、見通しをどこまで具体的にもつかを決め、次の学習活動が滑らかに始められるようにしたい。

2 文を作り、作った文をクラスで共有する 〈30分〉

○２年生までに習った漢字を文の中で使うことが目標であるため、「北」「東」「南」「西」の各方角で１文以上作れるように促す。また、それらを自筆で書く活動にする。
T　町の様子を「北」「東」「南」「西」の方角で、それぞれ１つ以上書いて発表しましょう。
・私は、お気に入りの天文台から書いてみようと思います。
・「町の西の方角に、学校があります。」と書きました。これだと町の様子が伝わりづらいので、「わたしが通っている」と「新しくできた」を付け足して、詳しくします。
○なかなか書き出せない子供への支援として、説明する建物や場所など、お気に入りの場所を決めるように促すことが考えられる。

漢字の広場④

教科書p.64の挿絵

1

絵の中の町に住んでいるつもりで、町の様子をせつめいする文を書こう。

〈学習の進め方〉
○(れい)のように、町の様子をせつめいする文を考えて書く。
　→前の時間でまとめた「方角」や「様子」、「使えそうな漢字や言葉」などから集めると書けそう
○みんなが考えた文をクラスで出し合う。
　→たくさん書いた後、発表するときは、いちばんお気に入りの場所をせつめいする

2

〈北〉町の北の方には、天文台があります。とても大きなぼう遠きょうで、星空をかんそくすることができ、町で大人気の場所です。

〈東〉町の東の方には、公園があります。学校が終わった後や休みの日には、たくさんの子どもが来て、楽しそうに遊んでいます。

3 学習を振り返る 〈10分〉

○学習を振り返り、子供が自らの学習を自己評価できるようにする。単元で定めためあての達成状況や、学習活動の中で気付いたことなどを書けるようにしたい。

T　今回の学習を振り返りましょう。めあては達成できたでしょうか。

・お気に入りの場所について、漢字を使って読みやすい文を作ることができたから達成できたと思います。
・学習を進めながら、意外とたくさんの漢字を使えることに気付くことができました。

ICT 端末の活用ポイント

共有アプリに学習感想を記録することで、子供一人一人の自己評価の状況をみんなで把握しやすくなる。

よりよい授業へのステップアップ

自筆し意識的に漢字を書く場を設ける

　3学年になると、ICT 端末を使用して検索したり、記録したりする際、キーボードを使用する機会がより多くなることが予想される。子供たちは、おそらく読める漢字が増えたり、適切な漢字を選んだりできるようになるだろう。ただ、漢字を書き、文や文章の中で使えるようになるためには、本時のような漢字を意識的に書く経験を重ねる必要がある。子供たちが自然に自筆することを選択し、漢字を用いて書き表すことができた達成感を味わえるような場を設定することが大切である。

登場人物の行動や気持ちをとらえて、えらんだ民話をしょうかいしよう

三年とうげ　（6時間扱い）

単元の目標

知識及び技能	・引用の仕方を理解し使うことができる。((2)イ) ・幅広く読書に親しみ、読書が、必要な知識や情報を得ることに役立つことに気付くことができる。((3)オ)
思考力、判断力、表現力等	・登場人物の行動や気持ちなどについて、叙述を基に捉えることができる。(C イ) ・文章を読んで理解したことに基づいて、感想や考えをもつことができる。(C オ)
学びに向かう力、人間性等	・言葉がもつよさに気付くとともに、幅広く読書をし、国語を大切にして、思いや考えを伝え合おうとする。

評価規準

知識・技能	❶引用の仕方を理解し使っている。(〔知識及び技能〕(2)イ) ❷幅広く読書に親しみ、読書が、必要な知識や情報を得ることに役立つことに気付いている。(〔知識及び技能〕(3)オ)
思考・判断・表現	❸「読むこと」において、登場人物の行動や気持ちなどについて、叙述を基に捉えている。(〔思考力、判断力、表現力等〕C イ) ❹「読むこと」において、文章を読んで理解したことに基づいて、感想や考えをもっている。(〔思考力、判断力、表現力等〕C オ)
主体的に学習に取り組む態度	❺登場人物の行動や気持ちなどについて、積極的に叙述を基に捉え、学習課題に沿って民話を紹介しようとしている。

単元の流れ

次	時	主な学習活動	評価
一	1	学習の見通しをもつ ・これまでに読んだ民話や昔話を想起し、どんなところがおもしろかったかを伝え合う。 ・教科書 p.65を見て、題名からどのような内容の民話かを考える。 ・全文を読み、学習課題を設定する。 民話のおもしろさを見つけて、えらんだ民話をしょうかいしよう。	
二	2	「三年とうげ」を読み、場面ごとに出来事や登場人物の行動を整理する。	
	3	行動と気持ちが分かる言葉に着目し、「おじいさん」の気持ちの変化を捉える。	❸
	4	前時までの学習を生かし「三年とうげ」のおもしろさを考え、全体で共有する。	❹
三	5	民話を読み、選んだおすすめの民話のおもしろさを紹介する文を書く。	❶
	6	おすすめの民話を紹介する文を読み合い、感想を交流する。 学習を振り返る ・教科書 p.79に示された観点で学習を振り返り、発表する。	❷❺

授業づくりのポイント

〈単元で育てたい資質・能力〉

本単元のねらいは、登場人物の行動や気持ちなどについて、叙述を基に捉える力を育むことである。さらに、行動や気持ちを捉える中で、自分なりに作品のおもしろさを見いだす力も育みたい。そのためには、文章中の場面の変化や、出来事、様子、会話など登場人物の行動や気持ちを表す語句に着目しながら理解する力が必要となる。場面ごとに変化していく行動や気持ちについて、叙述を基に捉えると共に、複数の叙述を結び付けながら考えることで、変化する気持ちやその変化のきっかけを具体的に想像し、そこに作品のおもしろさを見いだし、読み深めることができるようにする。

[具体例]
○ p.70で転んだ後の気持ち（「おじいさんは真っ青になり、がたがたふるえました。」）と、p.74で転んだ後の気持ち（「おじいさんは、すっかりうれしくなりました。」）を比較することで、その変化に着目し、気持ちが変化したきっかけについて考えられるようにする。気持ちの変化のきっかけを考えることで、作品のおもしろさを見いだせるようにする。

〈教材・題材の特徴〉

民話の特徴として、明確な人物設定や場面設定、単純明快な展開、民話特有の語り口や言い回し、効果的な擬声語・擬態語、繰り返しや対比の構造などが挙げられる。これらの特徴に留意しながら、民話のもつ口承文学としての普遍的なおもしろさと世界観を味わえるようにしたい。

この「三年とうげ」は、朝鮮半島に伝わる民話である。上記で示した民話の特徴が分かりやすく感じられる作品となっている。気持ちが大きく変わるおじいさんと、おじいさんの変化のきっかけとなるトルトリなど、登場人物の役割が明確であり、場面構成もシンプルで単純明快な展開となっている。物語前半と後半では「転ぶ」という同じ行動に対して、おじいさんの気持ちが対比的に描かれている。

この気持ちの変化と、そのきっかけを考えることで、明確な人物設定や単純明快な展開など、民話のおもしろさに気付ける教材となっている。

〈言語活動の工夫〉

場面の移り変わりと登場人物の行動や気持ち、また、気持ちの変化やそのきっかけについて考えていくことで、作品のおもしろさをまとめ、全体で共有していく。それぞれの感じたおもしろさをまとめ、共有することで、自分がおもしろいと感じるのはどこなのかと再度作品を読み返し、そのおもしろさを簡潔で明確に表現する必要性をもたせるようにする。さらに、「三年とうげ」で得たおもしろさの視点を基に、新たな民話を紹介する活動を取り入れることで、どの民話を選ぶのか、どのおもしろさを伝えればいいのかと、自ら問いをもって学びに向かえるようにする。

[具体例]
○民話のおもしろさについて、これまでの学びで得た視点を生かして、おすすめの民話を紹介する文を作り、感想を伝え合えるようにする。
〈おもしろさの観点〉
・出来事　・設定　・展開　・登場人物の行動や気持ち、考え方　・言葉の使われ方や文の調子
・登場人物の気持ちの変化　・登場人物の行動の変化

本時案

三年とうげ

本時の目標

・これまでに読んだ民話や昔話のおもしろさを考えたり、全文を読み、本単元の学習全体の見通しをもったりすることができる。

本時の主な評価

・全文を読み、話のおもしろさについて考え、本単元の学習全体の見通しをもっている。

資料等の準備

・「おおきな　かぶ」（光村図書１年上）
「おむすび　ころりん」
（光村図書１年上）
「おかゆの　おなべ」
（光村図書１年下）　など
それぞれの話の挿絵の拡大コピー
・教科書 p.65挿絵の拡大コピー

〈三年とうげの言いつたえ〉
・転んだら三年しか生きられないという
　言いつたえがある
おもしろさは同じ？
・今までとはちがうおもしろさがある
・ほかの民話も読んでみたい

民話のおもしろさを見つけて、えらんだ民話をしょうかいしよう。

子供のつぶやきや、気付きから学習課題を設定する

授業の流れ

1 既習の教材を基に、民話や昔話のおもしろさについて振り返る〈10分〉

○これまで読んできた民話や昔話を想起し、話のおもしろさを確認できるようにする。
T　１年生のときに読んだ「おおきな　かぶ」や「おむすび　ころりん」のおもしろさは、どんなところですか。
・「おおきな　かぶ」はいろいろな登場人物が出てくるところがおもしろかったです。
・何度も同じことを繰り返すのもおもしろかったです。
・「おむすび　ころりん」は、言葉のリズムがおもしろかったです。
○民話や昔話のおもしろさを板書する。
T　昔の人から伝えられてきたお話を民話と言います。登場人物、繰り返し、リズムなどいろいろなおもしろさがありますね。

2 教科書 p.65を見て、題名などからどんな民話か考える〈20分〉

○教科書 p.65にある題名から、どのようなお話が想像できるかを考える。
T　「三年とうげ」の題名や扉絵からどのようなお話が想像できますか。
・挿絵を見ると、牛をひいている人や、頭の上に荷物を乗せている人がいるので、日本のお話ではないと思います。
・山が描いてあるので、だれかが「三年とうげ」を通って山に登るお話だと思います。
・「三年とうげ」には言い伝えがあるって書いてあるので、三年とうげという場所で何かが起こるお話だと思います。
T　「三年とうげ」にはどんな言い伝えがあるのでしょうね。
○「三年とうげ」の題名を板書する。

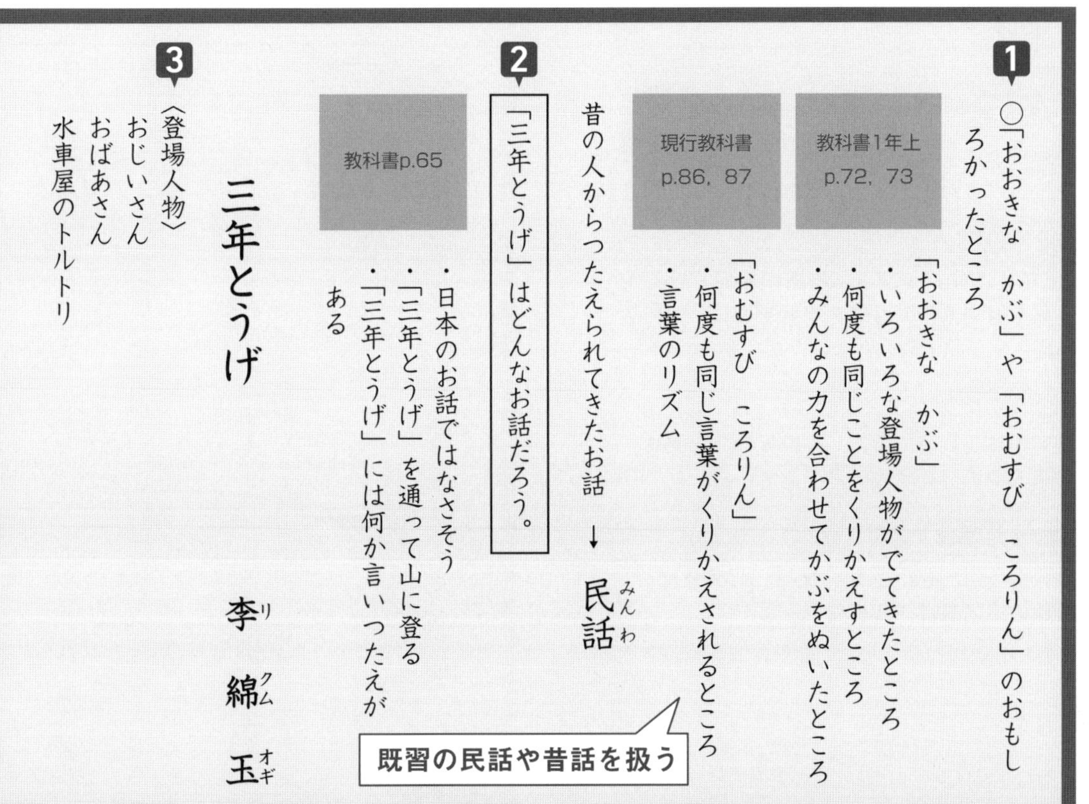

3 全文を読み、学習課題を設定する 〈15分〉

T 「三年とうげ」には、どんな登場人物が出てきて、どんなことが起こるのか、確かめながら聞いてください。

○読む観点を示し、次時の学習につなげる。

○教師の範読を聞きながら、教科書を読む。

・登場人物は、おじいさんとおばあさんとトルトリです。

・三年とうげには、転んだら三年しか生きられないという言い伝えがありました。

T 「おおきな　かぶ」や「おむすび　ころりん」とおもしろいところは同じでしたか。

・同じところや違うおもしろさもありました。

T この学習では、民話のおもしろさを見つけて、自分の選んだ民話のおもしろさを友達に紹介しましょう。

よりよい授業へのステップアップ

既習の教材を振り返る

既習の教材を振り返る中で、民話や昔話について知る。教科書教材には、1年生の「おおきな　かぶ」「おむすび　ころりん」「おかゆの　おなべ」2年生の「いなばのしろうさぎ」「スーホの白い馬」などがある。子供たちの実態に合わせて授業で取り上げる教材を選び、そのお話のおもしろさを考えられるようにしたい。授業の中で扱うことが難しい場合には、単元に入る前に読む時間を確保したり、教室の読書環境を整えたりするなどの工夫も考えられる。

本時案

三年とうげ

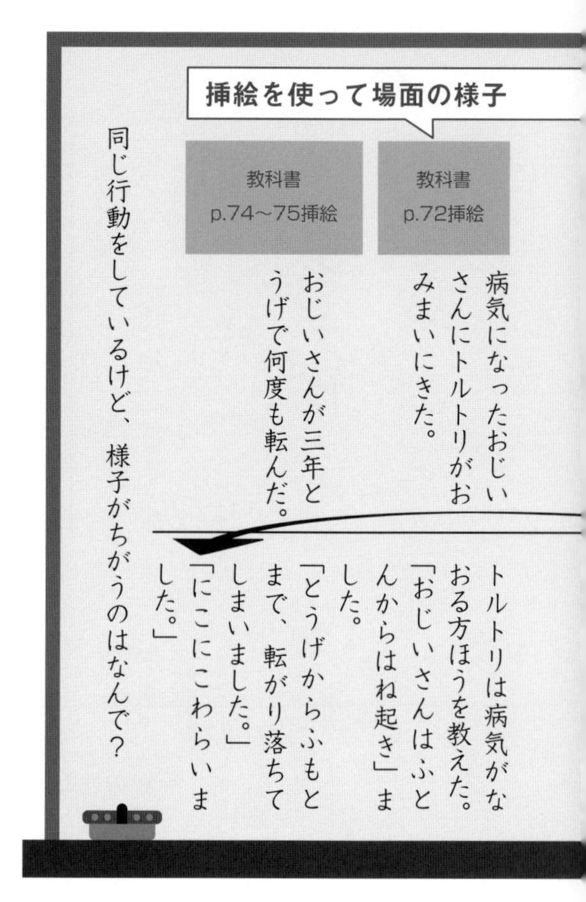

本時の目標

・「三年とうげ」を読み、物語の場面ごとに出来事や登場人物の行動を整理することができる。

本時の主な評価

・叙述を基に物語の設定、登場人物、出来事、登場人物の行動について捉えている。

資料等の準備

・教科書 p.68〜69、p.71、p.72、p.74〜75 挿絵の拡大コピー

授業の流れ ▷▷▷

1 本時のめあてを確かめ、音読する〈10分〉

○本時のめあてを板書する。

T 「三年とうげ」のおもしろさを考えるために、まずはどんなお話なのかを確かめましょう。どんなところに気を付けて読めばいいですか。

・「三年とうげ」は、どんなところなのかが分かるところを見つけたいです。

・誰が出てくるお話なのかを気を付けて読みたいです。

・どんなことが起こるかを気を付けて読みたいです。

○民話のおもしろさを見つける単元後半の活動に向け、設定、登場人物、出来事、登場人物の行動を意識できるように、事前に観点を示して読むようにする。

2 「三年とうげ」の物語の設定・登場人物を確かめる〈5分〉

○前時の学習を想起させ、「三年とうげ」はどんなところなのか、どんな登場人物が出てくるのかを確認する。

T 「三年とうげ」はどんなところでしたか。

・あまり高くないなだらかなとうげで、だれだってため息の出るほどよい眺めのところです。

・転んだら三年しか生きられないという言い伝えがあるところです。

T 「三年とうげ」には誰が出てきますか。

・おじいさんとおばあさんが出てきます。

・水車屋のトルトリが出てきます。

○物語の設定、登場人物を確認し、次の活動につなげる。

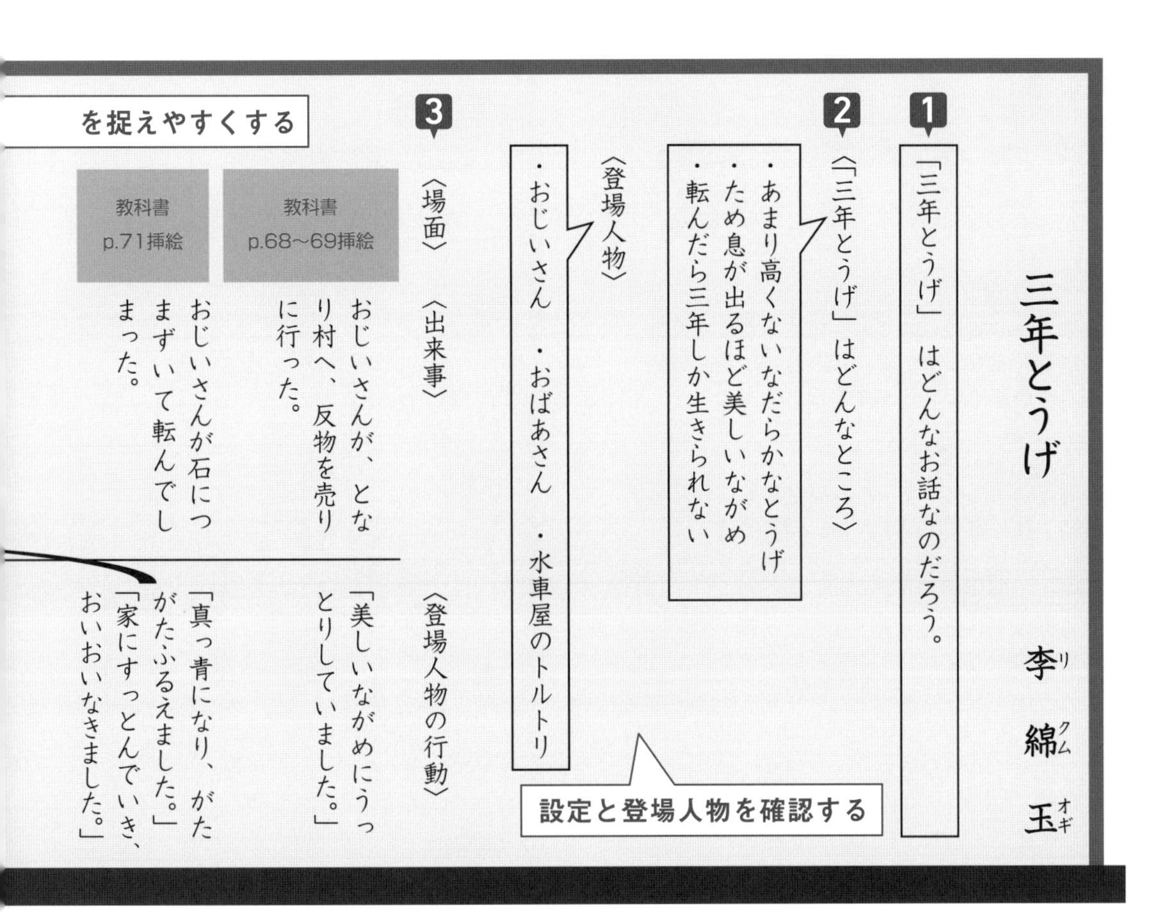

3 場面分けをして、場面ごとの出来事を整理する 〈15分〉

○展開を捉えるために場所に着目して場面分けをする。

T　どんな場面がありましたか。
・最初は三年とうげの説明がありました。
・三年とうげの場面がありました。
・おじいさんの家の場面がありました。
・最後に、もう一度三年とうげの場面がありました。

T　では、どの場面でどんな出来事が起きましたか。
・三年とうげでおじいさんが転んで、家に帰ってからは病気になってしまいました。
・トルトリがおじいさんにアドバイスをして、おじいさんはもう一度三年とうげに行って、何度も転び、元気になりました。

4 場面ごとの登場人物の行動について整理する 〈15分〉

T　おじいさんは三年とうげで転んでからどんな行動をとりましたか。
・真っ青になり、がたがたふるえました。
・家にすっとんでいき、おばあさんにしがみついておいおいなきました。

T　トルトリはどんな行動をとりましたか。
・おじいさんのお見舞いに行って、病気が治る方法を教えました。

T　そのあとおじいさんはどんな行動をとりましたか。
・三年とうげに行って、トルトリに言われたとおり何度も転びました。

○三年とうげで最初に転んだときと、最後に転んだときの違いに着目できるようにし、気持ちの変化に目が向かうようにする。

本時案

三年とうげ

本時の目標

・登場人物の気持ちの変化を考えるために行動や様子を表す言葉に着目し、おじいさんの気持ちを想像することができる。

本時の主な評価

❸登場人物の気持ちを、行動や気持ちが分かる叙述を基に捉えている。【思・判・表】

資料等の準備

・教科書 p.68〜69、p.71、p.72、p.74〜75 挿絵の拡大コピー

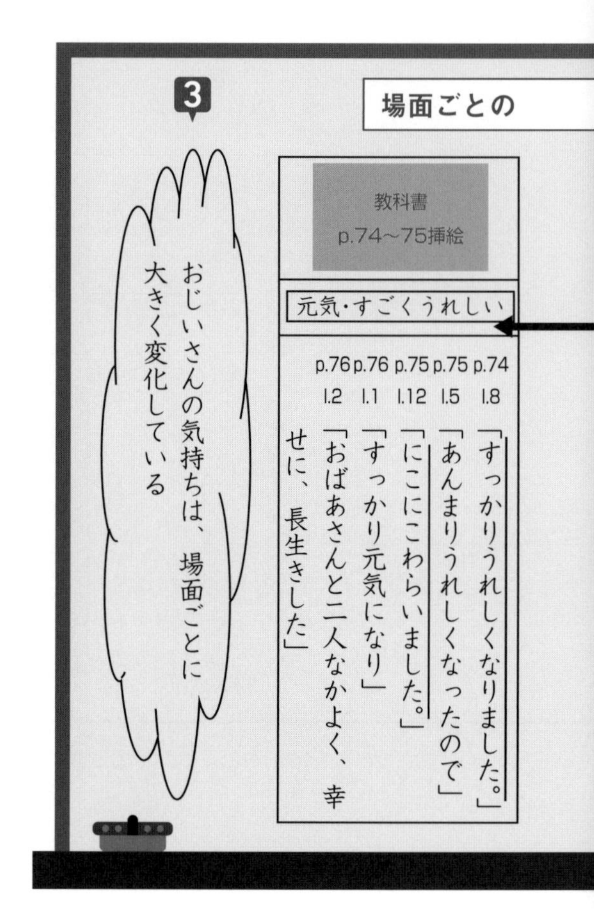

授業の流れ ▷▷▷

1 登場人物の気持ちが分かる言葉を考える 〈5分〉

○前時を振り返り、本時のめあてを板書する。

T　前回は最初におじいさんが転んだときと、最後に転んだときでは様子が違うことが分かりました。このときのおじいさんの気持ちは、どんな言葉から分かりますか。

・おじいさんの行動を表す言葉を見れば分かると思います。

・そのときの様子を表す言葉に着目すれば分かると思います。

T　どのような行動や様子ですか。

・「真っ青になり、がたがたふるえました。」

・「おいおいなきました。」

T　このような言葉からどんな気持ちが分かりますか。ほかにも気持ちが分かる言葉を見つけてみましょう。

2 行動や様子から、おじいさんの気持ちを想像する 〈30分〉

○本文中の行動や様子を表す言葉に着目し、おじいさんの気持ちを想像する。

T　おじいさんの気持ちが分かる言葉はありますか。

・「真っ青になり」という言葉から、すごくショックを受けて不安な気持ちになっていることが分かります。

・「がたがたふるえました。」からは、こわいという気持ちも分かります。

・「ふとんからはね起きる」とあるから、はやく三年とうげに行きたくて、興奮していると思います。

○場面ごとに、おじいさんの気持ちを板書し、気持ちが変化していることが分かるようにする。

三年とうげ　李綿玉（リクムオギ）

1 おじいさんの気持ちの変化（へんか）を想ぞうしよう。

2

おじいさんの気持ちの変化が分かるようにまとめる

場面	教科書 p.68〜69挿絵	教科書 p.71挿絵	教科書 p.72挿絵
気持ち	おだやか	ふあん・こわい・悲しい	こうふん
おじいさんの気持ちが分かる文	p.69 l.3 「美しいながめにうっとりしていました。」	p.70 l.2 「おじいさんは真っ青になり、がたがたふるえました。」 p.70 l.3 「おばあさんにしがみつき、おいおいなきました。」 p.70 l.8 「ごはんも食べずに、ふとんにもぐりこみ、とうとう病気になってしまいました。」	p.73 l.9 「ふとんからはね起きると、三年とうげに行き、わざとひっくり返り、転びました。」 トルトリの言葉がきっかけ

3 おじいさんの気持ちが変わっていることを捉える　〈10分〉

○板書で場面ごとのおじいさんの気持ちを確認し、気持ちが変わっていることに気付けるようにする。

T　おじいさんの気持ちはどのように変わっていますか。

・場面ごとに気持ちが変わっています。
・暗い気持ちから明るい気持ちへと変化しています。
・転んだときは、不安で怖い気持ちだったけど、最後は明るく、元気になっています。
・トルトリの言葉がきっかけで気持ちが変わっています。

○おじいさんの気持ちが、場面が移り変わるごとに変化していることや、気持ちが変化したきっかけに気付けるようにする。

よりよい授業へのステップアップ

行動や様子から気持ちを考える

「おじいさんは真っ青になり、がたがたふるえました。」の文に対し、「おじいさんは、ふるえました。」の文を提示し、比較することで「真っ青」「がたがた」という言葉でどのような気持ちが想像できるかを考える。「ふるえる」という行動を表す言葉に「がたがた」という様子を表す言葉を加えることで、より具体的に登場人物の気持ちを想像することができることに気付けるようにする。一つ一つの言葉に立ち止まる意識をもつことは、高学年で表現の効果を考える際にも生きてくる。

本時案

三年とうげ

おもしろさ

「三年とうげ」のおもしろさは……

・せってい　・登場人物の気持ちの変化
・登場人物の行動　・出来事
・くり返しの言葉　・言葉のリズム　・展開

本時の目標

・場面の移り変わりと、おじいさんの気持ちの変化を捉え、「三年とうげ」のおもしろさについて考えることができる。

本時の主な評価

❹読んで理解したことから、「三年とうげ」のおもしろさについて自分なりの考えをもっている。【思・判・表】

資料等の準備

特になし

授業の流れ ▷▷▷

1 前時を振り返り、本時のめあてを確かめる 〈５分〉

T　前回は、場面ごとのおじいさんの気持ちについて考えました。おじいさんの気持ちはどのように変化していましたか。

・最初は美しい眺めにうっとりしていました。
・三年とうげで転んだあとは、ショックを受けて不安な気持ちになっていました。
・トルトリの言葉を聞いて、気持ちが変わって三年とうげにもう一度行きました。
・最後はうれしい気持ちになっていました。

○前時の板書を掲示物として貼って、残しておき、前時を振り返れるようにするとよい。

T　では今日は、「三年とうげ」のおもしろさはどんなところなのか考えましょう。

○本時のめあてを板書する。

2 「三年とうげ」のおもしろさを考える 〈25分〉

○おじいさんの気持ちの変化もふまえて、自分の考えるおもしろさをノートにまとめる。

T　三年とうげのおもしろさは何ですか。

・おじいさんが言い伝えを信じて、落ち込んでいるところがおもしろいと思います。
・トルトリの話を聞いて、おじいさんが急に元気になるところがおもしろいです。
・おじいさんがうれしくなった場面の歌や、「ころりん」という言葉の繰り返しがおもしろかったです。
・おじいさんの気持ちが暗くなったり、明るくなったり、出来事をきっかけに大きく変化するのがおもしろいと思いました。

三年とうげ　李（リ）　綿（クム）　玉（オギ）

1 「三年とうげ」のおもしろさを考えよう。

2 3

・転んだら三年しか生きられないという、せっていがおもしろい。

・言いつたえを信じて気持ちが変化（へんか）するおじいさんがおもしろい。

・おじいさんが元気になるきっかけがおもしろい。

・おじいさんの行動や様子がおもしろい。

・歌やくり返しの言葉はリズムがよくて、読んでいておもしろかった。

・出来事が起きてからかいけつするまでの展開（てんかい）がおもしろい。

これまでの学習を基に、おもしろさをノートにまとめる

のポイントになるところを［　　］で囲む

3 「三年とうげ」のおもしろさはどこかを共有する〈15分〉

T　今までの学習を振り返って「三年とうげ」のおもしろさをまとめ、発表しましょう。

・転んだら三年しか生きられないという、設定がおもしろいと思いました。

・言い伝えを信じて、気持ちが変化するおじいさんがおもしろいと思います。

・おじいさんが元気になるきっかけがおもしろいと思います。

○設定、出来事、展開、登場人物の行動や気持ちの変化、繰り返しや文の調子などのおもしろさを捉える視点を共有する。

T　次の時間までに好きな民話を選んで読み、次の授業で、選んだ民話のおもしろさを伝える紹介文を書きましょう。

よりよい授業へのステップアップ

民話のおもしろさを実感する

単元構想ページの〈教材・題材の特徴〉でも述べたように、民話には明確な人物設定や場面設定、単純明快な展開、民話特有の語り口や言い回し、効果的な擬声語・擬態語、繰り返しや対比の構造などの特徴がある。「三年とうげ」はこれらの特徴に気付きやすい教材となっている。これらの特徴を共有した上で、第１時に扱った「おおきなかぶ」などを読み返すことで、より一層民話や昔話のおもしろさを実感することができ、次時の活動にも生きてくる。

本時案

三年とうげ

本時の目標

・自分で選んだ民話のおもしろさを紹介文にまとめることができる。

本時の主な評価

❶引用の仕方を理解し、民話の紹介文を書く際に選んだ民話から適切に引用している。【知・技】

資料等の準備

・ワークシート１・２ 10-01、10-02
・ワークシート１・２の記入例を拡大コピーしたもの 10-03、10-04
・民話マップ 10-05

どんなことが書かれている？
・題名とどこの国のお話か
・あらすじとおもしろさ
・引用もされている

3
○みんなが読みたくなるしょうかい文を書こう。

記入例を示し、どのような構成で何が書かれているかを把握できるようにする

授業の流れ ▷▷▷

1 これまでの学習を振り返り、本時のめあてを確認する〈５分〉

○「民話のおもしろさ」を前時までの学習を基に振り返る。

T　民話のおもしろさを感じたのはどんなところでしたか。

・設定や登場人物の気持ちの変化です。
・登場人物の行動や様子がおもしろかったです。
・出来事や展開もおもしろいと感じました。

○前時の板書を教室に掲示しておき、民話のおもしろさを捉えるための観点を確認できるようにする。

T　では、自分が選んだ民話のおもしろさを友達に紹介する文章を書きましょう。

○本時のめあてを板書する。

2 民話を紹介する文の書き方を確認する〈10分〉

○ワークシート２の記入例を提示し、民話を紹介する文章のイメージをもてるようにする。

T　民話のどのようなことが紹介されていますか。

・題名と、どこの国のお話かが紹介されています。
・あらすじと、おもしろいところも書かれています。
・かぎ（「」）で、民話の文も引用されています。

○引用の仕方については、教科書上巻の p.96「【じょうほう】引用するとき」を確認する。

三年とうげ

李（リ）　錦（クム）　玉（オギ）

1

民話（みんわ）のおもしろさは…

- ・せってい　・登場人物の気持ちの変化（へんか）
- ・登場人物の行動　・出来事　・くり返しの言葉
- ・言葉のリズム　・展開（てんかい）

えらんだ民話のおもしろさをしょうかいする文を書こう。

2

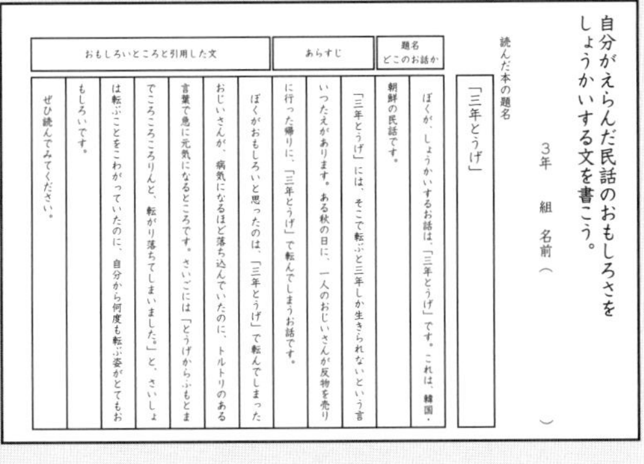

自分がえらんだ民話のおもしろさをしょうかいする文を書こう。

3年　組　名前（　　）

読んだ本の題名「三年とうげ」

題名・どこのお話か	あらすじ	おもしろいところと引用した文
ぼくが、しょうかいするお話は、「三年とうげ」です。これは、韓国・朝鮮の民話です。	「三年とうげ」には、そこで転ぶと三年しか生きられないという言いつたえがあります。ある秋の日に、一人のおじいさんが反物を売りに行った帰りに、「三年とうげ」で転んでしまうお話です。	ぼくがおもしろいと思ったのは、「三年とうげ」で転んでしまったおじいさんが、病気になるほど落ち込んでいたのに、トルトリのある言葉で急に元気になるところです。さいごには「とうげからふもとまでころころころりんと、転がり落ちてしまいました。」と、さいしょは転ぶことをこわがっていたのに、自分から何度も転ぶ姿がとてもおもしろいです。ぜひ読んでみてください。

3 自分が選んだ民話のおもしろさを紹介文にまとめる〈30分〉

T　自分が選んだ民話のおもしろさを紹介するために、文でまとめましょう。

○この時間までに、教室に「民話コーナー」をつくるなど、読書環境を整え、前時と本時までの間に1人1冊民話を選んでおくようにする。

○ワークシート1と2を同時に配り、段落ごとに何を書くのか確認しながら進められるようにする。

○おもしろいと感じた文を引用するように伝える。

・ロシア民話の「てぶくろ」は、「大きなかぶ」のように、繰り返しがあるのがおもしろさだと思います。どの文を引用すればいいかな。

よりよい授業へのステップアップ

民話の捉えを明確にし、民話マップを活用する

民話という名称は、昔話と同義に扱われることもあれば、昔話、伝説、世間話などの総称として用いられることもある。また、昔話や伝説と並列的に用いられる場合もあり、民話には多様な捉え方がある。今回は、昔話や伝説なども含め、民話として扱っている。資料編にある民話マップを基に本を集め、「民話コーナー」をつくってもらいたい。

本時案

三年とうげ

本時の目標

・民話の紹介文を読み合うことで、民話により親しむことができる。

本時の主な評価

❷民話に親しみ、読書が、必要な知識を得ることに役立つことに気付いている。【知・技】
❺登場人物の行動や気持ちなどについて、積極的に叙述を基に捉え、学習課題に沿って民話を紹介しようとしている。【態度】

資料等の準備

・付箋
・子供たちが選んだ民話

単元を通したかを確認

・友だちがしょうかいしていたおもしろさとちがう部分がおもしろいと感じることがあった

○学習のふり返り
・登場人物の気持ちの変化からおもしろさを見つけることができた
・これから物語を読むときには、行動や様子を表す言葉に注目して読んでみたい

授業の流れ ▷▷▷

1 本時の活動の流れと、めあてを確認する 〈5分〉

T　今日は、友達と民話の紹介文を読み合い、感想を伝え合います。友達の紹介文を読むときにどんなところに気を付けて読みますか。
・友達が選んだ民話に、どんなおもしろさがあるのかを考えながら読みたいです。
・自分が選んだ民話とどんな違いがあるのか、比べながら読みたいです。
○友達が選んだ民話のおもしろさと、自分が選んだ民話のおもしろさを比較しながら読めるように、友達の紹介文を読む際の観点を板書する。
T　では、友達の紹介文を読みましょう。
○本時のめあてを板書する。

2 民話の紹介文を読み合い、感想を交流する 〈30分〉

○①紹介文を読む
②紹介された民話を読む
③おもしろさを比較して感想を書く
という流れで活動することを確認する。
○コーナーを作り、紹介文と本を同じところに配置するようにする。
・国別コーナー・おもしろさ別コーナーなど
○事前に付箋を配付し、その場で感想を書いて紹介文に貼れるようにしておく。
○友達の感想を読んで、自分が捉えたおもしろさと、友達が捉えたおもしろさを比較できるようにする。
・「てぶくろ」は、繰り返しのおもしろさがあるのですね。私が読んだ「三匹のこぶた」も同じおもしろさがありました。

三年とうげ　李(リ) 綿(クム) 玉(オギ)

1
○どんなことに気をつけて読む？
・どんなおもしろさがあるのか
・自分がえらんだ民話とのちがい

自分がえらんだ民話のおもしろさとくらべながら友だちのしょうかい文を読もう。

2
〈活動の流れ〉
①しょうかい文を読む
②しょうかいされていた民話を読む
③友だちの感じたおもしろさと、自分の感じたおもしろさをくらべて感想を書く

3
○民話のしょうかい文を読み合うことで気づいたこと
・登場人物の気持ちの変化(へんか)がおもしろいものが多かった
・出来事や展開(てんかい)が分かりやすくておもしろいものが多かった
・同じ民話でも、おもしろいと感じるところにはちがいがあった

てどんな力がつい
できるようにする

3 学習の振り返りをする 〈10分〉

T　民話の紹介文を読み合うことで、気付いたことはありますか。
・出来事や展開が分かりやすくておもしろいお話が多かったです。
・同じ民話でも、おもしろいと感じるところには違いがありました。
・友達が紹介していたおもしろさと違う部分がおもしろいと感じることがありました。
・いろいろな民話を読むことで、民話のおもしろさを考えるきっかけになったし、自分の知らないおもしろさを発見できました。
T　では、この学習でどんなことが学べたのか振り返り、まとめましょう。
○教科書 p.79の「ふりかえろう」で示された観点で、単元の振り返りをする。

よりよい授業へのステップアップ

他者との感じ方の違いに気付く

本時は、民話の紹介文を読み合う活動となる。

同じ民話を読んでも、おもしろいと感じるところは一人一人異なる。そのため、紹介文の内容にも違いが生まれる。友達の紹介文を読み、実際にその本を読んだときに自分の感じ方と違いがあるかどうかを意識することで、民話を読む際の観点が広がり、より民話に親しむことができるだろう。本時の活動を通して、自分と友達の感じ方や考え方の違いを自覚できるようにしていきたい。

資料

1 第５時　ワークシート１　10-01

自分がえらんだ民話（みんわ）のおもしろさをしょうかいする文を書こう。

３年　組　名前（　　　　）

題名

どこのお話か

おもしろいと思った文は（引用する文）

このお話のおもしろいところは
・せってい　・出来事　・展開（てんかい）　・登場人物の行動や気持ちの変化（へんか）
・くり返しや文の調子（リズム）

2 第５時　ワークシート２　10-02

自分がえらんだ民話（みんわ）のおもしろさをしょうかいする文を書こう。

３年　組　名前（　　　　）

読んだ本の題名

3 第5時　ワークシート1記入例

10-03

自分がえらんだ民話のおもしろさを
しょうかいする文を書こう。

3年　　組　名前（　　　　　　　　　）

題名

「三年とうげ」

どこのお話か

韓国・朝鮮のお話

おもしろいと思った文は（引用する文）

とうげからふもとまで、ころころころりんと、転がり落ちてしまいました。

このお話のおもしろいところは

・せってい　・出来事　・展開　・登場人物の行動や気持ちの変化
・くり返しや文の調子（リズム）

・登場人物の行動や気持ちの変化
はじめに転んだときと、さいごに転んだときで、おじいさんの行動や気持ちが変わっているところがおもしろいと思った。

4 第5時　ワークシート2記入例

10-04

自分がえらんだ民話のおもしろさを
しょうかいする文を書こう。

3年　　組　名前（　　　　　　　　　）

読んだ本の題名

「三年とうげ」

題名 どこのお話か	ぼくが、しょうかいするお話は、「三年とうげ」です。これは、韓国・朝鮮の民話です。
あらすじ	「三年とうげ」には、そこで転ぶと三年しか生きられないという言いつたえがあります。ある秋の日に、一人のおじいさんが反物を売りに行った帰りに、「三年とうげ」で転んでしまうお話です。
おもしろいところと引用した文	ぼくがおもしろいと思ったのは、「三年とうげ」で転んでしまったおじいさんが、病気になるほど落ち込んでいたのに、トルトリのある言葉で急に元気になるところです。さいごには「とうげからふもとまでころころころりんと、転がり落ちてしまいました。」と、さいしょは転ぶことをこわがっていたのに、自分から何度も転ぶ姿がとてもおもしろいです。
	ぜひ読んでみてください。

5 第5時　民話マップ　10-05

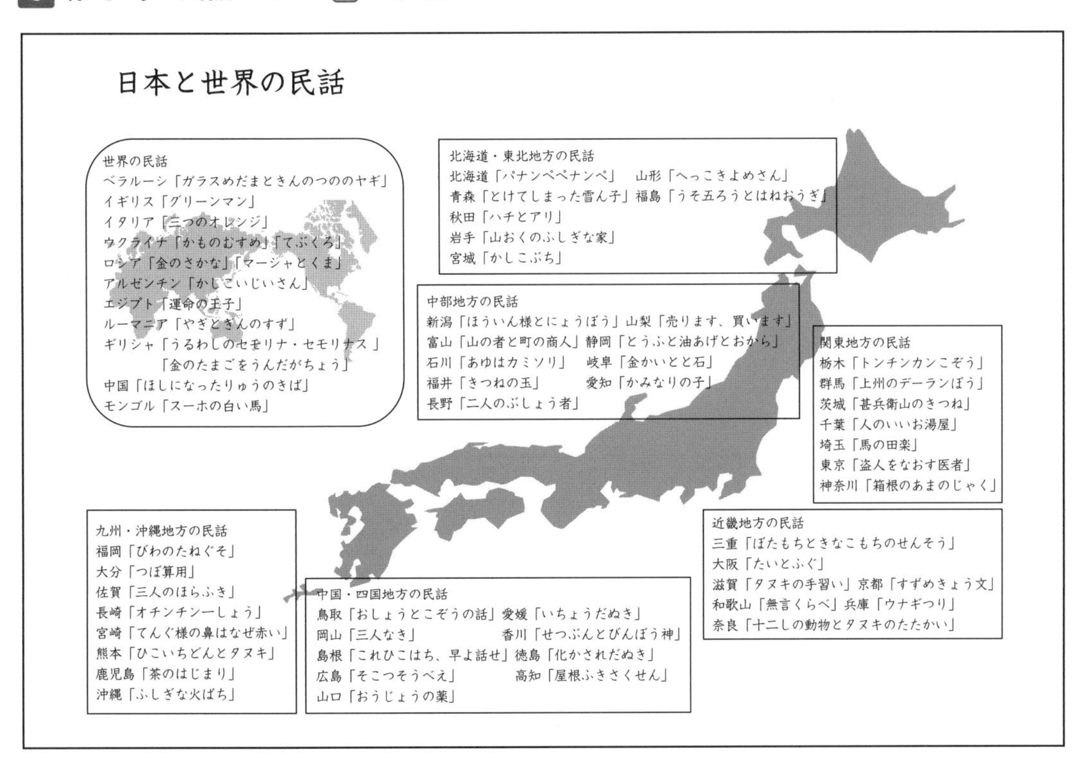

しょうかいする文章を書き、感想をつたえ合おう

わたしの町のよいところ （10時間扱い）

単元の目標

知識及び技能	・考えとそれを支える理由について理解することができる。((2)ア)
思考力、判断力、表現力等	・書こうとしたことが明確になっているかなど、文章に対する感想や意見を伝え合い、自分の文章のよいところを見つけることができる。(B オ)
学びに向かう力、人間性等	・言葉がもつよさに気付くとともに、幅広く読書をし、国語を大切にして、思いや考えを伝え合おうとする。

評価規準

知識・技能	❶考えとそれを支える理由について理解している。(〔知識及び技能〕(2)ア)
思考・判断・表現	❷「書くこと」において、書こうとしたことが明確になっているかなど、文章に対する感想や意見を伝え合い、自分の文章のよいところを見つけている。(〔思考力、判断力、表現力等〕B オ)
主体的に学習に取り組む態度	❸進んで感想や意見を伝え合い、自分の文章のよいところを見つけようとしている。

単元の流れ

次	時	主な学習活動	評価
一	1	学習の見通しをもつ ・今まで書いたものを振り返り、自分の文章のよいところを見つける。 ・学習のおおよその見通しをもち、学習課題を設定する。 町のよいところをしょうかいする文章を書いて、感想をつたえ合おう。	
二	2・3	自分たちの住む町のよいところを考えながら書くことを決め、紹介したいこととその理由との関係を理解しながら、マッピング図に書き出す。	❶
	4	書き出したものが、読む人にとって分かりやすいものになっているか、前時で作成したマッピング図を友達と見せ合い意見交換し、伝えたいことを明確にする。	
	5・6	伝えたいことが明確になっているかどうか考えながら、組み立てメモを作る。	❶
	7・8	伝えたいことが分かりやすくなっているか考え、組み立てメモを基に、写真や絵を用いたり、説明の仕方を工夫したりして、紹介する文章を書く。	
三	9・10	・紹介する文章を読み合い、書き方や内容についての感想やよりよくするための意見を伝え合う。 学習を振り返る ・書き上げた文章や友達からの感想、意見などを基に学習を振り返り、自分の文章のよいところを見つける。	❷❸

授業づくりのポイント

〈単元で育てたい資質・能力〉

本単元のねらいは、考えとそれを支える理由について理解し、文章の中で使う力や、感想や意見を伝え合うことを通して、自分の文章のよいところを見つける力を育むことである。

そのためには、「誰に」、「何を伝えたいのか」、「伝えたことで、どうなってほしいのか」という、相手意識や目的意識を明確にもつことが必要になる。これらの相手意識や目的意識は、単元の初めで設定する場合もあるが、伝えたいことを書き出す段階など、単元の途中で明確になる場合もあるので、学級や子供の実態に応じて、適宜確認する時間を設けられるようにしたい。

また、自分の文章について、客観的に見られるようになることは、今後の書く活動において、前向きさや向上心をもって取り組む原動力になる。本単元では、単元の初めと終わりに、自分の文章のよいところを見つける時間を設ける。単元の初めは、自分の文章のよいところを見つけられない子供や、具体的には表現できない子供もいるだろう。友達との感想や意見の交流を通して自分の文章のよいところを見つけることによって、協同で学ぶよさを実感できるようにする。

〈他教材や他教科との関連〉

３年生では、これまでに「仕事のくふう、見つけたよ」や「食べ物のひみつを教えます」の単元で、調べたことの中から書くことを選んだり、組み立てを考えたりすることを学習している。他にも「書くことを考えるときは」では、図を使って書くことを決める学習を行っている。

「わたしの町のよいところ」では、図を使って紹介するものを決めること、組み立てメモを作ることを通して、「はじめ」「中」「終わり」のまとまりに分けて、書きたいことを考えるなど、これまで積み重ねてきたことを生かして紹介する文章を書く学習活動となっている。教科書やノート、ワークシートや成果物を振り返る機会を設け、これまでの学習を思い起こし、生かせるようにしたい。

本単元は、社会科や総合的な学習の時間のまとめとして位置付けることが可能である。３年生は、社会科や総合的な学習の時間が始まる。社会科では、自分たちの市を中心とした地域を学習対象として取り上げる。地域にある施設や商店、昔から伝わるお祭り、それらに関わる人々について改めて知り、考える機会となるだろう。社会科の学習から発展して、総合的な学習の時間で自分たちの住む町について取り扱うことも考えられる。

〈ICT の効果的な活用〉

検索：自分が決めた町のよいところについてさらに知るために、検索を用いて市役所や区役所などの HP を閲覧し、情報収集をする。

記録：端末のカメラ機能や録音、録画機能を用いて、見聞きしたことを画像や音声、動画として保存してまとめ、伝えたいことやその理由を考える際の参考にする。

共有：端末のカメラ機能やメモ機能、文章作成ソフトを用いて、書き出したものや組み立てメモをクラスで交流できるようにし、友達の意見や感想などを参考にできるようにする。

本時案

わたしの町のよいところ

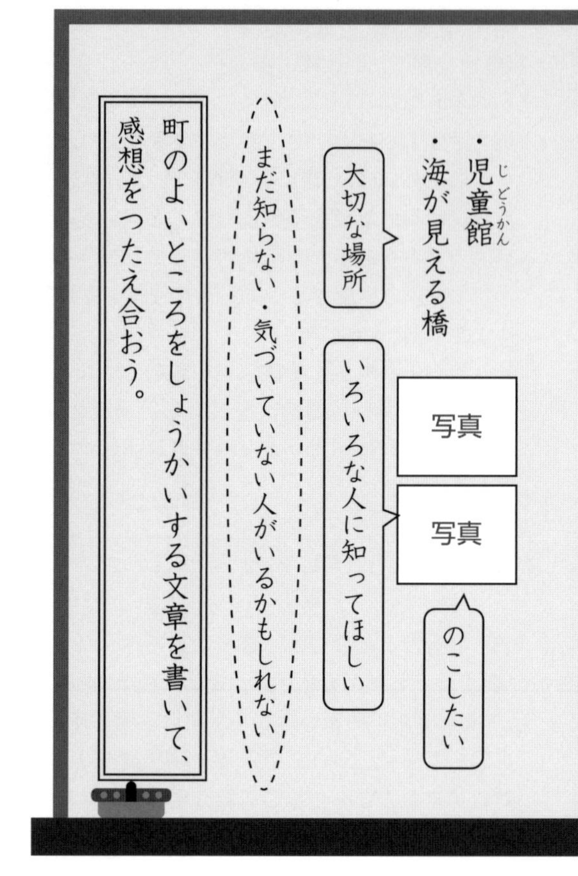

本時の目標

・自分の町のよいところを紹介する文章を書き、感想を伝え合うという学習の見通しをもつことができる。

本時の主な評価

・町のよいところを紹介し、感想を伝え合うという学習の見通しをもち、町のよいところについて進んで考えようとしている。

資料等の準備

・社会科の学習などで見つけた町の様子が分かる写真

授業の流れ ▷▷▷

1 自分の文章のよいところについて考える 〈15分〉

T　これまでにいろいろな文章を書いてきました。自分の文章のよいところは、どのようなところでしょう。

・「はじめ」「中」「終わり」のまとまりを考えて書けるところがよいところです。これは、物語を書くときや、「仕事のくふう、見つけたよ」の学習でできるようになりました。

・引用して書けるところがよいところです。生き物図鑑を作ったときに、本から引用することを学びました。

・私は、自分の文章のよいところがまだ見つかりません。

T　この学習を通して、自分の文章のよいところを見つけたり、さらに増やしたりしていきましょう。

2 学習の見通しをもつ 〈10分〉

T　どのように書いていくか見通しをもちましょう。これまで、どのように文章を書いて、自分の文章をよくしてきましたか。

○教科書 p.81の下段を参考に、書くステップを確かめる。

・まず、何について書くのか決めました。決めるときは、たくさん集めてから１つに絞るようにしました。

・次に、どのような順番で、何を書くのか考えました。あと、どのような写真や絵があると伝わりやすいのかも考えました。

・実際に文章に書いて、読み直しました。最後は、読み合って感想を伝え合いました。

T　今回は、よいところを見つけるために、感想をしっかり伝え合いましょう。

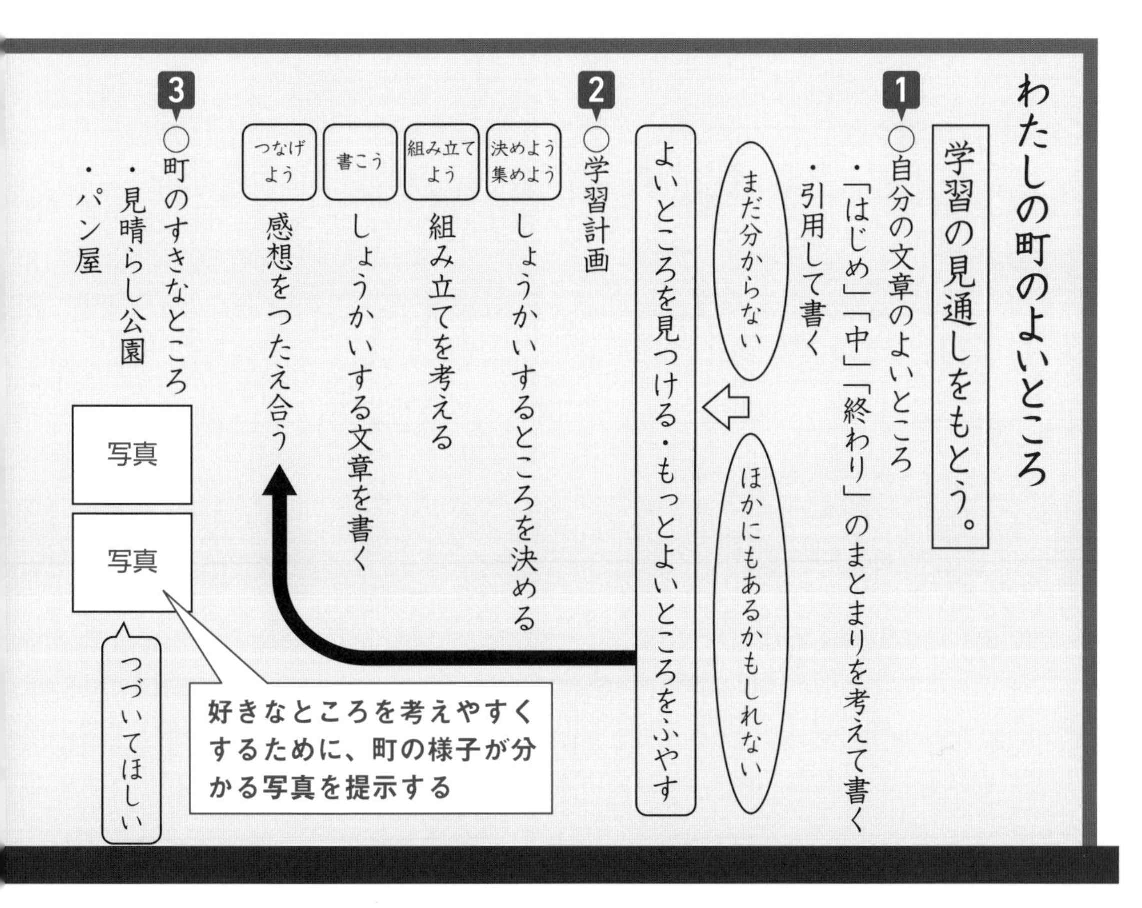

3 自分の町の好きなところについて考える 〈20分〉

T　自分の町のどんなところが好きですか。それは、あなたにとって、どんなところですか。

○町の様子が分かる写真を提示する。

・見晴らし公園が好きです。小さい子も大きい子も楽しめる場所で、私にとって、思い出がある大切な場所です。

・パン屋が好きです。食パンがとても美味しいです。いろいろな人に知ってほしいです。

T　友達と話し合って、町の好きなところをさらに考えましょう。

○単元の学習課題を設定する。

T　みなさんが好きだと思っているところを、まだ知らない人がいるかもしれませんね。どのように紹介する文章を書けば、自分の町の好きなところが伝わるか考えていきましょう。

よりよい授業へのステップアップ

書く意欲を高める支援

「もっと自分の書いた文章のよいところを見つけたい」という意欲をもつことが大切である。そのために、自分の書いたものを見返し、よいところについて考える時間を設ける。これまでに書いたものをファイルにまとめ、見ることができるようにするとよい。

題材選びのヒント

町の好きなところについて考えられるように、写真を提示することで、紹介への意欲につなげたい。学級の実態に応じて、町の写真などの提示を導入にもってきてもよい。

本時案

わたしの町のよいところ

本時の目標

・考えとそれを支える理由の関係を理解し、紹介したいところとその理由を書き出すことができる。

本時の主な評価

❶考えとそれを支える理由の関係を理解して、紹介したいところとその理由をマッピング図を使って書き出している。【知・技】

資料等の準備

・マッピングワークシート 11-01

パン屋

やきたてのパンが人気

児童館

いろいろな人と交流できる

図書コーナがたくさん

○理由をふやす・はっきりさせるには
・じっさいに見に行く、聞きに行く
・調べる（広ほうし・ホームページなど）

授業の流れ ▷▷▷

1 本時のめあてを確かめ、書き出す方法を理解する〈15分〉

T　紹介するところを決めるために、マッピング図に紹介したいところとその理由を書き出していきましょう。まずは、紹介したいところを考えた後、その理由を考えましょう。

○マッピングで書き出す方法を学級全体で確認する。教科書 p.167–168を参考にする。

○考えとそれを支える理由の関係を理解できるように、紹介したいものは、□で囲み、理由は、○で囲むようにする。

・見晴らし公園を紹介したいです。大きな滑り台がとても楽しいからです。

・海が見える橋が私は好きです。夕日が海に沈む様子がきれいだからです。

2 マッピング図を作ることで、書きたい内容を書き出す〈40分〉

T　それでは、自分でマッピング図を作ってみましょう。

○選ぶことが難しい子供には、一緒に写真を見るなどして、紹介したいところを決められるようにする。

T　理由を増やしたい場合は、実際に見に行ったり、インタビューをしたりするとよいです。他にも広報誌を読んだり、ホームページなどで調べたりすると紹介したい理由がはっきりしますね。

ICT 端末の活用ポイント

「見晴らし公園　地名」などのように、キーワードで検索し、情報収集をする。

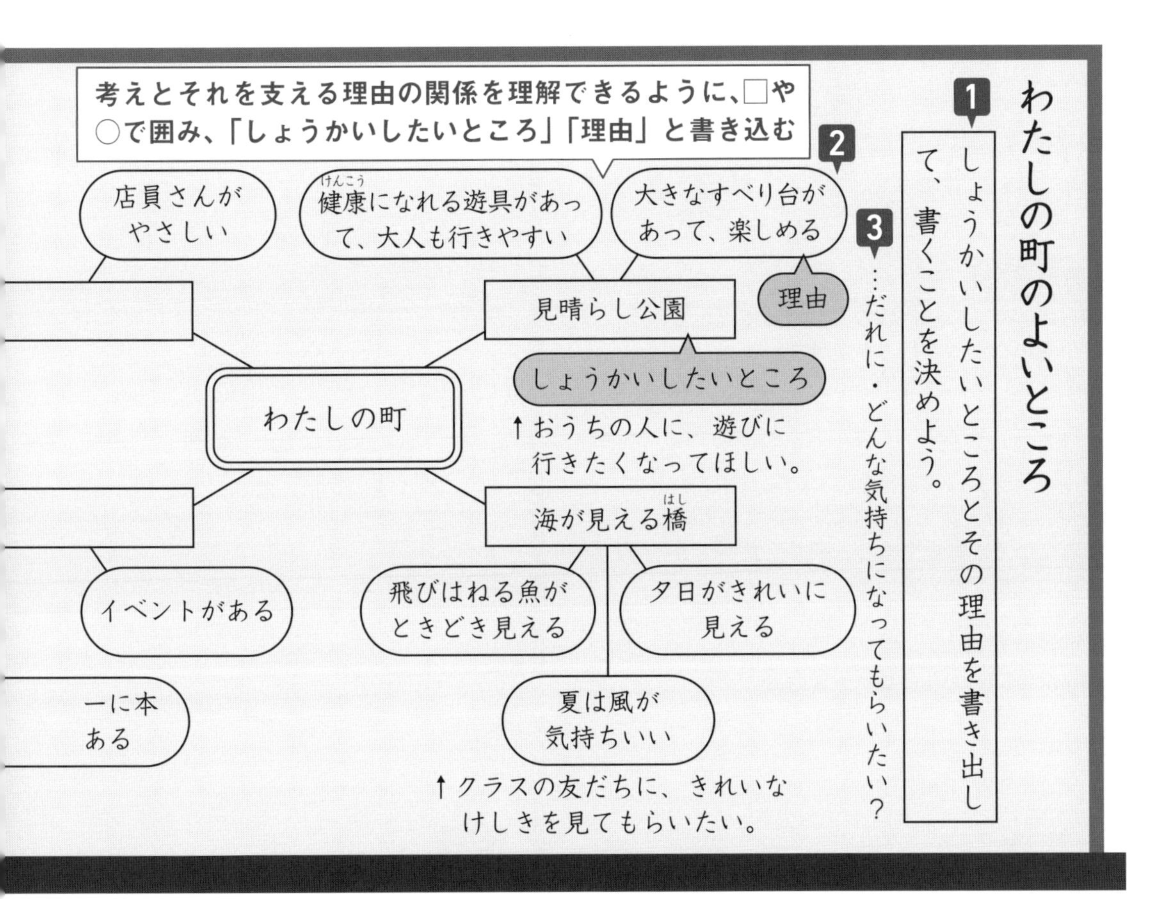

3 相手意識や目的意識について考える 〈25分〉

T たくさん紹介したいところとその理由を書き出すことができましたね。

T みなさんが見つけた町の好きなところは、誰に伝えたいですか。伝えることによって、どのような気持ちになってほしいですか。

・ぼくは、見晴らし公園のことをおうちの人に紹介したいです。そして、公園に遊びに行きたい気持ちになってもらいたいです。

・私は、このクラスの友達に紹介したいです。海が見える橋のことを知って、きれいな景色を見てもらいたいです。

・ぼくは、誰に紹介するのか迷っています。

T 誰に伝えたいのか、どのような気持ちになってほしいのか、決まった人は、ワークシートに書きましょう。

4 次時の見通しをもつ 〈10分〉

T 次の時間は、マッピング図を見せ合います。まだ紹介したいところや紹介したい相手が決まっていない人は、見せ合って友達からアドバイスをもらいましょう。

・私は近所のパン屋とケーキ屋さんのどちらを紹介するか悩んでいます。友達にどちらがいいか聞いてみたいです。

T 紹介したい場所が決まっている人は、他の理由はないか、友達からの考えを聞きましょう。

・ぼくはパン屋さんについて紹介したいけれど、パンについてなのか、店員さんについてなのか、理由をどちらかに決めたいです。

本時案

わたしの町のよいところ

本時の目標

・書き出したものが、読む人にとって分かりやすいものになっているか意見交換し、さらに考えを広げることができる。

本時の主な評価

・マッピング図に書き出したものを友達と見せ合い、読む人にとって分かりやすいものになっているか意見交換し、紹介したいところとその理由を決めている。

資料等の準備

・前時に書いたマッピングの模造紙

やきたてのパンが人気
店員さんがやさしい
健康になて、大人
パン屋
わたしの町
児童館
いろいろな人と交流できる
イベントがある
図書コーナーに本がたくさんある

授業の流れ ▷▷▷

1 本時のめあてを確かめる 〈5分〉

T　マッピング図を友達に見てもらい、もっと知りたいところや興味があるところを聞いてみましょう。感想を伝えてもらうのもいいですよ。

・同じ場所を選んでいても紹介したい理由が違うかもしれないです。

・興味があるところについて知りたいです。

T　マッピング図を見せ合うときには、「誰に紹介したいのか」「紹介したことによってどのような気持ちになってほしいのか」まで相手に伝えるようにしましょう。

・マッピング図を見てもらって、紹介したいものとその理由が決められるようにします。

・紹介したところに興味をもってもらい、行ってみてほしいです。

2 マッピング図を見せ合う 〈25分〉

T　マッピング図を見せ合いましょう。

○より多く見せ合う場を設け、助言をもらえるようにする。

○友達の助言を受けて、紹介したいところとその理由が分かりやすくなるよう、マッピング図に書き足すことを伝える。

・見晴らし公園は、どの季節に行くのがおすすめですか。

・公園にある遊具を使ってもらって、どのような気持ちになってもらいたいですか。

ICT 端末の活用ポイント

端末のカメラ機能やメモ機能、文章作成ソフトを用いて、書き出したものや組み立てメモをクラスで交流できるようにし、友達の意見や感想などを参考にできるようにする。

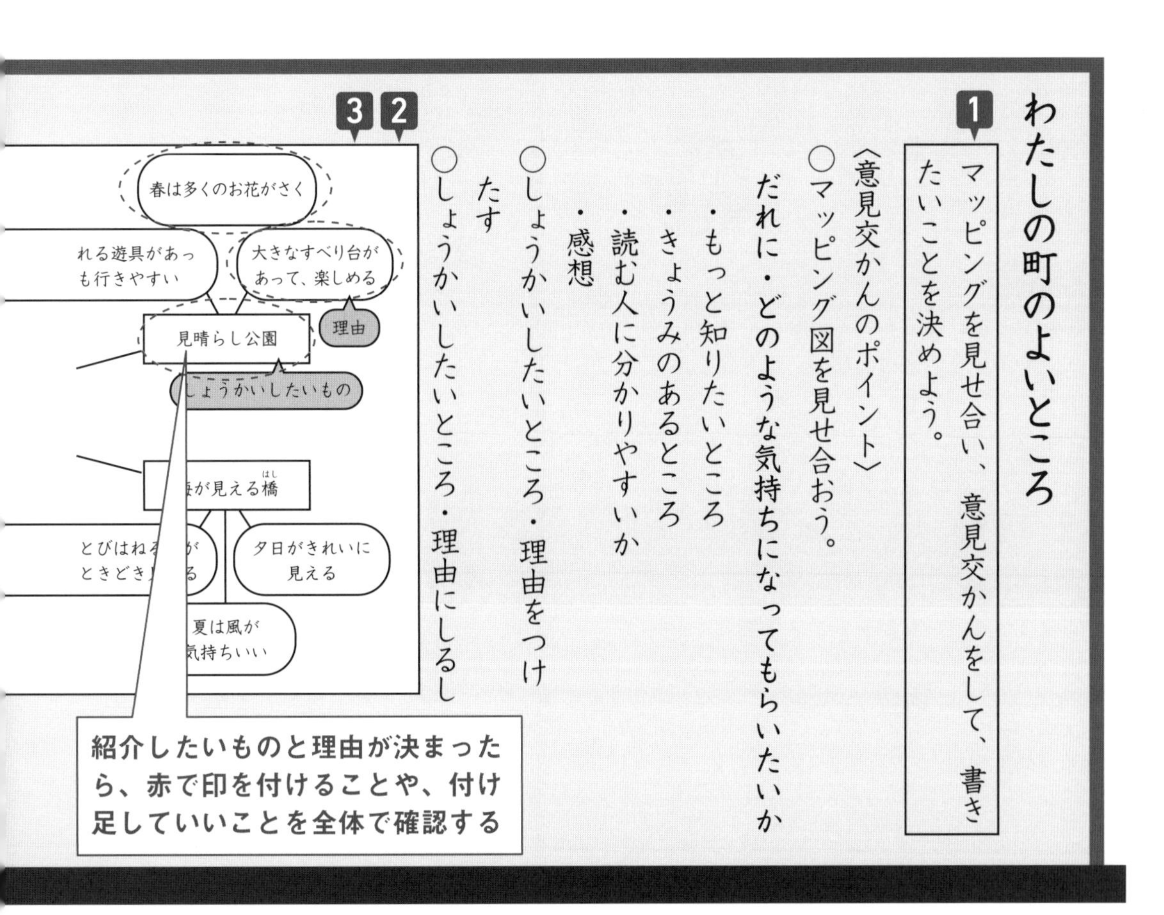

3 紹介したいところや理由を決める 〈10分〉

T　書き出したものを比べてみて、紹介したいところや紹介したい理由として文章に入れたいところに赤で印を付けましょう。

・見晴らし公園をおうちの人に紹介することに決めました。春に行くとたくさんの花が咲いているので、そのことも紹介したい理由に入れたいと思います。最初に書いた遊具のことも理由に入れたいと思います。大人も子供も楽しめる場所だということを知って、家族で行く場所にしてほしいです。
・海についてなのか橋についてなのか理由があやふやだったけれど、橋の上で感動した体験が気になると友達に言ってもらえたので、橋の上に立ったそのときと同じ気持ちが伝わるよう、理由を考え直したいです。

4 本時を振り返り、次時の見通しをもつ 〈5分〉

T　マッピング図を見せ合って、気付いたことや感じたことはありますか。

・伝えたいことがはっきりしました。
・まだ行ったことのない人に紹介するなら、「○○の近く」のように書くと分かりやすいとアドバイスをもらいました。
・「あまり行ったことがない場所だから、もっと知りたい」と言われてうれしかったです。
・友達が書き出したものを見て、そこに行くとどのような気持ちになるのか、について書いてあることがいいと思ったので、自分のマッピング図を少し変えたいと思いました。

T　次の時間は、マッピング図を基に、どのような組み立てで文章を書くのか考えましょう。

本時案

わたしの町のよいところ

本時の目標

・マッピング図に書いたことを基に、紹介したいことや理由を明確にしながら組み立てメモを作ることができる。

本時の主な評価

❶紹介したいことや理由を明確にしながら、組み立てメモを作っている。【知・技】

資料等の準備

・組み立てメモワークシートとその拡大コピー 11-02
・教科書 p.83「水野さんの組み立てメモ」の拡大コピー
・掲示用の画用紙

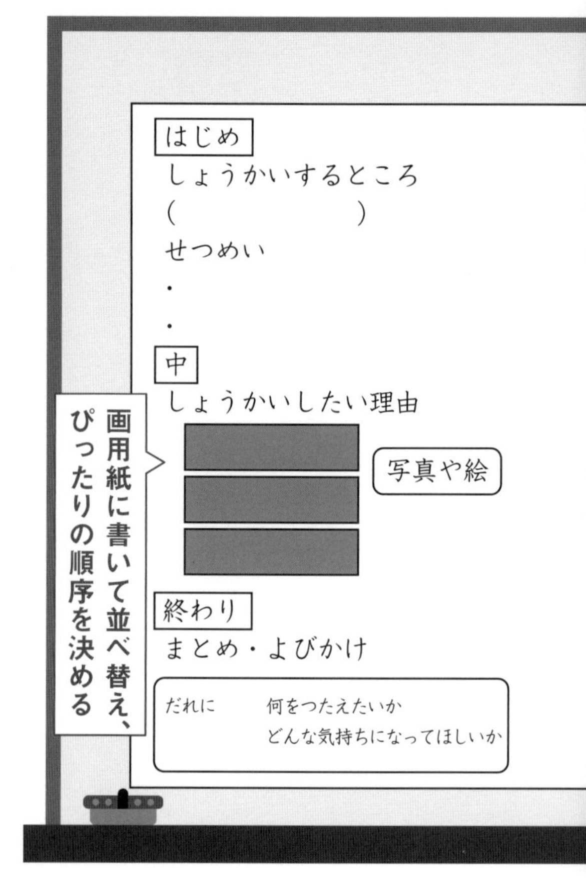

授業の流れ ▷▷▷

1 組み立てメモの作り方を確認する〈10分〉

T　今日は、組み立てメモを作ります。まずは、p.83の水野さんが書いた組み立てメモを読んでみましょう。どのような組み立てになっていますか。
・「はじめ」には、紹介するものと、その説明が書いてあります。説明には、場所や開催時間が書いてあります。
・「中」には、理由が書いてあります。
・写真をどこに載せるのかも書いてあります。
・「終わり」には、まとめや呼びかけとして、紹介したい場所について自分の考えが書いてあります。
T　メモなので、短い言葉で書きましょう。
・誰に何を伝えたいのか確かめてから、組み立てメモを作ろうと思います。

2 「中」の順序について考える〈15分〉

T　組み立てメモは、「はじめ」「中」「終わり」のまとまりに分けて書きます。「中」は、紹介したい理由を書くようにしましょう。「中」に書く紹介したい理由は、どのような順序にしたら分かりやすいでしょうか。p.52「食べ物のひみつを教えます」で学習したときのように考えてみましょう。
・知らせたい順がいいと思います。
・びっくりする順にしたいです。
・場所の順にしようと思います。
T　「中」に書くことを付箋に書き出して、並べ替えてみて、どのような順序がいいか決めましょう。
○教師が実際に黒板に画用紙で書いて、順序を決める方法を例示するとよい。

わたしの町のよいところ

1
しょうかいしたいところやその理由をはっきりさせて、組み立てを考えよう。

○水野さんの組み立てメモ

p.83
水野さんの組み立てメモ

・「はじめ」「中」「終わり」のまとまりに分ける
・「中」に書くことの順序(じゅんじょ)を考える

2
どんな順序(じゅんじょ)にしたら分かりやすいかな?

・知らせたい順(じゅん)
・びっくりする順(じゅん)
・場所の順(じゅん)

4 3
○自分で組み立てメモを作ってみよう。

紹介したいところに合った写真や絵を入れるようにする

3 組み立てメモを作る 〈50分〉

T　それでは、前の時間に作ったマッピング図を見て、組み立てメモを作りましょう。
・紹介したい理由を変えてもいいですか。
T　いいですよ。よく考えたから伝えたいことがはっきりとしたのですね。
・マッピング図に書いたことは、すべて組み立てメモに入れた方がいいですか。
T　読む人にとって分かりやすいか考えて、必要だと思うものを入れるといいですよ。
・今は、理由がたくさんあるから、一番伝えたい理由はどれか考えて、絞りたいです。

ICT 端末の活用ポイント

組み立てメモを文章作成ソフトで作る。「中」の順序について考える活動も端末で行い、共有することで、友達から意見や感想をもらう。

4 組み立てメモを見せ合うことで本時を振り返り、次時の見通しをもつ〈15分〉

T　書いた組み立てメモを見せ合いましょう。
・たくさん書いたマッピングの中から紹介したい理由を決めたのですね。
・同じ場所を選んでいても紹介したい理由が違うのがおもしろいなと思いました。
・「中」の順番を並べ替えて考えたことで、一番紹介したい理由がはっきりしました。
T　組み立てメモを書くとどんなところがよかったでしょうか。
・伝わりやすくなるように順序を意識できたところです。
・紹介したいところと理由を明確にして分かりやすくできました。
T　次の時間では、組み立てメモを基に紹介する文章を書きましょう。

本時案

わたしの町のよいところ

本時の目標

・伝えたいことが分かりやすくなっているか考え、段落の分け方や説明の仕方を工夫して書き表すことができる。

本時の主な評価

・紹介したい場所とその理由との関係を明確にして、紹介する文章を書いている。

資料等の準備

・しょうかいする文章を書くワークシート　11-03
・教師が作成した、紹介する文章の例 A・B　11-04
・教科書 p.83「水野さんの組み立てメモ」の拡大模造紙
・p.84「水野さんが書いた、しょうかいする文章」の拡大模造紙

2
○下書き
・p.165「言葉のたから箱」
・国語辞典
自分のつたえたいことに合う言葉をさがしながら書く。

3
○読み返してみよう。
・つたえたい相手やもくてきのことを考えているか
・読む人が分かりやすいように書けているか
・文字がまちがっていないか
○清書をしよう。

授業の流れ ▷▷▷

1 紹介する文章の書き方を確かめる 〈15分〉

T　組み立てメモを生かして、水野さんがどのように文章を書いたのか確かめましょう。
○組み立てメモが文章にどのように生かされているのか丁寧に確認することで、実際に書くときの参考になる。
T　紹介するときのポイントを考えましょう。
・題名が児童館のよさについて伝えたいことになっています。
・理由がいくつあるのか先に書いてあるから分かりやすいです。あと、「一つは」「もう一つの理由は」とあるので、どこに理由が書いているのかすぐに分かります。
・自分が体験したことや、調べたことが書いてあります。

2 組み立てメモを基に、紹介する文章を書く 〈30分〉

T　それでは、組み立てメモを参考にしながら下書きを書き始めましょう。紹介したい場所と理由が読む人に分かりやすいように文章を書きましょう。また、写真や絵を入れる場所や題名を考えましょう。教科書巻末 p.165「言葉のたから箱」や国語辞典を使って、自分の伝えたいことに合う言葉を探しながら書くといいですよ。
・組み立てメモと書く内容や順番が変わってもいいですか。
T　いいですよ。組み立てメモは参考にしますが、内容がより分かりやすくなるなら変えてもかまいません。

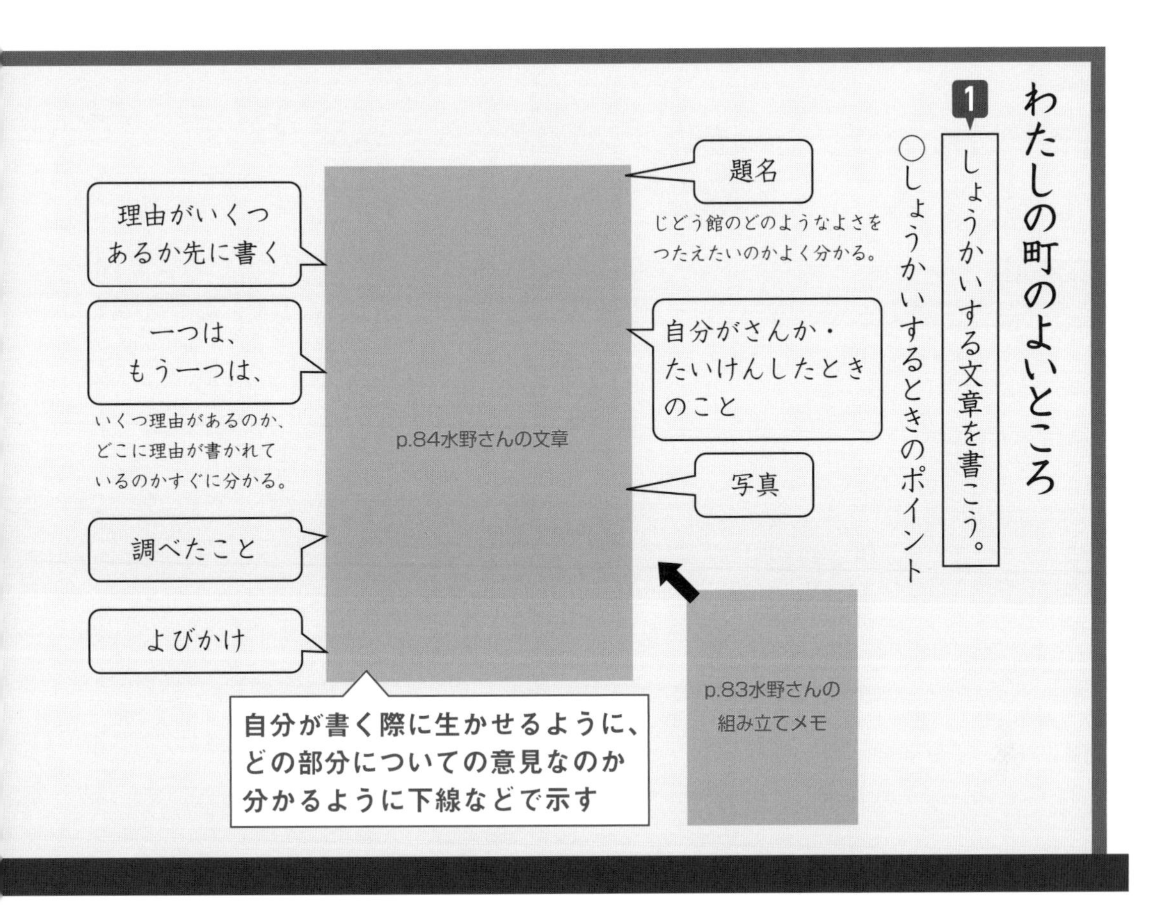

3 学習してきたことを踏まえて文章を読み返し、修正して清書する〈45分〉

T　どのようなことに気を付けて、文章を読み返したらいいでしょうか。

・相手や目的に合わせた書き方や理由になっているか。

・「中」の順序が分かりやすくなっているか。

・文や文字の間違いがないか。

T　読み返して修正した後、清書しましょう。

○文のねじれに気付くことが難しい場合には、小さく声に出して読み、書いたものを丁寧に読み返すように伝える。

T　次の時間は、書いたものを読み合い、感想を伝え合いましょう。

ICT 端末の活用ポイント

文章作成ソフトで文章を作成すると、自分で読み返したり、子供同士で共有したりしやすい。

よりよい授業へのステップアップ

比べながら考える

本時では、教科書の例文を使用しているが、教科書上巻「ポスターを読もう」の学習で比べながら考える経験をしているため、教師が例文を２つ用意し、それぞれの文章のよいところを見つける活動を取り入れるとよりよいだろう。例文を用意する際、同じ場所を紹介するが相手や目的が異なるものを作成するとよい。そうすることで、どのようなことを伝えたいのか、誰に伝えたいのか、そのためにどのような工夫ができるのかを考える意欲を高めたい。

本時案

わたしの町のよいところ

本時の目標

・進んで文章に対する感想や意見を伝え合い、自分の文章のよいところを見つけることができる。

本時の主な評価

❷書き方や内容についての感想やよりよくするための意見を伝え合い、自分の文章のよいところを見つけている。【思・判・表】
❸進んで感想や意見を伝え合い、自分の文章のよいところを見つけようとしている。【態度】

資料等の準備

・教科書 p.84「感想をつたえるときの言葉」の拡大コピー
・付箋

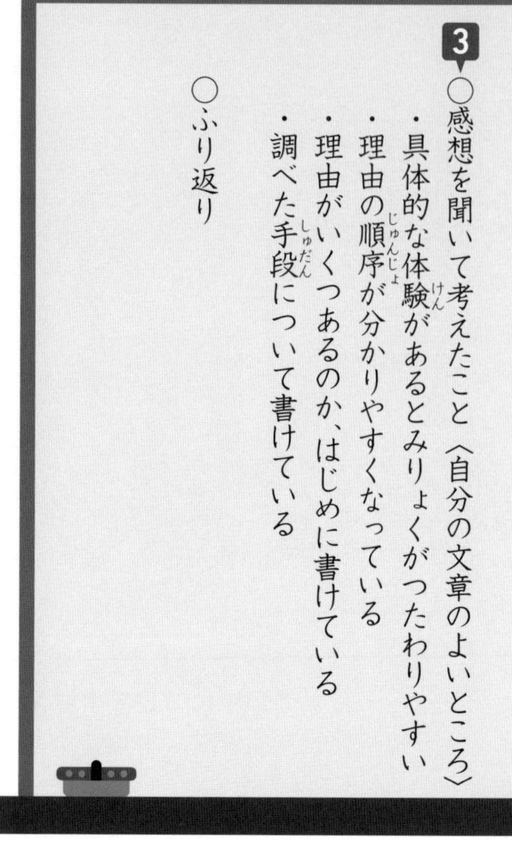

授業の流れ ▷▷▷

1 感想を伝え合うときの視点を確認する 〈20分〉

T　p.84「感想をつたえるときの言葉」を参考にして、水野さんの文章を基に感想を伝え合いましょう。
・どのようなイベントがあるのか、詳しく分かっていいと思いました（内容）。
・「中」に紹介したい理由が詳しく書いてあるので、児童館がいつでも楽しいことが伝わってきました（組み立て）。
・「理由は、二つあります」という書き方が、紹介したい理由がいくつあるのか示していて分かりやすいです（書き方）。
・陶芸教室での体験が具体的に書かれていたので、行きたくなりました（体験）。
・「新しい発見があります。」という言葉から、読む人が行きたくなると思いました（言葉）。

2 読み合い、感想を伝える〈45分〉

T　書いた人が誰に、どんな気持ちになってほしくて紹介する文章を書いたかを確かめてから、感想を伝え合いましょう。
○感想を伝える手段は、口頭か付箋に書く。付箋は形として残るので、自分の書いた文章のよさを、実感を伴って理解できる。それぞれの手段の特徴を考慮して、学級の実態に合わせて選択するとよい。
・見晴らし公園を紹介したい理由を、「たくさんある中で３つ紹介します。」という書き方が、見晴らし公園にはたくさんいいところがあるのだなと思えてよかったです。
・見晴らし公園でよく遊んでいる人に、楽しいところを具体的に聞いていたので、とても分かりやすいと思いました。

わたしの町のよいところ

1 書いた文章を読み合い、感想をつたえ合おう。

2 ○感想をつたえ合うときに大事なこと
・つたえようとしたことをたしかめる
・よい点や分かりやすいところ

◇ないよう
その場所のよいところがつたわってくるところ

◇組み立て
理由の順序がくふうされているところ

◇書き方
書き方のくふうで分かりやすいところ

◇写真や絵
写真や絵でくふうされているところ

感想をつたえるときの言葉
・——という書き方が、
・——が具体的に書かれていたので、
・——という言葉から、

3 学習を振り返り、学習したことや自分の文章のよいところをまとめる 〈25分〉

T　感想を聞いてどのように感じましたか。
・感想をもらって、自分の書き方のよいところが分かりました。
T　友達からもらった感想を基に、自分の文章のよいところを見つけましょう。
・体験したことを具体的に書けたところです。
・理由の順番を工夫できたところです。
・理由がいくつあるのか、はじめに書けたところです。
・調べたことについて、しっかりと「○○で調べました」と手段を伝えられたことです。
T　p.85「たいせつ」や「ふりかえろう」を基に、学習したことの振り返りを書きましょう。

よりよい授業へのステップアップ

学びを次に生かせるように

自分の文章のよいところを見つけることは、書くことへの自信を高める。

今回は、町のよいところを紹介する文章なので、地域の方や保護者の方に読んでもらうこともあるだろう。その際は、感想をもらえるようにすると、次の活動への意欲につながる。

本単元の学びを確かめた後には、子供が自分の言葉で学びを振り返ることができるようにする。言語化することで、子供自身が自らの学びを自覚化し、次に生かす言動力になるだろう。

資料

1 第2・3時 マッピングワークシート 11-01

わたしの町のよいところ

年 組 名前（ ）

○しょうかいするものについてくわしく書き出そう。

わたしの町

だれに

何をつたえたいか・どんな気持ちになってほしいか

2 第5・6時 組み立てメモワークシート 11-02

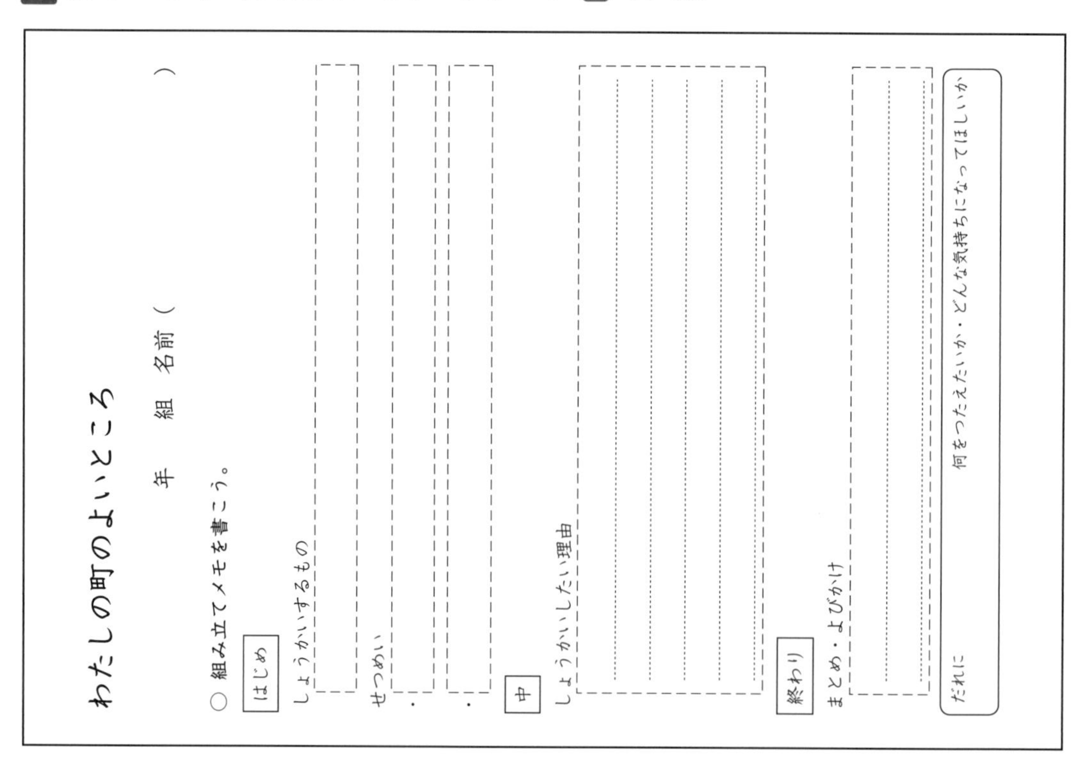
わたしの町のよいところ

年 組 名前（ ）

○組み立てメモを書こう。

はじめ

しょうかいするもの

せつめい

・

・

中

しょうかいしたい理由

終わり

まとめ・よびかけ

だれに

何をつたえたいか・どんな気持ちになってほしいか

3 第7・8時　下書き・清書ワークシート 11-03

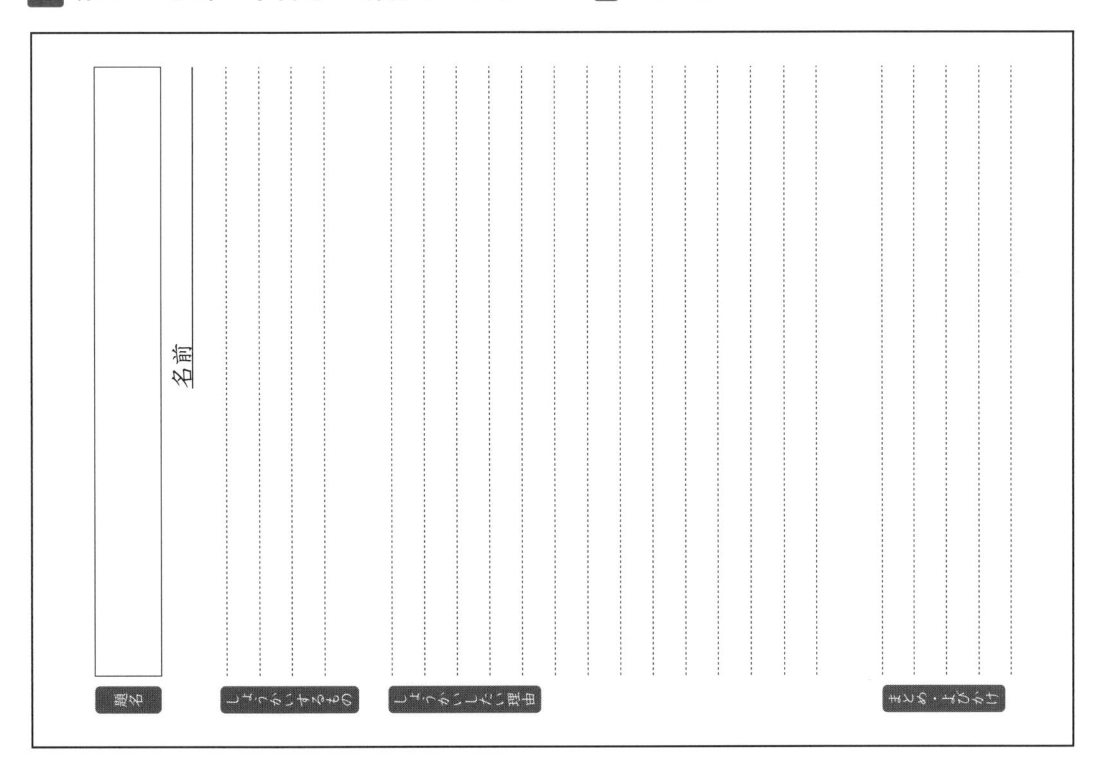

4 第7・8時　例文A・B 11-04

れい文A　みんなが楽しめる見晴らし公園

名前　れい文A

わたしがしょうかいしたいのは、見晴らし公園です。
見晴らし公園は、中学校のうらにある公園です。
この見晴らし公園をしょうかいしたい理由は、二つあります。
一つは、名前の通り、見晴らしがとてもいいからです。この公園の周りには、高いたて物がなくて、遠くまで見わたせます。わたしは、ここから見る景色が大すきです。この間行ったときには、川や丘、遠くからくる電車がよく見えました。お父さんもこの場所が好きで、ここからのけしきを見ると、気分が落ち着くそうです。市役所のホームページで調べてみると、この場所は、市の絶景百選にえらばれていると書かれていました。
もう一つの理由は、いろいろな遊具があるからです。その中でも、まるできょうりゅうのように大きいジャングルジムや、ぐらぐらするつり橋がおすすめです。けんこうになれる遊具もあって、大人も子どもも楽しめる場所になっています。
見晴らし公園は、みんなが楽しめる場所です。この場所のよさを多くの人に知ってもらいたいです。ぜひ行ってみてください。

想定：地域の大人の方に　この場所にいって景色や遊具をたのしんでもらいたい

れい文B　しぜんがいっぱい見晴らし公園

名前　れい文B

わたしがしょうかいしたいのは、見晴らし公園です。
見晴らし公園は、小学校から6分くらいのところにある公園です。
この見晴らし公園をしょうかいしたい理由は、二つあります。
一つは、たくさんの花があるからです。春にはさくら、つつじ、シロツメクサ、チューリップ、パンジー、夏には、ヒマワリやサルビアなどの花がさきます。ちいきの方がお世話をしていて、どのお花もいつも元気そうです。わたしの妹もこの場所が大すきで、お花をよく見に行っています。
もう一つの理由は、生き物がたくさんいるからです。わたしは、チョウ、バッタ、テントウムシを見たことがあります。同じクラスの田中さんは、秋にコオロギを見つけたと教えてくれました。公園の中にある池には、メダカやアメンボ、オタマジャクシもいます。きせつによって、見られる花や生き物がちがうので、どのきせつに行っても楽しむことができます。
見晴らし公園は、花や生き物にたくさんふれられる場所です。自然を感じたい人におすすめの場所です。まだ行ったことのない人は、行って楽しんでほしいです。

想定：低学年の子に　この場所に自然（花や生き物）を楽しんでほしい。

きせつの言葉４

冬のくらし （2時間扱い）

単元の目標

知識及び技能	・語句の量を増し、話や文章の中で使い、語彙を豊かにすることができる。((1)オ)
思考力、判断力、表現力等	・経験したことや想像したことなどから書くことを選び、伝えたいことを明確にすることができる。(B ア)
学びに向かう力、人間性等	・言葉がもつよさに気付くとともに、幅広く読書をし、国語を大切にして、思いや考えを伝え合おうとする。

評価規準

知識・技能	❶語句の量を増し、話や文章の中で使い、語彙を豊かにしている。(〔知識及び技能〕(1)オ)
思考・判断・表現	❷「書くこと」において、経験したことや想像したことなどから書くことを選び、伝えたいことを明確にしている。(〔思考力、判断力、表現力等〕B ア)
主体的に学習に取り組む態度	❸進んで身の回りの物事や経験したことの中から、冬に関する言葉を見つけ、学習の見通しをもって文章を書こうとしている。

単元の流れ

時	主な学習活動	評価
1	学習の見通しをもつ ・冬らしさを感じるものを出し合い、冬に関する言葉を増やす。 ・教科書 p.86–87「ゆき」の詩を声に出して読み、雪に関連する言葉を増やす。 ・冬が旬の野菜クイズをして、冬に関する言葉を増やす。 ・単元の学習課題を設定する。 ３年○組で、一さつの「オリジナル冬ブック」を作ろう。	❶
2	・「オリジナル冬ブック」の書き方を知り、冬を感じるものを文章に表す。 ・書いた文章を読み合う。 学習を振り返る ・新しく知った冬に関する言葉をノートに書き、学習を振り返る。	❷ ❸

授業づくりのポイント

〈単元で育てたい資質・能力〉

本単元では、暮らしの中にある冬を感じるものを出し合い、その言葉を用いて文章を作ることで、子供の語彙を豊かにすることがねらいである。冬というのは、子供たちにとって、楽しみなことが多い季節だろう。その冬に関する言葉をさらに広げるために、教科書で示されている言葉を取り上げながら、言語化したり文章化したりする。そうすることで、季節を感じる言葉を増やし、実感を伴った語彙の充実を図りたい。

〈教材・題材の特徴〉

教科書 p.86–87の川崎洋の「ゆき」の詩には、状態によって変化する様々な雪の名称が盛り込まれているのが特徴である。子供たちは、楽しみながらこの詩を読むと思われる。一方で、これまで聞いたことのない雪に関する言葉も多く含まれている。リズムよく読むだけではなく、その言葉の意味についても理解できるようにしたい。また、土の中で育つ冬の野菜も用いられており、子供からすると「にんじん」や「大根」が冬を感じるものとは考えにくいだろう。言葉に対する理解を広げるためにも、子供たちの「まさか」を大切にして、授業を展開していきたい。

[具体例]

○ p.86–87の「ゆき」の詩を読んだ後、「○○ゆき」はどのような雪だと思うか、子供たちに問いかけ、予想した上で言葉の意味を伝えることで、理解を深める。また、どのような雪なのかを書いた短冊を用意しておき、「○○ゆき」と短冊を結び付ける方法にしてもよい。

○土の中で育つ冬の野菜について扱う際には、「冬が旬の野菜クイズ」として提示し、興味を引く工夫をしたい。その野菜のシルエットを見せたり、一部分だけを見せて答えたりするなど、子供たちみんなが楽しめるようにする。

〈単元の流れの工夫〉

本単元の学習課題を「３年〇組で、一さつの『オリジナル冬ブック』を作ろう」とした。「春」「夏」「秋」と同じように作り溜めているので、子供たちは見通しをもって学習を進めることができる。前に書いたものをもう一度読み返し、季節を比べてみるのもおもしろい。見つけた冬を、ICT 端末を使って撮り溜めたり、教室の後方に冬探しコーナーの紙を貼って、自由に書き足せるようにしたりして、言葉を増やしていく。

[具体例]

○これまでの単元「きせつの言葉」で書き溜めてきた文章を用意しておき、本単元で書いたものと合わせることで、一冊の「オリジナル季節ブック」にしたり、学級の作品集にしたりすることが考えられる。

〈ICT の効果的な活用〉

記録：端末のカメラ機能を用いて、見つけた冬を写真に残して溜める。第１時と第２時の間を少し空け、冬を感じるものを見つける時間とする。学校で見つけたり、家庭に持ち帰って見つけたりするなど、様々な方法が考えられる。

本時案

冬のくらし

本時の目標

・冬に関する詩や事柄を基に、冬を感じる言葉を増やすことができる。

本時の主な評価

❶冬に関する語句の量を増し、話や文章の中で使い、語彙を豊かにしている。【知・技】

資料等の準備

・教科書 p.86–87の「ゆき」の詩を書いた紙
・教科書 p.87の野菜の絵のコピー（シルエットにしてもよい）
・「オリジナル冬ブック」を作るまでの手順を書いた模造紙 12–01

4

三年〇組で、一さつの「オリジナル冬ブック」を作ろう。

「オリジナル冬ブック」を作るまで
①学校や家などで見つける
②見つけた冬を記ろくする（教室後ろの紙やタブレットで）
③みじかい文でまとめる（いつ・どこで・思ったことなど）

模造紙などに書いておく

授業の流れ ▷▷▷

1 冬を感じるものを出し合い、冬に関する言葉を増やす〈10分〉

T　冬らしさを感じる言葉をみんなで出し合いましょう。
・「クリスマス」「サンタクロース」。
・「雪だるま」「雪」もあると思います。
・「雪合戦」という言葉もあります。
・「こたつ」も冬らしい言葉だと思います。
〇各自が思う冬を感じる言葉を自由に出していく。
T　今日は、冬を感じる言葉をさらに増やしましょう。

ICT 端末の活用ポイント

出てきた冬の言葉の中で、子供たちがイメージできないものがあったら、ICT 端末を用意し、すぐに写真などを見せられるようにしておく。

2 「ゆき」の詩を読み、「雪」に関連する言葉を増やす〈15分〉

T　p.86–87「ゆき」の詩を読みましょう。どんな雪の言葉が出てきましたか。
・「はつゆき」という言葉が出てきました。
・「こなゆき」という言葉が出てきました。
・「どかゆき」という言葉が出てきました。
T　「〇〇ゆき」とは、どんな雪でしょうか。
・「はつゆき」は、初めて降る雪だと思います。
・「こなゆき」は、粉のように降る雪だと思います。
・「どかゆき」は、たくさん雪が降ることだと思います。
〇それぞれ、どのような雪なのかを考える。または、どのような雪なのか書いた短冊を用意し、結び付けていく。
T　雪に関係する言葉が増えましたね。

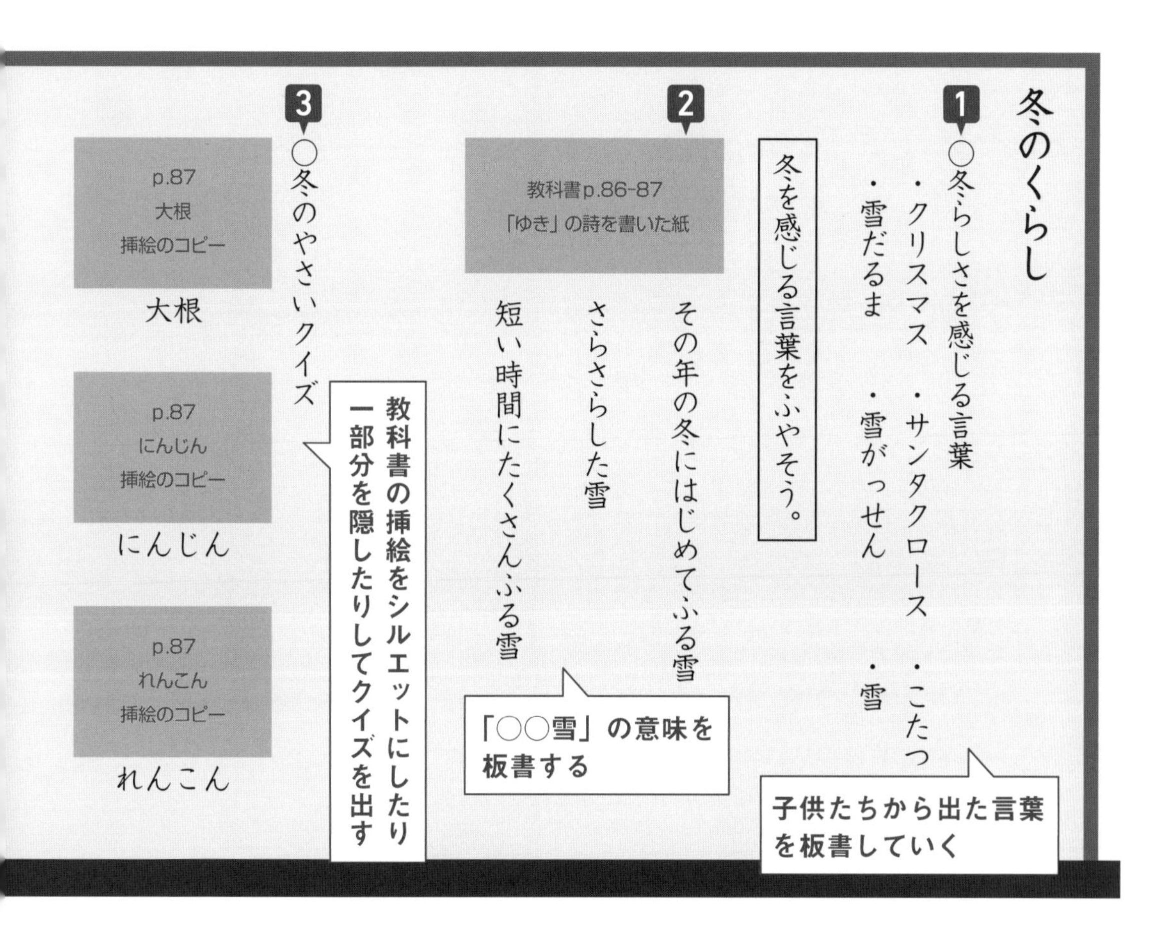

3 冬の野菜クイズをして、冬の食べ物の言葉を増やす 〈10分〉

T　冬や旬の野菜クイズを出します。この絵の野菜は何でしょう。
・「大根」だと思います。
T　大根を使った料理を知っていますか。
・おでんや豚汁があります。
○ p.87に出てくる野菜をクイズにして出す。野菜の絵（写真）をシルエットにしたり、一部分だけ見せたりして、子供たちみんなで楽しめるようにする。
T　冬は土の中で育つ野菜がおいしいと言われています。他にも、冬が旬の食べ物はありますか。
・白菜と里いもです。
・みかんがあります。
T　冬の食べ物の言葉が増えましたね。

4 単元の学習課題を知る 〈10分〉

T　これから、冬を感じる言葉をさらに探して、みんなで「オリジナル冬ブック」を作りましょう。
○単元の学習課題を設定する。探し方や文章でまとめるときのポイントを簡単に示す。
T　次の時間に「オリジナル冬ブック」を作るために、冬の言葉をたくさん見つけておきましょう。
・冬の野菜をもっと見つけたいです。
・クリスマスのときに使う言葉を見つけたいです。

ICT 端末の活用ポイント

端末のカメラ機能を用いて、見つけた冬を写真に撮り溜める。必要に応じて家庭に持ち帰るようにしてもよい。

本時案

冬のくらし

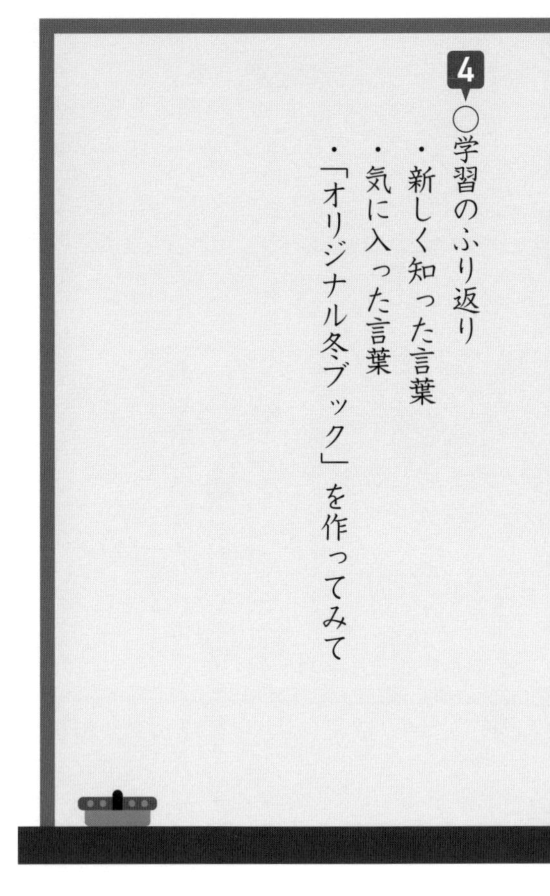

本時の目標

・冬に関する言葉を、経験や想像したことから選び、自分の伝えたいことを明確にすることができる。

本時の主な評価

❷経験したことや想像したことなどから、冬を感じる言葉を選び、伝えたいことを明確にしている。【思・判・表】

❸進んで身の回りや経験したことの中から、冬に関する言葉を見つけ、学習課題に沿って文章を書こうとしている。【態度】

資料等の準備

・教科書 p.86右下の文章例拡大コピー

・「オリジナル冬ブック」を書くための用紙 12-02

授業の流れ ▷▷▷

1 見つけた冬の言葉をグループで伝え合う 〈5分〉

T　見つけた冬の言葉をグループで発表しましょう。

・クリスマスツリーを見つけました。

・昨日、家で、白菜の入った鍋を食べました。

・木枯らしも冬の言葉だと思います。

○見つけた冬の言葉をグループで発表する。その際、聞く側の子供は、簡単な質問や感想（いつ見つけたのかなど）を伝えるようにする。

T　上手にグループで伝え合うことができました。では、実際に書いていきましょう。

2 「オリジナル冬ブック」の書き方を知り、実際に書く 〈27分〉

T　「オリジナル冬ブック」の書き方を説明します。

○ p.86の文章を参考にしながら、説明する。「いつ」「どこで」「何を」「どうした」「思ったこと」「感じたこと」など、文章を書く際の要点を確認する。

T　今から用紙を渡すので、文章と絵（写真）でかいてみましょう。

・昨日、家で、白菜の入った鍋を食べました。とてもおいしかったです。

・一昨日、木枯らしが吹きました。冬になってきたことを感じました。

○各自が見つけた冬の言葉を使って、文章や絵（写真を印刷してもよい）で書き表す。

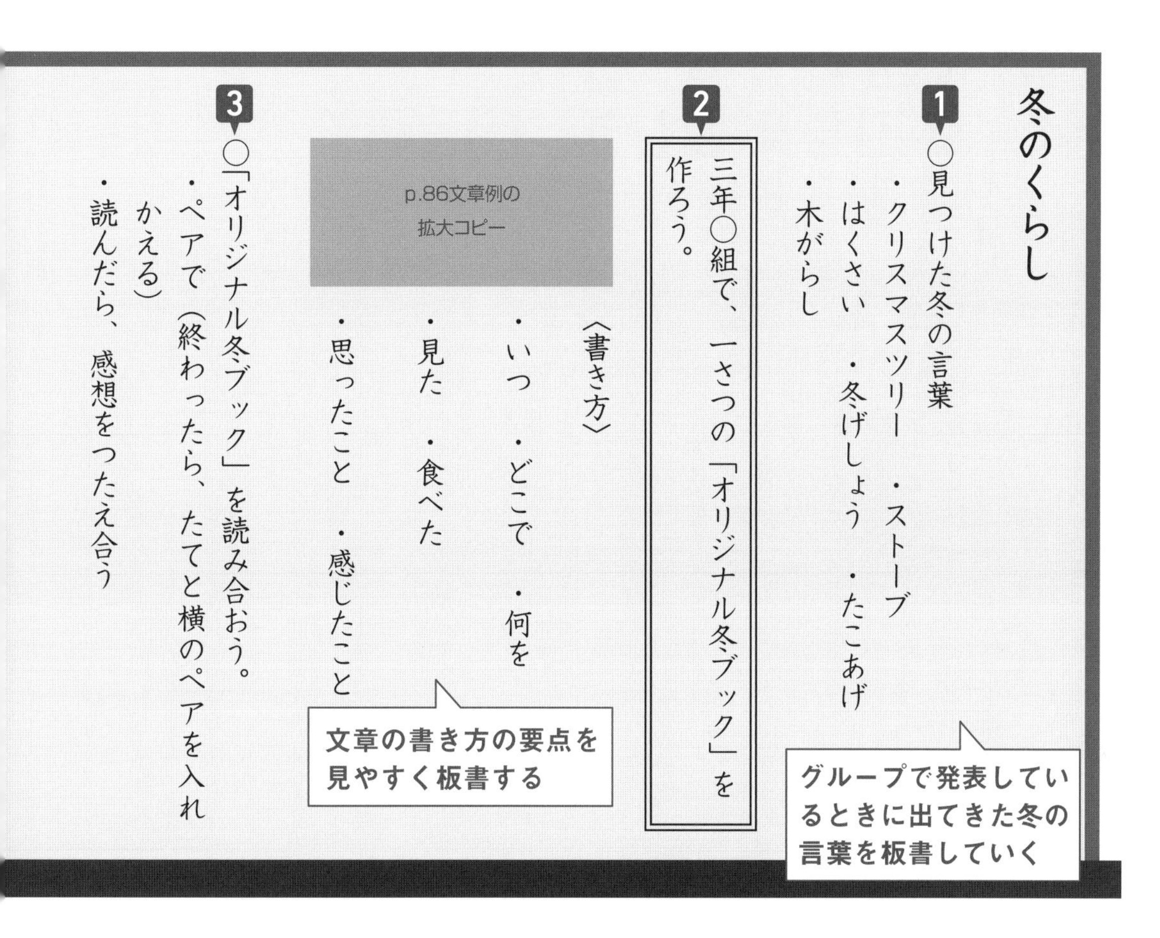

3 交換して読み合う 〈8分〉

T　ペアで読み合い、感想を伝えましょう。
・クリスマスツリーのときに使う言葉がたくさん見つかりました。
・凧あげがとても楽しそうでした。
○ペアで、完成した「オリジナル冬ブック」を交換してお互いに読み合い、感想を伝え合う。
T　みんなの前で発表してくれる人はいますか。
・今日の朝、家でストーブを点けました。部屋の中が暖かくなりました。
○時間によって、全体で発表する時間を取ってもよい。

4 学習を振り返る 〈5分〉

T　これまでの学習を振り返り、新しく知った冬の言葉や、気に入った冬の言葉、「オリジナル冬ブック」を作ってみての感想などをノートに書きましょう。
・木枯らしという言葉を初めて知りました。
・○○さんが書いていた冬化粧という言葉が気に入りました。
・冬の言葉をさらにたくさん知ることができました。
○完成したものをまとめて綴じ込み、「オリジナル冬ブック」として教室に置き、いつでも子供が見られるようにする。また、これまで作ってきた季節ごとの「オリジナル○ブック」を一人一人まとめてもよい。

詩の楽しみ方を見つけよう

詩のくふうを楽しもう　（4時間扱い）

単元の目標

知識及び技能	・文章全体の構成や内容の大体を意識しながら音読することができる。((1)ク)
思考力、判断力、表現力等	・文章に対する感想や意見を伝え合い、自分の文章のよいところを見つけることができる。(B オ) ・文章を読んで理解したことに基づいて、感想や考えをもつことができる。(C オ)
学びに向かう力、人間性等	・言葉がもつよさに気付くとともに、幅広く読書をし、国語を大切にして、思いや考えを伝え合おうとする。

評価規準

知識・技能	❶文章全体の構成や内容の大体を意識しながら音読している。(〔知識及び技能〕(1)ク)
思考・判断・表現	❷「書くこと」において、文章に対する感想や意見を伝え合い、自分の文章のよいところを見つけている。(〔思考力、判断力、表現力等〕B オ) ❸「読むこと」において、文章を読んで理解したことに基づいて、感想や考えをもっている。(〔思考力、判断力、表現力等〕C オ)
主体的に学習に取り組む態度	❹進んで文章全体の構成や内容の大体を意識しながら音読したり、学習課題に沿って詩を創作したりして、紹介しようとしている。

単元の流れ

次	時	主な学習活動	評価
一	1	教科書の詩を音読し、詩の工夫を見つける活動を通して、様々な詩から自分のお気に入りの工夫を見つけるという学習の見通しをもつ。	❶
	2	教科書の詩や、これまでに学習してきた詩を読み、自分がおもしろいと思う工夫を見つける。	❸
二	3	見つけた詩の工夫を用いて、オリジナルの詩を書く。	
	4	・自分が参考にした詩や作った詩を友達と読み合い、感想を伝え合う。 ・学習を通して、学んだことや見つけた工夫、感じたことを振り返る。	❷❹

授業づくりのポイント

〈教材・題材の特徴〉

６月に俳句、11月に短歌の学習を経て本単元に入る。俳句は五・七・五の17音と季語、短歌は五・七・五・七・七の31音から構成される形式であることを知り、音読を繰り返すことで情景や出来事を思い浮かべたり、言葉の響きやリズムのよさを感じたりする学習を既に行っている。今回取り扱う詩の学習では、俳句や短歌のような決まった形式やリズムとは全く異なる、自由な作品と出合う。その自由な表現の中から内容や情景を想像したり、詩人が凝らした表現の工夫を見つけたりすることで、自分なりの解釈の幅を広げ、より詩に親しむことのできる教材である。

また、それぞれ特徴のある詩なので、「何かが隠れている詩」「声に出して読む詩」「見て楽しむ詩」のように、詩の説明を省略したり題名を隠して音読したりするなどの工夫を加えることで、子供が自分たちで詩の工夫やおもしろさを見つけたいと思うような、期待のもてる導入も行うことができるだろう。

〈単元で育てたい資質・能力〉

本単元のねらいは、詩の工夫を楽しむことである。詩は、それぞれに工夫が凝らされている。子供たちがその工夫に気付けるように様々な詩に出合わせたり、文章全体の構成や内容の大体を意識しながら音読したりして、詩のおもしろさにふれられるようにする。

また、子供が自分で見つけた詩の工夫やおもしろさを生かしながら詩を作ったり、作った詩について感想や意見を伝え合ったりして、自分の詩のよいところや自分なりの詩の楽しみ方を見つけられるようにしたい。

〈言語活動の工夫〉

これまでに読んだことのある俳句や短歌、詩をもう一度取り扱い、形式の違いやリズム、内容や情景を振り返る。その学習を生かしながら、詩のおもしろさや工夫から気に入ったものを使い、詩を書く活動を設定する。

また、詩を読む時間や工夫を見つける時間、友達の詩を読んで感じたことや想像したことなどの意見交換をする時間を十分に確保し、より詩に親しめるようにする。

［具体例］

○６つの詩以外に、今までに学習した俳句や短歌、詩「はながさいた」「みんみん」「雨のうた」「ことばあそびをしよう」「やま」「ゆき」「ねこのこ」「おとのはなびら」「はんたいことば」（２年上下）や「どきん」「わたしと小鳥とすずと」「夕日がせなかをおしてくる」（３年上）などを提示し、作品に十分ふれたい。また、言葉の扱い方や配置、リズムなどの工夫を振り返り、本単元の学習につなげる。

○詩を読んだ感想や書いた詩の工夫を伝える際は、「同じ言葉を何度も使っていておもしろい」など、自分の考えを具体的に書き、伝えられるようにする。

○見つけた詩の工夫や作った詩を交流する際は、グループ活動や全体での共有など、様々な活動を取り入れ、多くの考えにふれられるようにする。

〈ICT の効果的な活用〉

共有：端末の共有アプリやカメラ機能などを用いて、子供が学習に使用したワークシート等を取りまとめ、クラスで交流、共有する際に生かしていく。

本時案

詩のくふうを楽しもう

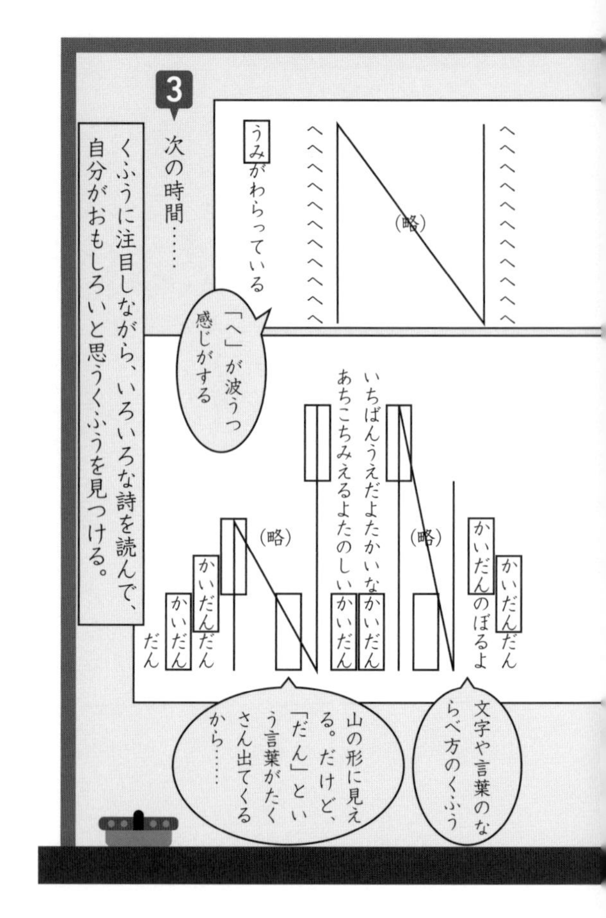

本時の目標

・詩の構成や内容の大体を意識しながら様々な詩を音読し、詩の工夫を見つけるという見通しをもつことができる。

本時の主な評価

❶詩の構成や内容の大体を意識しながら音読している。【知・技】

資料等の準備

・今までに学習した俳句、短歌、詩を拡大コピー
・教科書 p.88–90の詩の拡大コピー
・それぞれの詩の題名を記入した短冊

授業の流れ ▷▷▷

1 既習の俳句、短歌、詩から学習したことを振り返る 〈10分〉

○俳句、短歌、詩を拡大したものを掲示する。
〈例〉(1)古池や蛙飛びこむ水の音
(2)秋来ぬと目にはさやかにみえねども風の音にぞおどろかれぬる
(3)わたしと小鳥とすずと

T (1)(2)の俳句と短歌にはどんな特徴がありましたか。
・五・七・五の17音で、季語がありました。
・五・七・五・七・七の31音です。

T (3)の詩は俳句、短歌と比べてどんな違いがありますか。
・（文字数）形式に決まりがないです。
・思ったことを自由に書いています。

T 今日はいろいろな詩を音読しながら、たくさんの工夫を見つけましょう。

2 音読をすることを通して、詩のおもしろさにふれる 〈25分〉

T 2つの詩には何かが隠れています。音読しながら見つけましょう（「かたつむり」「ことばだいすき」の詩を示す）。
○頭文字と内容とのつながりのある工夫がなされていることに、気付けるようにする。

T 4つの詩の題名は何でしょうか（「あした」「たいこ」「なみ」「かいだん」の詩を示す）。
○気になる言葉には線や印を付け、言葉のリズム、おもしろさなどに気付けるようにする。
・「あした」か「あたし」だと思います。
・「ど」と「ん」がたくさん使われているので、「どん」だと思います。
・山に似ているので「やま」だと思います。
○発言がある程度出たら、題名を掲示し、おもしろさや工夫を押さえる。

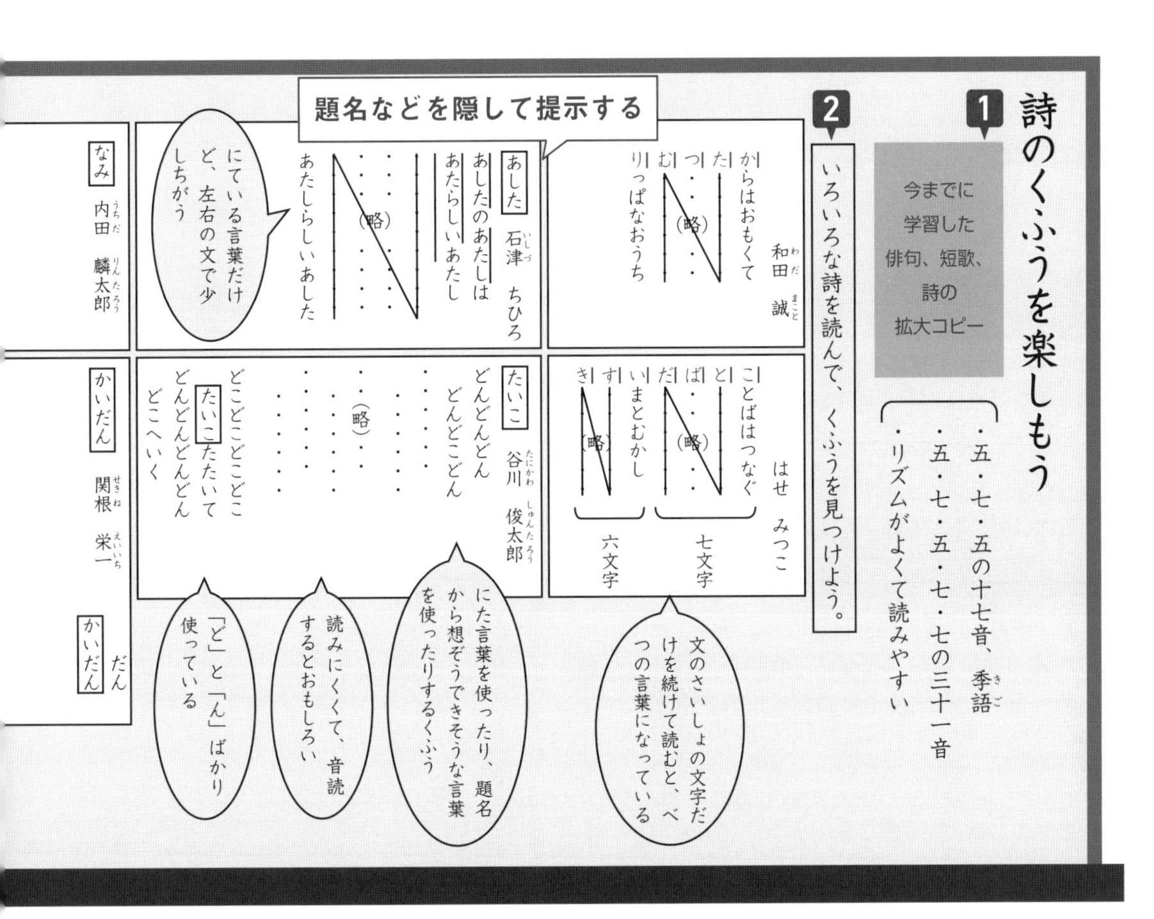

3 詩の工夫を振り返り、次時への見通しをもつ 〈10分〉

T　6つの詩の中で、気に入ったところはありましたか。
・はじめの行に題名が隠れているところです。
・同じ言葉だけで詩を書いているのがおもしろかったです。
T　気に入ったことやおもしろさが伝わるように音読してみましょう。
T　次の時間は、今日見つけたような詩の工夫に注目しながらいろいろな詩を読んで、自分がおもしろいと思う工夫を見つけましょう。

ICT 端末の活用ポイント

文章作成ソフトを用いて、気に入った詩を記録したり、メモしたりすることで、オリジナルの詩を書いたりする際にそのまま工夫を生かすことができる。

よりよい授業へのステップアップ

詩の掲示の工夫

詩の説明を省いたり、題名をあえて隠して掲示したりして、子供が自ら詩の工夫やおもしろさを見つけたくなるような掲示の工夫をしたい。

また、見つけた詩の工夫を、似た工夫ごとに色分けしてまとめることや、「最初の文字工夫」「似た言葉工夫」「形工夫」などの名前を付け、より詩の工夫を意識できるとよい。

題名や見つけた工夫などから、どのような音読が詩にふさわしいかを考え、構成や内容の大体を意識しながら音読させたい。

本時案

詩のくふうを楽しもう

本時の目標

・前時で見つけた詩の工夫を意識しながら、様々な詩を読み、自分がおもしろいと思う工夫を見つけることができる。

本時の主な評価

❸様々な詩を読み、自分の気に入った工夫を見つけている。【思・判・表】

資料等の準備

・教師が用意した詩のコピーまたは、テキストデータ（教科書 p.88–90や、教科書 1 年上 p.24「あさのおひさま」p.96「いちねんせいのうた」教科書 2 年上 p.136「雨のうた」p.136「ことばあそびをしよう」教科書 2 年下 p.82「ねこのこ」「おとのはなびら」「はんたいことば」教科書 3 年上 p.16「どきん」）

・ワークシート 1 13–01

自分が思った名前を

○見つけたくふうの名前

ねこの音

○なぜその詩がおもしろいと思ったのですか。

・「ごろごろ」や「にゃん」など、ねこだと分かる言葉がたくさんあっておもしろかった。

3 次の時間……

今までに見つけたくふうを生かして、オリジナルの詩を作ろう。

授業の流れ ▷▷▷

1 前時に見つけた詩の工夫を振り返る 〈5 分〉

T　前回の授業で見つけた詩の工夫には、どんなものがありましたか。

・一つ一つの行の最初の字に題名が隠れています。

・同じ言葉をたくさん使っています。

・似た言葉を使っています。

T　今日も工夫を意識しながら、いろいろな詩を読みましょう。

○詩への親しみやすさや工夫を探すことに意識を向けられるよう、既習の詩を扱う。

ICT 端末の活用ポイント

詩のテキストデータを配付することで、データに直接書き込むことができ、記録が簡単になる。

2 自分がおもしろいと思う工夫を見つける 〈35分〉

T　いろいろな詩の中から、自分がおもしろいと思う工夫を見つけましょう。次の時間に、見つけた工夫を生かして詩を作ります。そのために、今日は気に入った詩を視写して、その後に、おもしろいと思った工夫に名前を付け、選んだ理由も書きましょう。

○詩や工夫が見つけられない子供がいると予想されるため、友達の考えを見て回り、相談できる時間を設ける。

○必ず何かを参考にする訳ではなく、工夫がオリジナル発でも許容する。

ICT 端末の活用ポイント

言葉の響きやリズムなどの工夫をより感じるために、録音機能を使って音読した声を記録し、繰り返し聞く。

付けてよい

2 ワークシートの拡大を掲示

詩のくふうを楽しもう

いろいろな詩を読んで、自分がおもしろいと思うくふうを見つけよう。

1
○見つけた詩のくふう
・一つ一つの行のはじめの字に題名がかくれている
・同じ言葉をたくさん使っている
・にた言葉を使っている

詩のくふうを楽しもう　ワークシート1

三年　組　名前（　　）

○おもしろいくふうだと思った詩を写しましょう。

題名（ねこのこ）
作者（おおくぼ　ていこ）

あくび　ゆうゆう
あまえて　ごろごろ・・・

おもしろいと思った理由の根拠となるように、言葉に印などを付けてもよい

3 本時の学習を振り返り、次時の見通しをもつ　〈5分〉

T　たくさんの詩を読んで、自分がおもしろいと思う工夫を見つけることができましたね。次の時間は、今日見つけた工夫を生かして、オリジナルの詩を作りましょう。

・今日は2年生で勉強した「ねこのこ」を読みました。2年生のときには気付かなかったけれど、「ごろごろ」や「にゃん」など、ねこだと分かる言葉がたくさん使われていました。私はこの工夫に、「ねこの音」という名前を付けました。

・私は、2年生で習った、「雨のうた」の、三・五・五の音と同じ言葉の繰り返しが、雨の様子を表す工夫を参考にします。「リズムでひょうげん」と名前を付けて、この工夫を使って、電車が走る様子の詩を作りたいです。

ICT等活用アイデア

情報共有で支援する

詩のテキストデータを作成し、子供に配付することで、データに直接書き込むことができたり、簡単に共有アプリへ転送できたりする。

共有アプリは常にテレビやプロジェクター、ICT機器等で表示しておき、子供たちから送られてくる最新のものを全員が確認できるようにしておく。そうすることで、工夫が見つけられない子供への支援となる。

また、文だけでなく、音声からもヒントが得られるようにしておく。

本時案

詩のくふうを楽しもう

本時の目標

・前時までに見つけてきた詩の工夫の中で、気に入ったものを用いて、オリジナルの詩を作ることができる。

本時の主な評価

・見つけた詩の工夫のよさを、理由をもって自分なりの工夫として活用し、詩を作っている。

資料等の準備

・ワークシート2 13-02

○くふうの名前

さいしょのことば

○そのくふうを使った理由

さいしょの言葉と、それにつながる詩を考えるのが楽しかったからです。

3 次の時間……

自分がさんこうにした詩やオリジナルの詩を友だちにしょうかいしよう。

授業の流れ

1 これまでに見つけた詩の工夫を振り返る〈5分〉

T　どんな工夫がありましたか。

・行の最初の言葉だけを続けて読むと、題名になっていました（「ことばだいすき」「かたつむり」「ことばあそびをしよう」）。

　工夫の名前（例）「最初の言葉」「頭の文」

・似た言葉を使っていました（「あした」「みんみん」）。

　工夫の名前（例）「いろんな読み方・似てる言葉」

・音を使った詩になっていました（「たいこ」「雨のうた」「ねこのこ」「おとのはなびら」「どきん」）。

　工夫の名前（例）「たいこの音」「ねこの音」

T　今日は、これらの詩の工夫を使って、自分だけのオリジナルの詩を作ります。

2 工夫を使って、詩を作る〈35分〉

T　自分が作った詩をワークシート2に書きましょう。参考にした詩、工夫の名前、その工夫を使った理由も書いておきましょう。

○①どの詩を参考にするか（工夫）

②なぜそれを使いたいのか（理由）

③工夫を自分なりに活用する方法を考える（オリジナリティ）

④詩を書く

の順に活動し、イメージをもって取り組めるようにする。

○詩を作ることが難しい子供は、使ってみたいもの（生き物、食べ物、楽器など）を考え、そこから工夫できそうなこと（鳴き声、食べる工程、音、見た目など）を見つけられるよう、創作のための支援を行う。

詩のくふうを楽しもう

1 今までに見つけたくふうを使って、オリジナルの詩を作ろう。

2 ○見つけた詩のくふう
・一つ一つの行のはじめの字に題名がかくれている「さいしょの言葉・頭の文・一文字目」
・にた言葉を使っている「いろんな読み方・にてる言葉」
・音を使った詩になっている「たいこの音・ねこの音」

ワークシートの拡大を掲示する

詩のくふうを楽しもう　ワークシート2

三年　組　名前（　　　）

○これまでに見つけた詩のくふう使って、オリジナルの詩を作ろう。

さんこうにした詩（かたつむり・ことばだいすき）

ながいあいだ
つちのなかですごし
のしのしのしとそとにでる
おおきなきのうえで
おおごえをだす
ぞくぞく
らんらん
へへへへ
わくわく
たくさんのきもちを
しあわせなきもちを
はためかせる
せかいへとどけ
みんみんみん

自由に詩を作れるように、罫線などは入れない

題名はなくてもよい

3 本時の学習を振り返り、次時の見通しをもつ〈5分〉

T　今日は、これまでに見つけてきた詩の工夫を使って、自分だけのオリジナルの詩を作りました。次の時間に自分が参考にした詩やオリジナルの詩を友達に紹介しましょう。

○ワークシートを基に、
①参考にした詩
②自分の作った詩の題名（なくてもよい）
③詩の発表
④工夫の名前
⑤工夫を使った理由
など、順を追って発表すればよいことを伝え、安心して取り組めるようにする。

よりよい授業へのステップアップ

詩の工夫を生かす

「詩を作る」という目標をもって学習に取り組むと、どうしても子供は詩の完成に目が行きがちになる。今回のポイントは、「見つけた詩の工夫のよさを、理由をもって自分なりの工夫として活用すること」であるため、参考にしたい詩の工夫を十分に味わうことや、なぜそれを用いたいのか理由をもって詩を考えることに時間を使いたい。

また、自分の考えに自信をもったり、新たな考えに出合えたりするように、友達と考えを話し合う活動を設けるとよい。

本時案

詩のくふうを楽しもう

本時の目標

・自分が作った詩や参考にした詩を友達と紹介し合い、詩の工夫やよいところを見つけることができる。

本時の主な評価

❷詩に対する感想を伝え合い、詩の工夫やよいところを見つけている。【思・判・表】

❹自分が作った詩や参考にした詩を友達に紹介しようとしている。【態度】

資料等の準備

・前時にまとめたワークシート２
・カメラ機能で記録したデータ
・ワークシート３ 13-03

全体のまとめのときに出た感想を書く

・たくさんのくふうがあることが分かった
・次に詩の学習をするときは、くふうや題名などを考えながら読みたいと思った

授業の流れ ▷▷▷

1 本時の見通しをもつ 〈５分〉

T 今日は、自分で作ったオリジナルの詩を友達と紹介し合うことで、自分の詩のよいところを見つけましょう。
・みんなどんな詩を書いたのだろう。
・発表するのにもう一度プリントを見直そう。
〇交流する際は、詩に付けた題名や参考にした詩、自分の詩のよいところも合わせて発表し、詩を作るときに工夫したことが伝わるように促す。

ICT 端末の活用ポイント

作った詩やワークシートを共有アプリで確認できるようにしておくと、学級全体に共有することができ、いろいろな感想がもらえる。

2 詩を紹介し合う 〈30分〉

T それでは、グループ内で順番を決めて発表しましょう。
〇グループで順番に発表し、発表ごとにワークシート３へ感想を書く時間を設ける。
（４～５人で構成し、１人３分、感想３分の合計６分）
・私は、「ことばだいすき」のように、「かぶとむし」と文章の最初に題名を入れてみました。
・似た言葉がたくさん使われていて、それを探しながら読むのが楽しかったし、おもしろい工夫だなと思いました。
・「ひらひら」「にょろにょろ」のような言葉が詩を楽しくしているなと思いました。

詩のくふうを楽しもう

1 自分がさんこうにした詩やオリジナルの詩を友だちにしょうかいしよう。

2 〈活動の進め方〉
※前の時間に使ったワークシートをさん考にする。
①グループで一人ずつ発表する
②オリジナルの詩、さんこうにした詩、くふうの名前、そのくふうを使った理由、自分の詩のよいところをつたえる
③感想をワークシートに書く

前回のワークシートを参考にする

3 ○詩の学習をした感想（友だちの発表を聞いて思ったこと・詩の学習から学んだこと・楽しかったことなど）
・自分が見つけたくふうを、すごいねとほめてもらえてうれしかった

3 全体で学習を振り返る 〈10分〉

○振り返りはワークシートに書き、それを発表する。

T 詩の学習をして、学んだことや感じたことは何ですか。
・自分が見つけた工夫を、すごいねと褒めてもらえてうれしかったです。
・たくさんの工夫があることが分かりました。
・次に詩の学習をするときは、工夫や題名などを考えながら読みたいと思いました。
・見つけた工夫を、自分なりに活用してオリジナルにできていると褒めてもらえました。

よりよい授業へのステップアップ

発表の仕方、感想や作品の取り扱い方

発表の方法は、「詩の工夫や工夫の名前」を伏せて詩だけ発表し、聞き手が工夫を考えたくなるクイズ形式の発表の方法も考えられる。

友達への感想や振り返りは、ワークシートに書いて、記録として残せるようにする。また、友達に短冊に書いてもらった感想を渡し、自分の考えと友達の考えを比べながら読み返すことができるようにする。

作った詩を子供全員が読めるように、廊下や教室に掲示したり、まとめたものを配付したりする。

資料

1 第2時　ワークシート1　13-01

詩のくふうを楽しもう　ワークシート1

三年　組　名前（　　　　）

○おもしろいくふうだと思った詩を写しましょう。

題名（　　　　）

作者（　　　　）

○見つけたくふうの名前

○なぜその詩がおもしろいと思ったのですか。

2 第3時　ワークシート2　13-02

詩のくふうを楽しもう　ワークシート2

三年　組　名前（　　　　）

○これまでに見つけた詩のくふう使って、オリジナルの詩を作ろう。

さんこうにした詩（　　　　）

題名（　　　　）

○くふうの名前

○そのくふうを使った理由

詩のくふうを楽しもう　ワークシート3

３年　　組　名前〔　　　　　　　　　　　　〕〔　　　　　〕グループ

じゅん番	発表した友だちの名前	友だちの発表を聞いた感想
①		
②		
③		
④		
⑤		

○ 友だちの発表を聞いて思ったこと・詩の学習から学んだこと・楽しかったことなどを書きましょう。

書くときに使おう

四まいの絵を使って （2時間扱い）

単元の目標

知識及び技能	・段落の役割について理解することができる。((1)カ)
思考力、判断力、表現力等	・書く内容の中心を明確にし、内容のまとまりで段落を作ったり、段落相互の関係に注意したりして、文章の構成を考えることができる。(B イ)
学びに向かう力、人間性等	・言葉がもつよさに気付くとともに、幅広く読書をし、国語を大切にして、思いや考えを伝え合おうとする。

評価規準

知識・技能	❶段落の役割について理解している。(〔知識及び技能〕(1)カ)
思考・判断・表現	❷「書くこと」において、書く内容の中心を明確にし、内容のまとまりで段落を作ったり、段落相互の関係に注意したりして、文章の構成を考えている。(〔思考力、判断力、表現力等〕B イ)
主体的に学習に取り組む態度	❸書く内容の中心を明確にし、文章の構成を考えることに粘り強く取り組み、学習課題に沿って物語の流れを書こうとしている。

単元の流れ

時	主な学習活動	評価
1	学習の見通しをもつ ・「始まり」「出来事（じけん）」「かいけつ」「むすび」という組み立てを知る。 ・「三年とうげ」の組み立てを確かめる。 ・教科書 p.93の絵について想像したことを簡単にメモする。 ・１つの物語になるように、４枚の絵を並べ替える。 ・おおまかな物話の流れをメモする。	❶❷
2	・考えた物語の内容を友達と交流し、感想を伝え合う。 学習を振り返る ・本単元で学んだことや、今後の単元で生かせることを話し合う。	❸

授業づくりのポイント

〈単元で育てたい資質・能力〉

本単元のねらいは、物語の基本的な組み立てを知り、物語の構成を考えることである。子供たちは、2年生のときに「はじめ」では物語の設定の説明や出来事の始まりがあり、「中」で出来事の展開があり、「終わり」で出来事の後の話が来ることを学習している。3年生では、「中」で出来事と解決が繰り返されることを学習する。「中」の、「始まり」と「むすび」とのつながりに加え、「中」を構成する「出来事（じけん）」と「かいけつ」のつながりを考えながら物語を組み立てられるようにしたい。そのため、絵を活用して「出来事（じけん）」と「かいけつ」のまとまり、また、そのつながりを意識して考えられるようにしたい。

〈教材・題材の特徴〉

この教材は、4枚の絵を活用することで、物語の基本的な組み立てである「始まり」「出来事（じけん）」「かいけつ」「むすび」の4つのまとまりを意識して、物語の構成を考えやすくしている。また、4枚の絵を並び替えられるので、同じ絵でも順序によって物語の内容に違いが出ることから、より構成の大切さに気付くことができる。

本単元の前の教材である「三年とうげ」は、起承転結がはっきりした内容となっており、本単元で基本的な物語の組み立ての学習に活用するのに有効な物語である。また次の書く学習である「たから島のぼうけん」では、文章の構成を考え物語を作るものである。本単元で身に付けた、構成を考える力を生かすことで、物語を組む力の定着を総合的に図ることができる。

〈言語活動の工夫〉

物語を早く作り終わった子供は、絵の順序を変えたり、自分で考えた絵を付け加えたりして違う物語を作るようにしてもよい。

交流の場面では、違う構成のグループで物語を紹介し合うと、それぞれの構成のおもしろさを味わえるだろう。子供の実態によっては、グループで1つの物語を作ってもよいだろう。

［具体例］

○ペアか4人グループになり、それぞれの絵の分担を決める。そして、順番に絵にふさわしい内容を考えていき、1つの物語を作る。または、物語がつながるように話し合ったうえで分担を決め、1つの物語を作るのもよいだろう。

〈ICT の効果的な活用〉

共有：グループで1つの物語を作成する際に、自分の考えた内容をホワイトボードアプリなどで共有することで、すぐにまた何度も、つながりを確認することができる。

整理：文章作成ソフトまたはロイロノートのテキスト機能を活用して、4枚の絵のそれぞれについて、想像したことを書き起こしてテキストにし、貼り付ける。これにより、絵と考えた物語の並べ替えや変更をしやすくする。

交流：ホワイトボードアプリで子供たちが作った物語を共有して、コメント機能を活用し、感想を書いて伝える。

本時案

四まいの絵を使って

本時の目標

・物語の基本的な組み立てを理解して、絵を手がかりにして、物語の簡単な構成を考えることができる。

本時の主な評価

❶文と文のつながりを意識して、物語の流れを理解している。【知・技】

❷内容のまとまりで文を作ったり、文相互の関係に注意したりして、物語の構成を考えている。【思・判・表】

資料等の準備

・教科書 p.65–75「三年とうげ」の挿絵と簡単な内容が書かれた短冊
・ワークシート 14–01
・p.92の組み立て表の拡大コピー
・p.93の 4 枚の絵の拡大コピー

3
〈学習の流れ〉
①四まいの絵からそうぞうしたことをノート（ワークシート、文章作せいソフト）に書く
②一つの物語になるように絵をならべかえる
③物語の流れをノートにメモする
☆ポイント
物語の組み立てに気をつける。

授業の流れ ▷▷▷

1 物語の組み立てを知り、本時のめあてを確かめる 〈10分〉

T　みなさんは心に残っている物語文がありますか。
・「三年とうげ」の話がおもしろかったです。
T　みなさんは 2 年生で簡単な物語を書きましたね。 3 年生では、組み立てに気を付けて物語を作ります。
○本時のめあてを板書する。
○教科書 p.92の組み立ての表を活用して、物語の組み立てについて知る。
○「三年とうげ」の挿絵と簡単な内容が書かれた短冊を 4 枚用意し、組み立てを確認する。
T　「三年とうげ」は、どのような組み立てで書かれていたでしょう。
・トルトリが助言するところは「③出来事が解決する」です。

2 4 枚の絵がどんな場面なのか考え、簡単に書き出す 〈15分〉

T　絵から分かったことや想像したことをノートに書き出してみましょう。
○ 4 枚それぞれの絵から分かったことや想像できることをワークシートに書き出す。
・お猿さんの帽子が風で飛ばされたことにします。
・私は鳥が帽子を持ってきてくれたことにします。
・私は逆に、鳥が帽子を持っていってしまったことにします。
・帽子が戻ってきて、ハッピーエンドにします。

ICT 端末の活用ポイント

グループで 1 つの物語を作る場合、子供の実態によっては、自分の考えた内容をホワイトボードアプリなどで共有する。

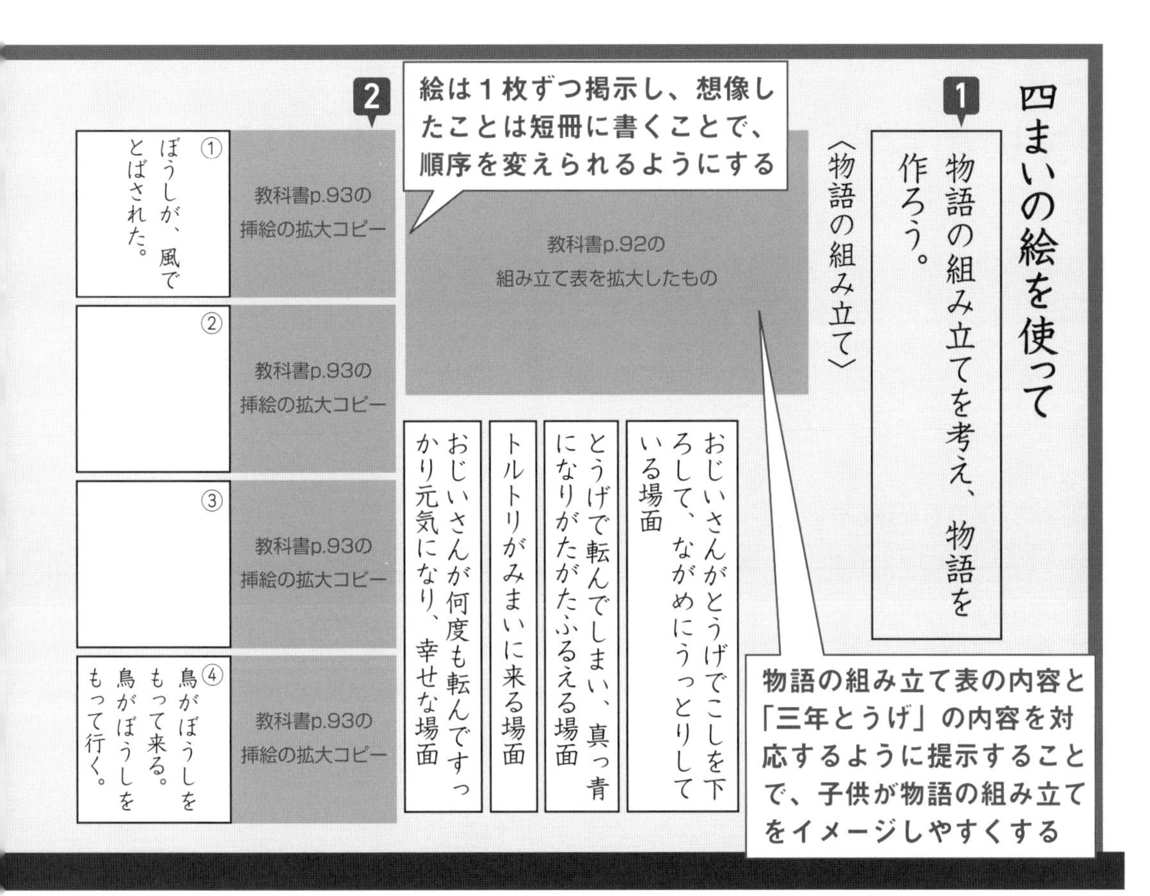

3 話の順序を考えて、物語のおおまかな流れをメモする〈20分〉

T　物語の組み立てに気を付けて、１つの物語になるように、絵を並べ替えましょう。

○絵に番号を付けるか絵を並べ替えるなどして、話の順序を考える。絵を並べ替える場合は、１人ずつ４枚の絵があるとよい。

・どの順序にしたら、おもしろい物語になるかな。

・どちらの絵を「かいけつ」にしようかな。

○物語がつながるように、先ほど書き出した内容を変えたり付け加えたりしてもよいこととする。

T　物語のおおまかな流れをノートに書きましょう。

ICT 等活用アイデア

画像とテキスト機能で組み立てを考える

４枚の絵から想像したことを書き出し、絵を並び替える際、以下のような端末の活用が考えられる。

①端末に入っている４枚の絵に、文章作成ソフトなど、テキスト機能を活用して、想像したことを書き出す

②書き出したことを、それぞれの絵に貼り付ける

③絵を並べ替える

このことにより、変更や付け加えが簡単に行えるようになるだろう。

本時案

四まいの絵を使って

本時の目標

・物語の交流を通して見つけた内容や組み立てのよさを、自分の物語や今後の学習に生かそうとすることができる。

本時の主な評価

❸物語の構成を考えることに粘り強く取り組み、物語の流れを友達と伝え合おうとしている。【態度】

資料等の準備

・教科書 p.92の組み立て表の拡大コピー

3 物語の組み立てに合わせて、整理分類して板書する

○学習をふり返ろう。

・「始まり」で、登場人物や時や場所のしょうかいをすると分かりやすい

・「中」での「出来事（じけん）」は登場人物がこまったことにする

・「中」では「出来事（じけん）」がおこり、「かいけつ」することを書く

・「むすび」は、「かいけつ」したあと、どうなったのか書く

授業の流れ ▷▷▷

1 前時を振り返り、本時のめあてを確かめる 〈5分〉

T　4枚の絵を使って、話の組み立てを考え、物語の流れを作りましたね。物語の組み立てはどのようなものにしましたか。

・「始まり」で、登場人物、時や場所の紹介をします。

・「中」で、「出来事（じけん）」が起こり、「かいけつ」します。

・「むすび」で、その後どうなったのか書きます。

T　今日は、作った物語の流れを友達と交流して、感想を伝え合いましょう。

○本時のめあてを板書する。

○組み立てを意識して友達の物語の流れを聞いたり読んだり、感想を伝えたりできるようにする。

2 作った物語の流れを紹介し合い、感想を伝え合う 〈30分〉

○ペアやグループになり、自分が作った物語を話したり読んでもらったりして、感想を伝え合う。

○感想のポイントを板書する。

T　自分の作った物語の流れを友達と見せ合い、感想を伝え合いましょう。

・「始まり」「中」「むすび」がつながっていて分かりやすいね。

・鳥が帽子を持って来てくれて、解決するところがおもしろいね。

○交流後に自分の物語を再考する時間を取る。

ICT端末の活用ポイント

端末で作品を共有して、コメント機能などを使い、感想を伝え合う。

四まいの絵を使って

1

物語の感想をつたえ合おう。

〈物語の組み立て〉

教科書p.92の
組み立て表を拡大したもの

2

〈感想のポイント〉
・物語の組み立てについて
・ないようについて

3 学習を振り返る 〈10分〉

T　物語の流れを伝え合い、自分や友達の作った物語の内容や組み立てのよかったところを発表してください。
・「始まり」で、登場人物や時や場所の紹介をしていて、分かりやすかったです。
・「中」で主人公に困ったことが起こっていました。
・困ったことが解決されておもしろかったです。
T　今度、物語の流れを作るときに、どのようなことが生かせそうですか。
・「中」では、どのような「出来事（じけん）」が起こり、「かいけつ」するかを書きます。
・「むすび」に、解決した後どうなったかを書きます。

よりよい授業へのステップアップ

「たから島のぼうけん」へのつながり

単元の始まりから、「たから島のぼうけん」の学習で物語づくりをすることを意識できるようにする。

そして、以下のことを掲示物や端末等でまとめておく。

①物語の基本的な組み立て
②「三年とうげ」の組み立てと内容
③学習の振り返りで出てきた感想

①～③を記録に残しておくことで、子供たちが物語を作るとき、いつでも振り返ることができ、本単元の学習を生かせるようになる。

言葉

カンジーはかせの音訓かるた　（2時間扱い）

単元の目標

知識及び技能	・第3学年までに配当されている漢字を読むとともに、漸次書き、文や文章の中で使うことができる。((1)エ)
学びに向かう力、人間性等	・言葉がもつよさに気付くとともに、幅広く読書をし、国語を大切にして、思いや考えを伝え合おうとする。

評価規準

知識・技能	❶第3学年までに配当されている漢字を読むとともに、漸次書き、文や文章の中で使っている。(〔知識及び技能〕(1)エ)
主体的に学習に取り組む態度	❷進んで第3学年までに配当されている漢字を読み、学習課題に沿って漢字の音訓を使った文を書こうとしている。

単元の流れ

時	主な学習活動	評価
1	学習の見通しをもつ ・漢字の音と訓を使って作られた川柳を読み、音読みと訓読みを理解する。 ・川柳を音読し、五・七・五のリズムを感じ取る。 ・漢字の音と訓を使ってかるたを作る。	❶
2	・漢字の音と訓を使ったかるたでかるた大会を行い、様々な漢字の音読みと訓読みにふれる。 学習を振り返る ・学習して気が付いたことや感想を書き、まとめることで学習を振り返る。	❷

授業づくりのポイント

〈単元で育てたい資質・能力〉

3年生は、本単元までに一定量の漢字を学んできている（『小学校学習指導要領（平成29年告示）』では、第1学年で80字・第2学年で160字の計240字を配当している)。第3・4学年は、二字熟語や四字熟語など、漢字を用いた語句の使用がさらに増える時期である。また、低学年では生活に結び付いた具体的な漢字が多いので習得しやすいが、3年生からは次第に抽象的な漢字が増えてくる。その中で、同音や同訓の漢字が増え、混同してしまう子供もいる。そこで、本単元では、「漢字の音と訓に着目し、リズムのよい川柳を作り、かるた遊びをすることを通して、音訓を意識して正しく読んだり書いたりすることができるようになる」ことをねらいとする。巻末 p.154–158の「これまでに習った漢字」や、辞書や辞典などを利用して漢字の音訓を調べ、音訓を使った川柳を作り、楽しみながら漢字の音訓が意識できるようになってほしい。

〈言語活動の工夫〉

教科書の例を用いて音読みと訓読みについての理解を深める。次に、音読することで川柳のリズムを感じ、他の漢字を使って自分でも川柳を作ってみたいという意欲を喚起する。自分で「音訓かるた」を作るという言語活動は、1つの漢字の音読みと訓読みを調べ、その読み方を使った言葉を集めて川柳のリズムに当てはめるなど、子供たちの創意工夫と粘り強さを生み出すはずである。

[具体例]

○「音訓かるた」の活動では、読み札に音読みと訓読みを使って川柳を創作する。取り札には、漢字と絵を書く。第1時と第2時の期間を空け、作ったかるたを持ち寄り、小グループでかるた遊びを行う。かるた遊びの前に教室に掲示すると、友達の使った川柳にふれ、漢字の音訓に意識を向けることができるだろう。「生」「上」などの音訓の読み方が多い漢字は、違う読み方を使って何通りもの札ができる。同じ漢字を使った取り札であっても、取り札の絵が違い、漢字の読み方も違う読み札を用いるという、発展的で知的な活動を楽しむこともできる。

〈他教材とのつながり〉

「小学校低学年の学力差の大きな背景に語彙の量と質の違いがある」（平成28年中央教育審議会答申）と指摘されているとおり、言語に関する知識及び技能には個人差がある。単元に入る前に、3年上巻 p.50「漢字の音と訓」の学習を振り返り、多くの漢字とその読み方にふれておくとよい。また、川柳づくりは、単元「俳句を楽しもう」「夏のくらし」「秋のくらし」「冬のくらし」などの学習に生かすことができる。それによって、俳句や詩について振り返る機会となり川柳との違いに気付いたり、五・七・五のリズムを改めて味わったりすることができるだろう。4年生では、同音異義語や漢字辞典の使い方について学習する。できれば、本単元の学習がつながるように工夫したい。

[具体例]

○単元はじめは、知識の量に大きな差が生まれないように、新出漢字を学習する際には常に音読みと訓読みに着目するように指導する。また、家庭学習やモジュールの時間を使い、「漢字の音と訓」についてのプリントを用いて復習するのも有効である。4年生の同音異義語の学習とつなげるために、本単元で作った音訓かるたで休み時間に遊ぶ機会を設けたり、4年生になっても音訓かるたにふれる場を設定したりすることで、系統的に学習を進めることができる。

本時案

カンジーはかせの音訓かるた

本時の目標

・既習の漢字の音読みと訓読みについて理解し、川柳のリズムを感じ取ることができる。

本時の主な評価

❶第2学年までに配当されている漢字や第3学年で習った漢字を書き、音訓の違いを理解しながら、文の中で使っている。【知・技】

資料等の準備

・教師作成の見本の音訓かるた
・漢字辞典
・かるた作成用の画用紙（カード）

②言葉を作る
・音　ジン…神社
・訓　かみ…神だのみ
③五・七・五のリズムに合わせる
お正月　神社にまいって　神だのみ
④次の「読みふだ」を考える

4
○「読みふだ」と「取りふだ」を書く。

お正月　神社にまいって
神だのみ

授業の流れ ▷▷▷

1 音訓かるたの見本を見て見通しをもつ 〈5分〉

○音訓かるたを作ってかるた大会を楽しむ、という見通しをもって取り組みたい。

T　かるたをしたことはありますか？　こんなかるたがあります。読んでみてください（黒板に見本の音訓かるたを貼る）。気が付いたことはありますか？

・俳句みたいに五・七・五になっています。
・「遠足」は「エン」で音読みです。
・「遠く」は「とお」で訓読みです。
・音読みは中国から伝わった読み方です。
・訓読みは中国から伝わった意味を基に、日本でできた読み方です。

T　漢字には、音と訓がありましたね。この読み方の違いを使って「音訓かるた」を作り、かるた大会をしましょう。

2 カンジーはかせが作った歌を読み、音と訓を確認する〈15分〉

T　（教科書をスクリーンなどに映し）このかるたを読んでみましょう。

・「日記帳」は「にっ」で、「三日」は「か」で、読み方が全然違います。

T　どちらが音読みでどちらが訓読みか分かりますか？

・訓読みはその読み方だけで意味が分かる読み方だから、「にち」が訓読みです。
・「か」はそれだけで意味が分からないから音読みだと思います。

T　教科書の歌を読んで、音読みには片仮名、訓読みには平仮名で読み方を書きましょう。隣の人とペアで考えてもいいですよ。

T　音と訓が書けた人は、黒板に書きに来てください（全体で確認する）。

カンジーはかせの音訓(おんくん)かるた

1

漢字の音と訓を知って、音訓かるたを作ろう。

遠足だ　遠くに行けて　うれしいな

・俳句とにている（五・七・五）
・同じ漢字が２回使われている
・同じ漢字でも読み方がちがう

2

遠　音　エン
　　訓　とお（い）

○カンジーはかせが作った歌

・日記ちょう　三日ぼうずは　そつぎょうだ
・千代紙で　千羽のつるを　おりました
・曲がる球　投げる投手に　なりたいな
・石炭は　もえるふしぎな　黒い石
・羊毛が　ふわふわしてる　羊さん
・にらめっこ　勝負に勝った　うれしいな
・旅先の　宿で宿題　はかどらず
・昼食で　とうふ一丁　食べました
・口笛を　ふくと遠くで　汽笛鳴り
・助言への　お礼の言葉　ていねいに
・乗ったかな　出発進行　バスは行く

歌に使われている漢字の、どちらが音読みでどちらが訓読みか、色を分けて傍線を引くと分かりやすくなる

3

〈「読みふだ」の作り方〉
①字を決める
・p.154の「これまでに習った漢字」
・p.159の「この本で習う漢字」

3　読み札の作り方を知る　〈５分〉

T　これから、カンジー博士が作った歌のようなかるたの読み札を作ります。

【「読み札」の作り方】

①字を決める。p.154–158の「これまでに習った漢字」や p.159–162の「この本で習う漢字」を見て選ぶ。

②音読みを使った言葉と訓読みを使った言葉を１つずつ作る。例えば、「神（ジン）社」と「神（かみ）だのみ」

③五・七・五のリズムに合うように歌を作る。指を折って字数を数えるといいです。例えば、「お正月　神社にまいって　神だのみ」

④１つの歌ができた人は、続けてたくさんの歌を作る。隣の人とペアで作ってもよい。

4　漢字の音と訓を使って読み札を作る　〈20分〉

T　作り方を確認して、読み札の歌を作りましょう。まず、音読みと訓読みのある字を選びましょう。

○言葉が思いつかないときは、漢字辞典で探すように声をかける。

○18字より多かったり（字余り）、反対に字数が少なかったり（字足らず）してもよいことを伝える。

T　作った読み札はカードに書き、かるたにします。読み札に合うように、取り札に漢字と絵を描きましょう。休み時間や家庭学習でカードを作成し、かるた大会を開きましょう。

○札の大きさは、画用紙を８等分した大きさ程度で用意する。第１時と第２時の間を空け、札を複数枚準備する時間を取る。

本時案

カンジーはかせの音訓かるた

本時の目標

・様々な漢字の音読みと訓読みにふれ、かるた取りを楽しむことができる。

本時の主な評価

❷進んで第３学年までに配当されている漢字を読み、川柳のリズムがもつよさを認識することで、音と訓読みに親しもうとしている。
【態度】

資料等の準備

・前時で子供が作った読み札と取り札

3
○学習をふり返ろう。
・音読みのじゅく語がたくさんあって知らない言葉が多かったので、これからは使ってみたい
・五・七・五のリズムに合わせるのがむずかしかった
・いろいろな漢字を使ったかるたがあり、漢字の使い方がおもしろかった
・だれも使っていない漢字で、もっとかるたを作りたい

授業の流れ ▷▷▷

1 音訓かるたの紹介をする〈10分〉

T　みなさんが作ったたくさんの音訓かるたを、学習支援ソフトで見てみましょう。作った人は読み札を音読していきましょう。
・自分の思いつかなかった言葉があっておもしろいです。
・「五分五分で　どっちが勝つか　分からない」という川柳がおもしろかったです。
・同じ漢字でも使い方が違っているものがあります。
・早くやってみたいです。

ICT 端末の活用ポイント

スプレッドシートなどの学習支援ソフトで全員の作ったかるたの読み札を共有することで、どんな読み札があるのか知ることができ、かるた大会への意欲にもつながる。

2 音訓かるた大会を楽しむ〈25分〉

T　これからみなさんの作った音訓かるたで、かるた大会を楽しみたいと思います。かるた大会のやり方を確認します。

【かるた大会のやり方】
①３、４人のグループに分かれ、取り札を並べる
②読み手を１人決める
お手付きは１回休み
③１回戦が終わったら、取った枚数を数えて待つ
④全てのグループが終わったら、場所を移動して違うグループのかるたを使って２回戦を行う
○１番勝ち同士、２番勝ち同士で戦うのもよい。

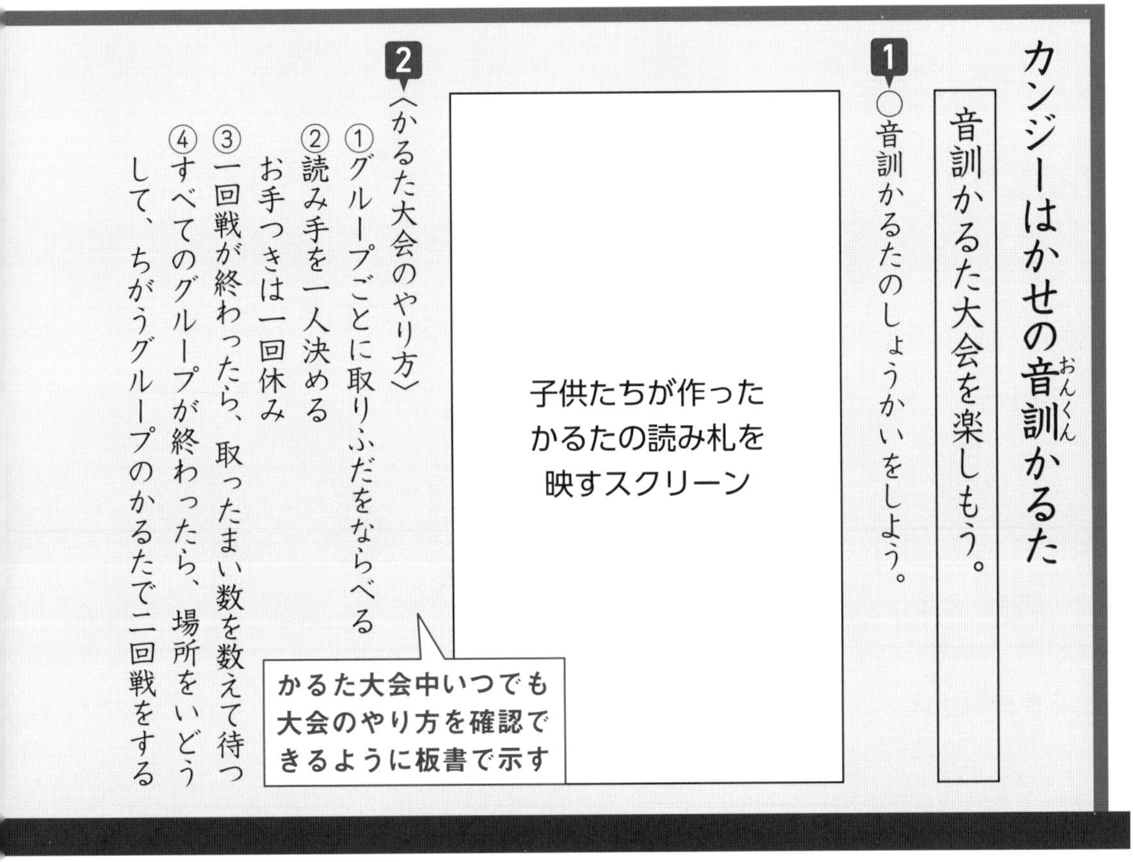

カンジーはかせの音訓（おんくん）かるた

音訓かるた大会を楽しもう。

1
○音訓かるたのしょうかいをしよう。

子供たちが作ったかるたの読み札を映すスクリーン

2
〈かるた大会のやり方〉
①グループごとに取りふだをならべる
②読み手を一人決める
お手つきは一回休み
③一回戦が終わったら、取ったまい数を数えて待つ
④すべてのグループが終わったら、場所をいどうして、ちがうグループのかるたで二回戦をする

かるた大会中いつでも大会のやり方を確認できるように板書で示す

3 学習の振り返りをする 〈10分〉

T　音や訓を使って歌を作るときにがんばったことや難しかったこと、音訓かるた大会をして気が付いたことや感じたことを書きましょう。

・音読みの熟語がたくさんあって知らない言葉が多かったので、これからは使いたいです。
・五・七・五のリズムに合わせるのが難しかったです。
・友達の作ったかるたに、知らない言葉があってびっくりしました。
・いろいろな漢字を使ったかるたがあり、漢字の使い方がおもしろかったです。
・誰も使っていない漢字で、がんばってかるたを作りました。

T　書けた人は発表しましょう。

よりよい授業へのステップアップ

多くの漢字にふれてほしい

本単元は、漢字を習得する単元ではなく漢字の使い方を楽しむ単元としたい。そのため、友達と読み合う時間を増やし、漢字の音訓の違いで、意味やリズムの異なる文がたくさん作れるということを気付けるようにしたい。

また、ICT 端末を使って読み札を書くことで、悩んでいる子供は友達の読み札の書き方を参考にすることができる。かるた大会の前に、どんな読み札ができたのか簡単に共有することもできるため、見通しをもちやすく、意欲的に取り組めるだろう。

2年生で習った漢字

漢字の広場⑤ （2時間扱い）

単元の目標

知識及び技能	・第2学年までに配当されている漢字を書き、文や文章の中で使うことができる。((1)エ)
思考力、判断力、表現力等	・間違いを正したり、相手や目的を意識した表現になっているかを確かめたりして、文や文章を整えることができる。(B エ)
学びに向かう力、人間性等	・言葉がもつよさに気付くとともに、幅広く読書をし、国語を大切にして、思いや考えを伝え合おうとする。

評価規準

知識・技能	❶第2学年までに配当されている漢字を書き、文や文章の中で使っている。(〔知識及び技能〕(1)エ)
思考・判断・表現	❷「書くこと」において、間違いを正したり、相手や目的を意識した表現になっているかを確かめたりして、文や文章を整えている。(〔思考力、判断力、表現力等〕B エ)
主体的に学習に取り組む態度	❸積極的に第2学年までに配当されている漢字を書き、これまでの学習を生かして、漢字を適切に使った文を作ろうとしている。

単元の流れ

時	主な学習活動	評価
1	学習の見通しをもつ ・提示されている漢字の読み方、書き方を確認する。 ・教科書 p.96の絵を見て、学校でどんなことをしているのかを説明する。 学校ではどんなことをしているか、日記をつけるように書こう。	❶
2	・提示されている漢字やそれ以外の既習の漢字を使って、日記をつけるように学校の様子を書く。 ・書いた文を友達と読み合う。 学習を振り返る ・学習の達成度を自己評価し、学習を振り返る。	❷❸

授業づくりのポイント

〈単元で育てたい資質・能力〉

本単元のねらいは、第２学年までに配当されている漢字を書き、文や文章の中で使うことができる力を育むことである。そのため、学校生活といった身近な事柄を適切に文として組み立てる上で、漢字をどのように用いれば、学校であった出来事やその様子を書き表すことができるかを押さえられるようにしたい。本単元を通して、提示されている学習の様子について自然な文脈を作る中で、漢字を適切な意味合いで用いることが欠かせないと子供が自覚できるようにしたい。

〈教材・題材の特徴〉

本教材で提示されている漢字として、「国語」や「算数」といった教科名を表す漢字、「かん電池」や「歌声」といった各教科の学習内でよく使われる漢字などがある。教科書 p.96内の（れい）に示されているように、１つの絵の中で提示されている漢字を組み合わせて書くことで、その学習の様子を表す文を作ることができる。さらに、６つの絵をまとめて捉えると、学校での１日の学習の様子を表す文を作ることができる。

また、学校での様子という、子供たちにとって非常に身近な題材であることを踏まえ、提示されている漢字の他にも、自らの学校生活の様子を振り返ることで、使用する漢字や言葉が増えることも期待できる。

〈言語活動の工夫〉

はじめに、「日記をつけるように学校のことを書く」という言語活動をきちんと押さえ、子供たちが学習の見通しをもてるようにすることが重要である。この見通しをもつ中で、「日記」の特徴である「いつ」「どこで」「だれが」「何を」「どのように」「した」といった内容を書く必要があることを押さえられるようにしたい。その上で、これらの内容について、正しい漢字を適切に用いながら書くことができるようにしたい。

［具体例］

○例えば、教科書 p.96内で提示されている６教科を行った日はもちろん、それ以外の教科のことや休み時間のことも入れた別の１日を同様に書いてみよう、といった課題を設定すると、使う漢字の幅が広がる。また、「日記」の特徴を生かして、そのときの自分の気持ちを付け足すよう促すことで、気持ちを表す語彙を増やす機会にもなる。

〈ICT の効果的な活用〉

調査：提示されているものの中に、普段あまり使用していない漢字や言葉がある場合、辞書のほか、インターネットによる検索を用いて、その漢字や言葉の使い方や使用例を調べ、書く活動に生かせるようにする。

共有：提示されている漢字を用いて文を作ったり、提示されていない漢字を書き出したりする際のヒントとして、ホワイトボードアプリなどを用いて、子供たち一人一人のアイデアを共有することが考えられる。

記録：提示されていない漢字や言葉の中で、実際の学校生活を振り返りながら書き表すことができるものは、端末のメモ機能や文章作成ソフトを用いて蓄積しておき、自分が書きたいときに生かせるようにする。

本時案

漢字の広場⑤

本時の目標

・第２学年までに配当されている漢字を書くことができる。

本時の主な評価

❶第２学年までに配当されている学校生活の中でよく使われる漢字を書いている。
【知・技】

資料等の準備

・教科書 p.96の絵の拡大コピー

3
○教科書にはないけれど、使えそうな漢字や言葉
休み時間　道とく　体育　朝の会　帰りの会
電気　三角形　長さ　活発　午前　午後　など

4
○これからの学習の進め方
・（れい）のように、習った漢字を使いながら、学校でのことを書く
・学校の一日まるごとを日記にしてみたい
・みんなが書いた文をクラスで出し合う

子供から出された次時の見通しを板書する

授業の流れ ▷▷▷

1 学習のめあてや例文などを押さえ、見通しをもつ 〈10分〉

○絵を提示し、何が描かれているかを押さえ、学習のめあてや例文を示す。

T　この絵には、何が描かれていますか。

・学校での様子が描かれています。

T　そうですね。この p.96の（れい）のように、学校ではどんなことをしているか、日記をつけるように書きましょう。

・日記ってどんな文章だったかな。

・その日にあったことや思ったことを書いたものだったと思うよ。

○今回の主な言語活動となる「日記」がどんな文種かを確認し、子供がその特徴を確実に押さえられるようにする。

2 教科書に示されている２年生の漢字を復習する 〈20分〉

○教科書の中で示されている漢字を出し合いながら、読み方や書き方を復習する。

T　絵の中に、どんな漢字が書かれていますか。

・国語とか社会とか教科の名前が書かれています。

・その学習でよく使う漢字が書かれています。

T　そうですね。これらは学校での学習に関わる漢字です。全て２年生で習った漢字ですが、もう一度、読み書きを復習しましょう。

○教科書に示されている漢字については、その読み書きを自筆しながら復習できるようにする。

漢字の広場⑤

1

教科書p.96の挿絵

学校ではどんなことをしているか、日記をつけるように書こう。

日記…その日にあったことや思ったことなどを記ろくしたもの。
→「いつ」「どこで」「だれが」「何を」「どのように」「した」などを書く

（れい）理科の時間に、かん電池を使って、じっけんした。

2

○漢字の読み書きをかくにんしよう。
国語…聞く　発言　話し合い
社会…知る　新聞　考える
音楽…歌声
算数…計算　教える　答える
図画工作…絵　切る　画用紙
理科…回路　かん電池
そのほか…読書　日直　黒板

教科ごと、示されている漢字をまとめて板書する

3 文の中で使うことができそうな漢字や言葉を出し合う　〈10分〉

○教科書には示されていない漢字や言葉を出し合い、文を作るヒントになるようにする。

T　ここには書かれていないけれど、使うことができそうな漢字や言葉はありますか。

・学校のことだから「休み時間」「朝の会」「体育」も使えそうです。

・「電気」「三角形」などの言葉も、漢字を使って書けそうです。

T　多くの言葉に習った漢字が使えますね。

・漢字を使うと、そのときのことをとても分かりやすく記録することができます。

ICT 端末の活用ポイント

絵を基に書き表すことができる言葉は、端末のメモ機能や文章作成ソフトを用いて蓄積しておき、次時の学習で生かせるようにする。

4 学習の進め方を決め、次時の見通しをもつ　〈5分〉

○本時の学習を踏まえ、次時の学習の進め方を子供と一緒に考えて決め、これからの学習に見通しがもてるようにする。

T　次の時間は、どのように学習を進めていきますか。

・（れい）のように、習った漢字を使いながら日記をつけるように、学校でのことを分かりやすく書こうと思います。

・給食など、ここにないものも入れて、学校の1日を丸ごと書くのはどうでしょうか。

・みんながどんな文を考えたのか知りたいので、書いた文をクラスで出し合いたいです。

○単元の目標を押さえながら、子供の意見を聞いて、次時の学習の方向性を決められるようにする。

本時案

漢字の広場⑤

本時の目標

・間違いを正したり、日記であることを意識した表現になっているかを確かめたりして、第２学年までに配当されている漢字を適切に用いて日記を書くことができる。

本時の主な評価

❷間違いを正したり、日記であることを意識した表現になっているかを確かめたりして、文を整えている。【思・判・表】
❸第２学年までに配当されている漢字を適切に用いた文を作ろうとしている。【態度】
・第２学年までに配当されている漢字を学校での様子を書く文の中で使っている。

資料等の準備

・教科書 p.96の挿絵の拡大コピー

・きゅう食で出たカレーがとてもおいしかった。
・五、六時間目の図画工作の時間に、画用紙にかいた絵を切りぬいて集め、グループできょう力して、一つの作品を作った。

子供から出された文を板書する

3
○学習のふり返り
・学校での一日を、日記をつけるように書くことができた
・たくさんの漢字を使って書くことができた
・今日のことも日記につけてみたい

授業の流れ ▷▷▷

1 前時を振り返り、本時の見通しをもつ 〈５分〉

○前時の学習を振り返り、本時の学習の進め方を確認し、見通しをもてるようにする。実態に応じて、日記の特徴である「いつ」「どこで」「だれが」などを意識して書くことを確認する。
T　前の時間で今日の学習の進め方を確認しました。今日は何から始めますか。
・（れい）のように学校での出来事を、習った漢字を使って書くことから始めます。
・１日丸ごと書いてみようと思います。
T　それでは、一人一人自分が考えた方法で、学習を進めましょう。
○学級の実態に応じて、見通しをどこまで具体的にもつかを決め、次の学習活動が滑らかに始められるようにしたい。

2 文を作り、作った文をクラスで共有する 〈30分〉

○１教科だけでなく、複数の教科で文を作るように促す。また、自筆でノートに書くようにする。
○日記をつけるように書くために、出来事や事実だけでなく、それに対しての自分の気持ちも踏まえられているか、確かめる。
T　１つの教科だけでなく、いくつかの教科を順番に書いてみましょう。書き終わった人は発表しましょう。
・「１時間目の」という言葉を入れると、１日の様子が分かりやすく書くことができます。
・私は、音楽の時間のことを書きます。みんなの歌声が忘れられないからです。
・私は、５・６時間目の図工の時間にみんなで１つの作品を作り上げたことを書きます。

漢字の広場⑤

教科書p.96の挿絵

1

学校ではどんなことをしているか、日記をつけるように書こう。

（れい）理科の時間に、かん電池を使って、じっけんをした。

2

○（れい）のように学校での一日を書いて、クラスで出し合う。

・一時間目の国語の時間に、話し合いをして、友だちの発言を聞いた。
・二時間目の社会の時間に、新聞を読んではじめて知ったことについて、友だちと考えた
・休み時間に、教室で読書をしていると、日直さんが、黒板をきれいにしてくれていた。
・三時間目の音楽の時間に、みんなで合しょうして、とてもきれいな歌声が音楽室にひびいた
・四時間目の算数の時間に、先生が教えてくれたとき方で計算をして、問題に答えた。

3 学習を振り返る 〈10分〉

○学習を振り返り、子供が自らの学習を自己評価できるようにする。単元で定めためあての達成状況や、学習活動の中で気付いたことなどを書けるようにしたい。

T　今回の学習を振り返りましょう。めあては達成できたでしょうか。

・学校での１日について、習った漢字を使いながら日記をつけるように書けたので、達成できたと思います。
・今日のことも家に帰って書いてみようかなと思いました。

ICT 端末の活用ポイント

オンライン上の共有アプリに学習感想を記録することで、子供一人一人の自己評価の状況を把握しやすくなる。

よりよい授業へのステップアップ

「日記」の特徴を押さえて書く

本単元の目標にある「日記」の特徴として、出来事（事実）とそれに対する感想やそのときの自分の気持ちを書けることが挙げられる。事実と感想を分けて書くことや多様な語彙とそれを表す漢字の学習機会となる。

さらに、日記には、時系列で説明的に書かれることが多いという特徴もある。そのため、「きゅう食を食べた後は、午後の……」の「午後」など、出来事を時系列で説明するために用いる言葉や、それを表す漢字の学習となることも期待できる。

読んで考えたことをつたえ合おう

ありの行列　（7時間扱い）

単元の目標

知識及び技能	・指示する語句と接続する語句の役割、段落の役割について理解することができる。((1)カ) ・言葉には性質や役割による語句のまとまりがあることを理解することができる。((1)オ)
思考力、判断力、表現力等	・文章を読んで理解したことに基づいて、感想や考えをもつことができる。(C オ) ・文章を読んで感じたことや考えたことを共有し、一人一人の感じ方などに違いがあることに気付くことができる。(C カ)
学びに向かう力、人間性等	・言葉がもつよさに気付くとともに、幅広く読書をし、国語を大切にして、思いや考えを伝え合おうとする。

評価規準

知識・技能	❶指示する語句と接続する語句の役割、段落の役割について理解している。(〔知識及び技能〕(1)カ) ❷言葉には性質や役割による語句のまとまりがあることを理解している。(〔知識及び技能〕(1)オ)
思考・判断・表現	❸「読むこと」において、文章を読んで理解したことに基づいて、感想や考えをもっている。(〔思考力、判断力、表現力等〕C オ) ❹「読むこと」において、文章を読んで感じたことや考えたことを共有し、一人一人の感じ方などに違いがあることに気付いている。(〔思考力、判断力、表現力等〕C カ)
主体的に学習に取り組む態度	❺今までの学習を生かして文章の内容や構造を捉え、進んで感想や考えたことを表現しようとしたり、興味のある資料を読もうとしている。

単元の流れ

次	時	主な学習活動	評価
一	1	学習の見通しをもつ これまでに学習した説明的文章を振り返り、それらと比べながら全文を読み、感想を書く。	
	2	書いた感想を交流し、学習課題を設定する。 読んで考えたことをつたえ合おう。	
二	3	文章全体の「問い」とそれに対する「答え」を確かめ、「中」での説明から大事な言葉や文を見つける。	❷
	4	段落の初めの言葉や接続語、指示語に注目し、段落の関係を確かめることで説明の進め方の特徴を捉える。	❶
	5	ウイルソンの実験や研究と、ありの行列ができる仕組みについてまとめる。	

三	6 7	教科書 p.103「もっと読もう」を読み、興味をもったことや知りたいこと、「ありの行列」の説明の仕方について考えたことなどを書く。 学習を振り返る 前時に書いた感想を友達と読み合い、自分との共通点や相違点を見つけて伝え合ったり、興味のある資料を読んだりする。	❸ ❹❺

授業づくりのポイント

〈単元で育てたい資質・能力〉

本単元のねらいは、感想や考えを共有し合う中で、考えや感じ方には一人一人違いがあることに気付くことである。そのためには、子供自身が自分の考えや感想が何についてのことなのか、自覚できるようにすることが大切である。感想や考えを書く際には、ウイルソンの研究についてなのか、ありの生態についてなのか、あるいは文章構成や文章の進め方などの筆者の書きぶりについてなのか、子供が意識できるような指導や手だてを講じたい。

〈教材・題材の特徴〉

「ありの行列」はウイルソンの研究を紹介する説明文である。そのため、子供たちは、3年生でこれまでに学習した「こまを楽しむ」や「すがたをかえる大豆」といった「中」の段落に事例が並ぶ説明文と異なる印象をもつと思われる。ウイルソンの観察や実験を追体験できる文章としてのおもしろさに気付く子供もいるだろう。そのような子供たちの印象や感想を授業に生かすことで、ありの生態や行列のできる仕組みに留まらず、文章の書きぶりについての感想や考えを共有することができる。

[具体例]
○特徴をつかむ上で、注目したい語句（下線は、段落の初めの言葉）
①時間の経過を表す接続語
「はじめに、」「しばらくすると」「やがて、」「すると、」「そして、」「次に、」「ようやく、」「そのうちに、」など。
②前の文や文章とつながる指示語
「これは、」「これらのかんさつから、」「そこで、」「この研究から、」「そのにおいをかいで、」「そのはたらきありたちも、」「このように、」など。

〈他教材や他教科との関連〉

「ありの行列」の学習とつながる説明文を確認しておく。

○〈「問い」と「答え」のあるもの〉
1年上「つぼみ」「うみのかくれんぼ」、1年下「じどう車くらべ」「どうぶつの赤ちゃん」
2年下「ロボット」、3年上「こまを楽しむ」
○〈説明の進め方が時間の経過や順序と関わっているもの〉
2年上「たんぽぽのちえ」「どうぶつ園のじゅうい」、2年下「紙コップ花火の作り方」
1年では「問い」と「答え」、2年では「時間や順序による説明の進め方」、3年上巻では、「問い」と「答え」に加え、「中」の段落の説明で「事例の並べ方」について学習している。子供たちの学習の積み重ねを理解し、これまでの学習を生かす発問や展開を工夫したい。

本時案

ありの行列

本時の目標

・これまでに学習してきた説明文との相違点に注意しながら全文を読み、感想を書くことができる。

本時の主な評価

・「ありの行列」を読み、話し合ったことやこれまでの説明文との相違点を基に、感想を書いている。

資料等の準備

・教科書３年上巻
・可能なら１、２年の国語の教科書

3
○感想を書こう。
〈おどろいたこと〉
〈もっと知りたいと思ったこと〉
〈筆者の書き方〉

授業の流れ ▷▷▷

1 これまでに学習した説明文について発表する 〈10分〉

T　１学期には「文様／こまを楽しむ」を学習しました。これまでにも、何かについて説明する文章を学習してきましたね。
・１年生で「じどう車くらべ」を習いました。
・「たんぽぽのちえ」も学習しました。
○Ｒ６年度で教科書が変わったので、子供たちが学習してきた説明文について、確認しておくようにする。
T　説明文にはどんな特徴がありましたか。
・「問い」と「答え」がありました。
・例を挙げていました。
○「問い」と「答え」については「文様／こまを楽しむ」、事例については、「こまを楽しむ」「すがたをかえる大豆」で学習しているので、それぞれ教科書で確認するとよい。

2 本文の範読を聞き、感想を発表する 〈20分〉

○題名を確かめ、知っていることを出し合ったり、これまでの説明文と同じか尋ねたりして、期待をもって文章と向き合えるようにする。
T　どんな内容なのか、題名から予想してみましょう。
T　文章を読んで、気付いたことや思ったことはありますか。
・ありがにおいを出すことに、驚きました。
・ありの目がよく見えないことは知りませんでした。
・「問い」がありました。
・「このように」があったから、そこが「答え」だと思います。

1
〈これまでに学習したせつめい文〉
・「文様／こまを楽しむ」
・「すがたをかえる大豆」
・「じどう車くらべ」
・「たんぽぽのちえ」

問い と 答え れい

子供の発言をまとめる。この他に、「はじめ」・「中」・「終わり」のような文章構成、「まず」「次に」「このように」などの接続語についての発言が出てくることが考えられる

2
ありの行列

大滝（おおたき） 哲也（てつや）

・えさを運ぶことについて
・巣（す）までつづく列のせつめい
・行列の作り方のせつめい？
・「問い」と「答え」がありそう

題名から知っていることや予想されることを簡単にまとめる

3 感想をノートに書く 〈15分〉

○学習活動2で出てきた発言を、内容や筆者の書き方など、板書で整理しておくことで、感想を書く視点をもてるようにする。

T 「ありの行列」を読んだ感想を書きましょう。

○感想を書くことが難しい子供のために、「おどろいたこと」「もっと知りたいと思ったこと」「筆者の書き方」など、ある程度項目を立てておく。

・ウイルソンの実験がおもしろかったです。
・なぞときみたいでわくわくしました。
・ありは目が見えないことに驚きました。
・「問い」はあったけど例はないと思います。

○ノートを集め、子供たちのそれぞれの感想を確認しておく。

よりよい授業へのステップアップ

積み重ねを意識できる授業を

これまでの説明文で、「『問い』と『答え』」「順序」「事例」「『はじめ』『中』『終わり』」といった文章構成や論の展開について学習している。本時ではこれまでの積み重ねをこれからの学習に生かす指導を心がけ、初発の感想を書けるようにしたい。

内容面について感想を書く子供が多いのが実情だろう。もちろんそれでよい。しかし、筆者の書き方に着目できる力を身に付けていくことも必要である。授業の中でふれていくことで、書き方にも着目できるようにしたい。

本時案

ありの行列

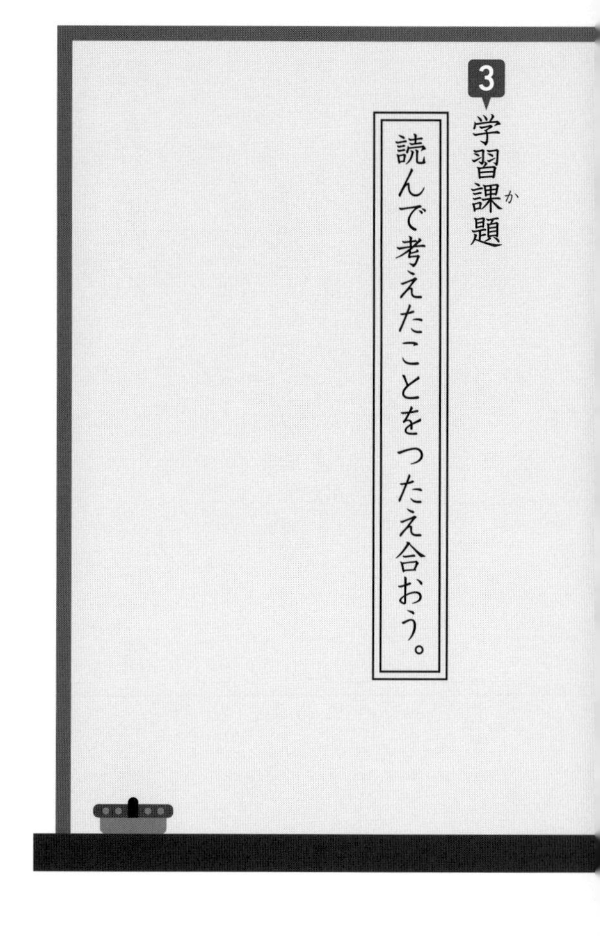

本時の目標

・感想を伝え合う中で、文章を読む視点をつかみ、学習の見通しをもつことができる。

本時の主な評価

・「ありの行列」の内容についての感想や筆者の書き方についての気付きを出し合い、文章を読む視点をつかんでいる。

資料等の準備

特になし

授業の流れ ▷▷▷

1 前時で書いた感想を伝え合う 〈20分〉

○前時に書いた子供の感想については事前に確認し、内容面、筆者の書き方など、視点ごとに整理しておく。

T 「ありの行列」を読んで、どんな感想をもちましたか。

・ありの目が見えないなんて驚きました。

・ありがにおいを出しているなんて考えたこともなかったので、発見したウイルソンさんはすごいなと思いました。

・どんな実験をしたのかが、順番に書いてあって、理科みたいだなと思いました。

○前の発言の内容とつながる感想を書いた子供を、次に意図的に指名するなど、多くの子供が参加できるようにする。

2 段落構成について話し合う 〈15分〉

T 段落を確かめながら、もう一度読んでみましょう。

T 段落はいくつでしたか。

・９つでした。

・９段落目が「終わり」だと思います。

T どうしてですか。

・「このように」があって、「まとめ」だと思いました。

T これまでの学習から考えたのですね。他に気付いたことはありますか。

・１段落に「問い」があったから、「はじめ」だと思います。

○ここでは、段落構成についての意見やその理由について、いろいろな意見を出しておくに留める。

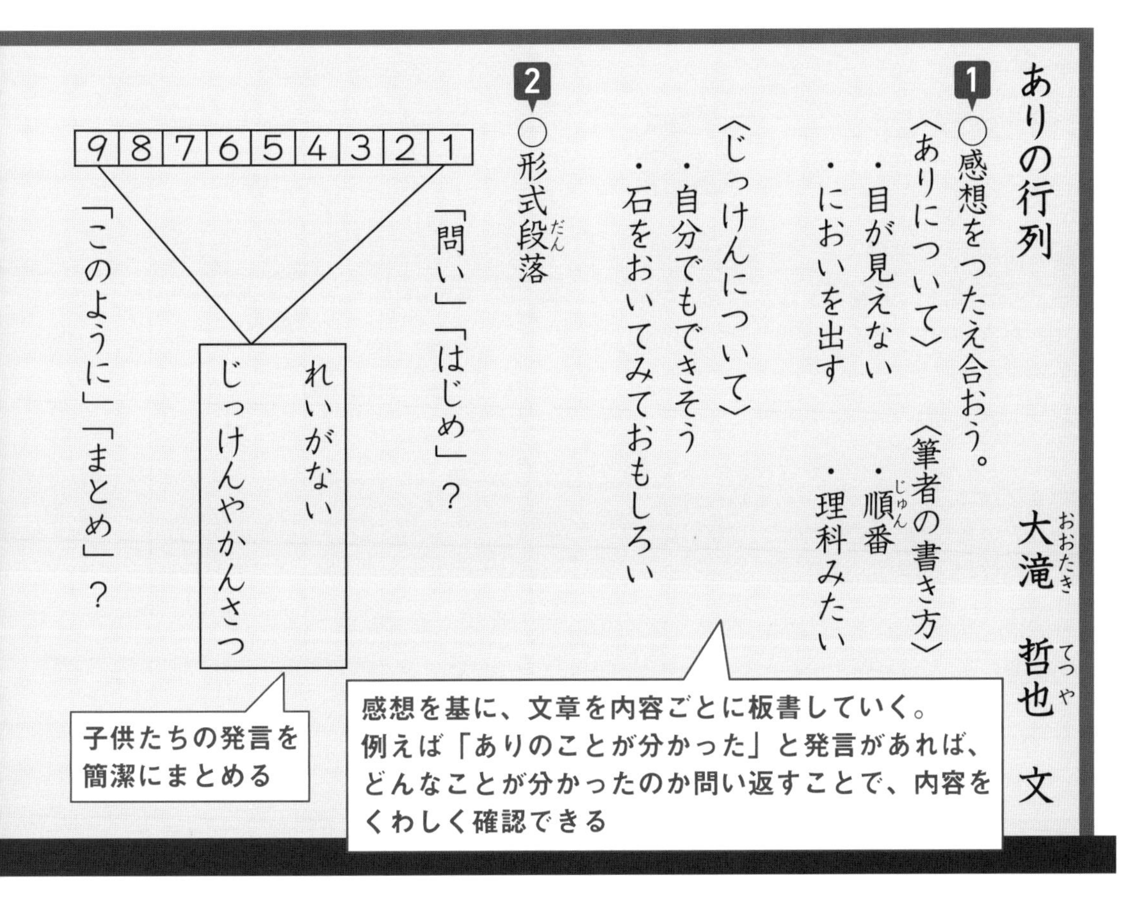

3 学習課題をつかみ、見通しをもつ〈10分〉

T　文章について気になることはありますか。

・「問い」と「答え」はあるけど、「中」が例ではないと思いました。

T　これまでの説明文と違うのですね。

・実験や観察のことが書いてあって、国語ではないみたいです。

T　みんなの感想は、ありのことやウイルソンの実験のこと、筆者の書き方など様々でした。これから、さらに内容や筆者の書き方に注目して文章を読み、考えたことを伝え合いましょう。

○筆者の書き方や、内容についての感想を学級全体が把握できるようにする。子供から出てこない場合は、教師から発問し、学習課題につなげるようにする。

よりよい授業へのステップアップ

事前の見取りをしっかりと

本時では、子供たちが前時に書いた感想を教師が十分に把握しておくことが必要である。説明文の内容、段落構成や事例の有無など筆者の書き方についての感想を書いている子供を事前に把握しておく。そうすることで、意図的な指名ができ、多くの子供が授業中に発言する機会がつくれる。また、1人の発言に対して、つながりのある考えをもった子供を指名したり、全体に問いかけたりすることで、他の子供の発言を促すこともできる。

本時案

ありの行列

本時の目標

・「問い」や「答え」を確かめることで、それにつながる段落や大事な言葉や文を見つけることができる。

本時の主な評価

❷「問い」「答え」につながる段落、大事な言葉や文に着目し、説明文の中の実験や観察、研究などの同じような語句のまとまりを捉えている。【知・技】

資料等の準備

・形式段落の表 17-01

5	6	7	8	9
	研究 ありは、おしりのところから、とくべつのえきを出す		答え	答え このように、においをたどって、えさの所へ行ったり、巣に帰ったりするので、ありの行列ができる

つなぎ言葉や「問い」と「答え」などのキーワードは色で囲むなど工夫する

授業の流れ ▷▷▷

1 問いと答えを確かめる 〈10分〉

T 「問い」と「答え」を考えながら、「ありの行列」を読んでみましょう。

T 「問い」は何でしたか。

・1段落の「なぜ、ありの行列ができるのでしょうか。」だと思います。

・「なぜ」とあるので、「問い」だと思います。

T そうですね。では、この「問い」に対する「答え」はどこに書いてありましたか。

・8段落に書いてあります。

・「このように」があるので、9段落が「答え」だと思います。

○8、9段落は同じ内容が書かれており、ともに「答え」と考えることができる。「このように」があるからという理由だけで、9段落を「まとめ」としないようにしたい。

2 ウイルソンの実験や観察、研究についておおまかに捉える 〈20分〉

○学習活動1で確かめた「答え」となる「においをたどる」ことが分かるのは、どの段落であるか確認する。

T ありがにおいをたどっているとウイルソンさんが分かったのは、どうしてでしょう。

・ありの体を研究したからです。

・ありがおしりのところからにおいのある特別の液を出して、その後ろのありが、においにそって歩いていくことが分かったからです。

T それは何段落に書いてありますか。

・6段落です。

・7段落に「この研究から知ることができた」と書いてあります。

○5、6、7段落で、ウイルソンがありの体の仕組みについて研究して分かった（予想、

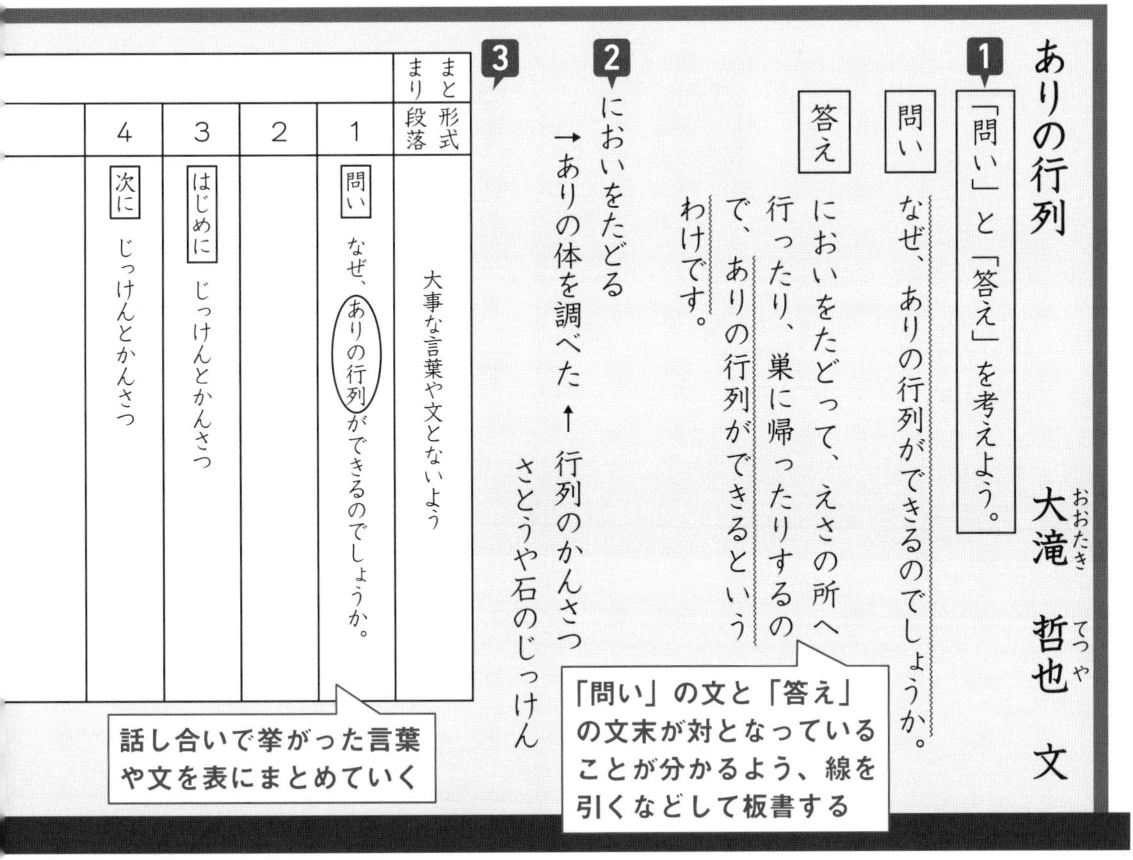

ありの行列　大滝（おおたき）哲也（てつや）文

1 「問い」と「答え」を考えよう。

問い　なぜ、ありの行列ができるのでしょうか。

答え　においをたどって、えさの所へ行ったり、巣に帰ったりするので、ありの行列ができるというわけです。

2 においをたどる

→ありの体を調べた　←行列のかんさつ

さとうや石のじっけん

3

形式段落	1	2	3	4
まとまり				
大事な言葉や文とないよう	問い　なぜ、ありの行列ができるのでしょうか。		はじめに　じっけんとかんさつ	次に　じっけんとかんさつ

「問い」の文と「答え」の文末が対となっていることが分かるよう、線を引くなどして板書する

話し合いで挙がった言葉や文を表にまとめていく

結果、まとめ）、ということを押さえる。

T　ウイルソンさんが、ありの体を研究しようと思ったのはどうしてですか。

・石を置いたのに、また行列ができたからです。

・はたらきありが地面に何か道しるべをつけたのではないかと考えたからです。

T　そうですね。段落で確かめてみましょう。

・３段落がはじめの実験です。

・段落の最初が「はじめに」となっています。

・４段落は「次に」で始まっています。

・４段落が石を置いた実験です。

・「と考えました。」と書いてあるので、５段落は予想だと思います。

T　つなぎ言葉や文末に注目すると、順番や内容が明確に分かりますね。

3 大事な言葉や文に着目し、段落の関係をおおまかにまとめる〈15分〉

T　段落ごとに分かったことを簡単に表にまとめていきましょう。

・１段落は「問い」でした。

・３、４段落は実験と観察だと思います。

T　どうしてそう思いますか。

・２段落に「次のような実験をして、……かんさつしました。」と書いてあります。

T　文章から大事な言葉を見つけたのですね。

・それなら、６段落は研究とあります。

・７段落にも「この研究から」とあります。

T　大事な言葉に注目すると、段落で何が書かれているのか、分かりやすくなりますね。

○「問い」と「答え」、ウイルソンの実験や観察などについて、話し合った内容を基に形式段落の関係を端的にまとめる。

本時案

ありの行列

本時の目標

・各段落の内容やつながりを話し合い、段落同士のつながりや指示語や接続語の役割を理解することができる。

本時の主な評価

❶各段落の内容やつながり、指示語や接続語の役割について話し合い、つながる言葉や文を本文から見つけている。【知・技】

資料等の準備

・前時で用いた形式段落の表 17-01

中				終わり
5	6	7	8	9
これらのかんさつから　よそう	研究　そこで　ありは、おしりのところから、とくべつのえきを出す	この研究から	答え　くわしい行列のでき方	答え　このように、においをたどって、えさの所へ行ったり、巣に帰ったりするので、ありの行列ができる

授業の流れ ▷▷▷

1 段落の関係を押さえながら文章構成を捉える 〈30分〉

○前時で作成した表を振り返ることで、他の段落の役割について考えるという本時のめあてにつなげる。

T　1段落は「問い」、9段落は「答え」でしたね。他の段落には何が書かれているでしょうか。

・2段落はウイルソンさんの紹介です。

・「次のような」と書いてあるから、3段落とつながりそうです。

T　2段落からは「中」となりそうですね。「中」はどこまででしょうか。

・前の時間に話したように、5、6、7段落まではつながっていると思います。

T　どこからそれが分かりますか。

・7段落の「この研究」は、6段落のことを指していると思います。

T　こそあど言葉ですね。5段落は何が書いてありますか。

・ウイルソンさんの考えたこと（予想）です。

T　では、8段落はどうでしょうか。

・段落の初めには、つなぎ言葉やこそあど言葉がないです。

・でも、これまでに分かったことがまとめられていて、ありの行列のでき方がよく分かります。

○各段落の内容と、接続語や指示語などの書き方の両面から考えていけるように発問しながら、本文を確かめるようにする。

○8段落については、「中」と「終わり」、どちらに入れるか考えが分かれるかもしれない。「中」とするのか、「終わり」に入れるのか、学級の子供たちと根拠を共有し、明確にできればよい。

ありの行列

大滝（おおたき）哲也（てつや）文

1 段落のないようをたしかめて、段落のかんけいを考えよう。

⑤これらのかんさつから
さとうをおく（3）
石をおく（4）
⑥そこで
⑦この研究から
ありの体のしくみの研究（6）
⑧はたらきありは、…↑行列のでき方のせつめい

指示語が何を指しているのか、確かめながら板書にまとめていく

2

まとまり	形式段落	大事な言葉や文とないよう
はじめ	1	問い なぜ、ありの行列ができるのでしょうか。
	2	ウイルソンのしょうかい 次のような
	3	はじめに じっけんとかんさつ
	4	次に じっけんとかんさつ

2 大事な文や言葉をまとめ、段落の関係を整理する 〈15分〉

T 話し合ったことを基に、表の中に大事な言葉や文を入れていきましょう。

○机間指導をし、書き込めているか確認する。全体指導で確かめる必要がある箇所について把握しておく。

T どんな言葉を表に書き入れましたか。

・段落の初めの言葉に注目すると、つながりが分かりやすかったので、書きました。

・5段落には予想と書きました。

・理科みたいだと思ったのは、5段落のように「これらのかんさつから…」といった言葉があるからです。

○子供の発言を基にしながら、表を完成させる。

○「はじめ」「中」「終わり」の構成について、表に書き込むようにする。

よりよい授業へのステップアップ

文章の特徴をつかむ

段落の初めの言葉以外にも、本教材では随所につながりを感じられる言葉が使われている。例えば、形式段落3、4では「しばらくすると」「やがて」「すると」「ようやく」などから、ありの行動の順序や時間の経過が感じられ、ウイルソンの観察を追体験できるようになっている。授業中に指示語や接続語を意識することで、このような言葉に気付く子供もいるだろう。そのような気付きは全体で確認し、教科書にたくさん線を引いたり、指示語や接続語を囲んだりするとよい。

本時案

ありの行列

本時の目標

・大事な言葉や文を用いて、ウイルソンの研究やありの行列ができる仕組みをまとめることができる。

本時の主な評価

・教科書の本文や前時までに用いた形式段落の表を参考にしながら、大事な言葉や文に着目し、ウイルソンの実験や研究、ありの行列ができる仕組みをまとめている。

資料等の準備

形式段落の表 17-01
ワークシート 1 17-02

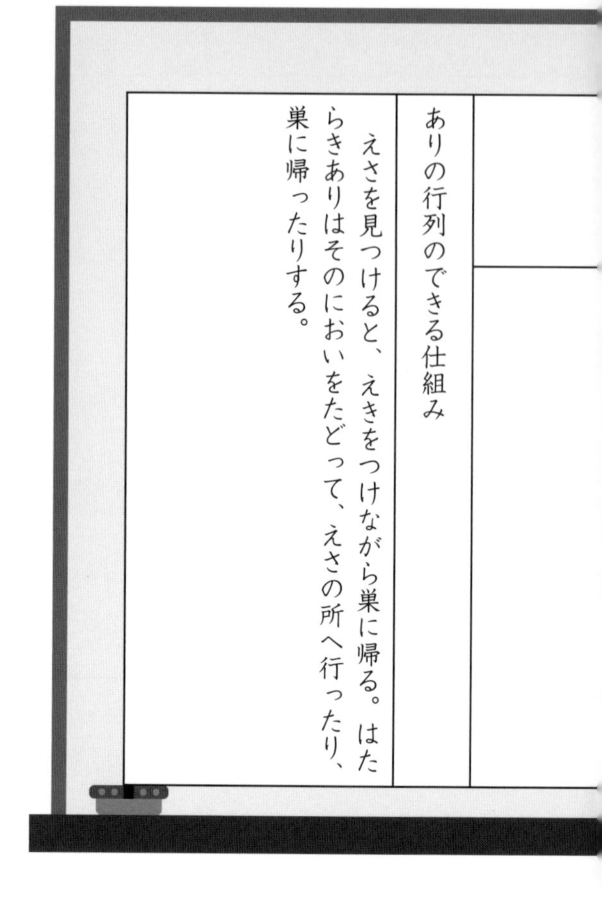

授業の流れ ▷▷▷

1 文章の構成を振り返る 〈10分〉

○前時で作成した表や本文の音読を通して、文章の内容を確かめる。

T これまでの学習を振り返って、短くまとめていきましょう。この説明文は「問い」から始まって、9段落に「答え」が書いてありました。「中」はどんなことが書かれていましたか。

・ウイルソンさんが実験や観察で分かったことでした。

T どんな実験をしましたか。

・石や砂糖を置いて、ありの行列を観察しました。

○大事な言葉や文を段落の表や本文で押さえておく（実験、観察、予想、研究などの言葉や「答え」の部分）。

2 段落の関係を踏まえて、本文内容をまとめる 〈25分〉

T これまでの学習で、文章の中の大事な言葉や文を見つけてきました。それらを基に、ウイルソンさんの実験やありの行列のできる仕組みをまとめていきましょう。

○ワークシート1を配付し、簡単にまとめられるようにする。

・行列のでき方は、8、9段落を見ればまとめられそうです。

・ウイルソンさんは、実験、観察、研究をしたから、それを順番にしたいです。

○ウイルソンの実験や研究とありの行列のできる仕組みについて、段落の表を基にしながら、どの段落を見ればよいか確かめたり、どの順で実験や研究が進んだのか確認したりして、活動の見通しがもてるようにする。

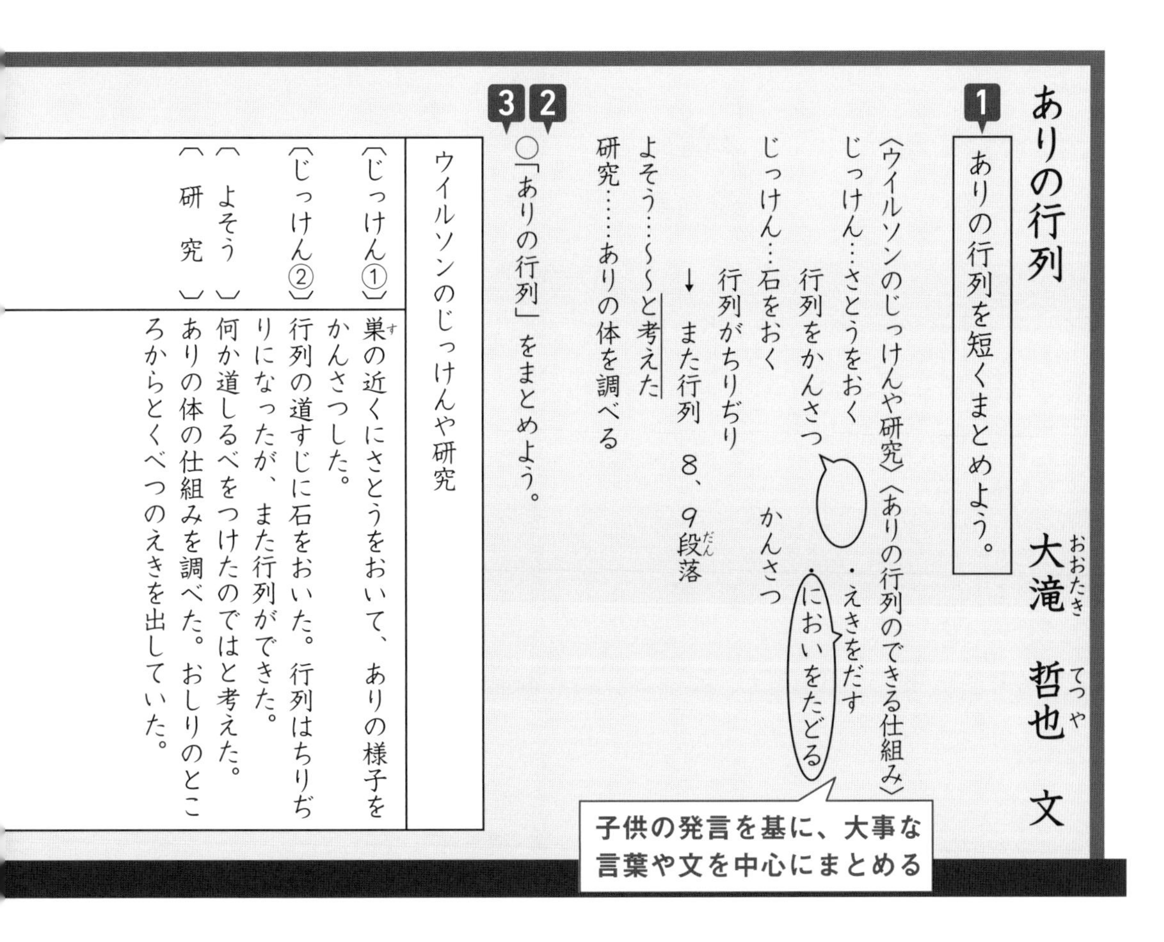

○机間指導を行い、まとめ方に困っている子供には個別に指導を行う。
○ありの行列のできる仕組みについては、8、9段落から大事な言葉や文を一緒に確認し、教科書に線を引く。それらを書き写すようにすると取り組みやすい。
○ウイルソンの実験や研究を示す部分に関しては、段落の表を用いて、実験→観察、実験→観察→予想→研究の順になっていることを確かめる。「このときはどんな実験をしましたか」のように、全体を把握した後、具体的に個別の内容を問うことで、書きやすくなる。
○困っている子供や記述に誤りのある内容がある場合は全体指導を行い、学級全体でまとめていくようにする。

3 まとめたことを全体で交流し、本文の内容を確かめる 〈10分〉

T　ありの行列のできる仕組みについて、どんな言葉や文を使って、まとめましたか。
・「はたらきありは、えさを見つけると、えきをつけながら巣に帰ります」と書きました。
・「においをたどって」と書きました。
T　それらは教科書のどこに書いてありますか。
・8、9段落に書いてあります。
○発言のあった言葉や文は、本文のどこに書いてあるのか全体で確認し、大事な言葉や文を押さえるようにする。
○ありの行列のできる仕組みとウイルソンの実験や研究の順、それぞれで確かめる。
T　大事な言葉や文に注目すると、文章の内容がまとめやすくなりますね。

本時案

ありの行列

本時の目標

・これまでの学習を振り返ったり、教科書p.103「もっと読もう」の資料を読んだりして、もっと知りたいことや考えたことなど、感想を書くことができる。

本時の主な評価

❸「ありの行列」やp.103「もっと読もう」の資料からもっと知りたいことや、筆者の書き方について学習したことを基に、感想を書いている。【思・判・表】

資料等の準備

ワークシート2 17-03

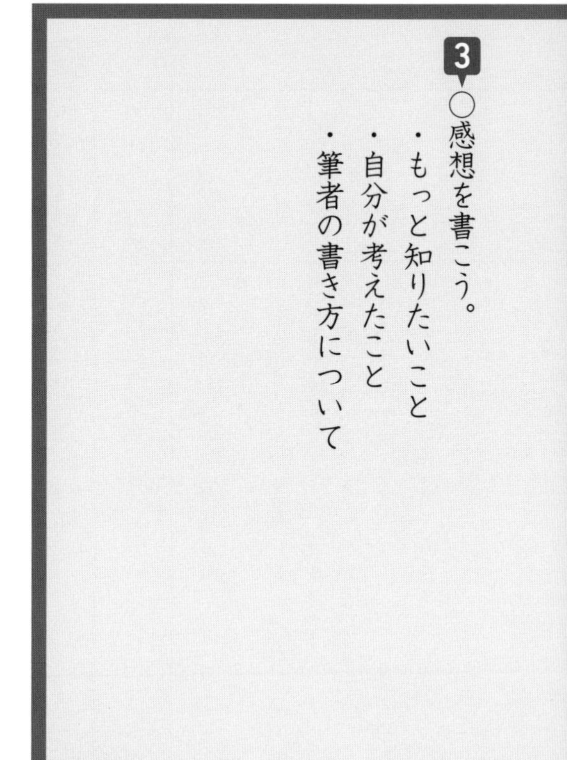

授業の流れ ▷▷▷

1 「ありの行列」について、感想を出し合う 〈10分〉

T　ウイルソンさんの実験や研究、ありの行列ができる仕組みについて、学習しました。また、筆者の書き方についても確かめましたね。考えたことやもっと知りたいことはありますか。

・ウイルソンさんが調べるのにどのくらいかかったのか、知りたいです。

・つなぎ言葉やこそあど言葉に注目すると、まとまりが分かりやすかったです。

○初発の感想に、もっと知りたいことや興味を広げている感想があった場合は、それを紹介するのもよい。

T　内容や筆者の書き方についての感想が出ましたね。

2 p.103「もっと読もう」を読んで、感想を話し合う 〈20分〉

T　今日は、教科書p.103に載っている「もっと読もう」を読み、学習したことを生かして、感想を書きましょう。

○２つの資料の見出しから、気になる点はどんなことなのか、全体で確認してから資料を読むようにする。

○予想を話し合ってから、資料を読むのもよいだろう。

T　資料を読んで、思ったことや考えたことを発表してください。

・においがいくつもあることに驚きました。

・「答え」の部分だけが書いてあって、どのように実験や研究をしたのか知りたいです。

・ありはにおいでいろいろなことを伝え合い、本当に嗅ぎ分けることが得意だと思います。

ありの行列

大滝(おおたき) 哲也(てつや) 文

1 ○「ありの行列」を読んで

〈内容について〉
・研究にかかった時間
・どんなにおいか
・どのありも同じか

〈書き方について〉
・つなぎ言葉
・こそあど言葉
・ようそう→おもしろい わくわく

学習したことを生かして、感想を書こう。

2 ○「もっと読もう」を読んで

①においはえさのときだけ？
・においのしゅるい
・人間にも分かる？

おどろいたこと

知りたいこと

②巣(す)がちがうありのにおいで、まよわないのか？
・ありはかぎ分けることがとくい

考えたこと

内容面の感想と、筆者の書き方についての感想に分けて板書する

子供たちから出てきた感想について、項目立てする

3 学習したことを基に感想を書く〈15分〉

T　学習してきて分かったこと、もっと知りたいと思ったことなど、感想を書いてみましょう。

○「もっと知りたいことがある人はいますか」「筆者の書き方について書こうと思っている人はいますか」のように尋ねて、挙手を促す。こうすることで教師が把握できるだけでなく、ほかの子供の参考にもなる。また、感想を書く上で、自分も考えてみようか、書いてみようかと意識を向けることができる。

○項目ごとにワークシート2を別々の用紙に分けておく方法もある。

よりよい授業へのステップアップ

感想を書くイメージをもつ

　ただ「感想を書きましょう」と伝えても、何を書けばよいのか、考えがまとまらない子供もいるだろう。そのことを念頭に置き、「驚いたこと」「もっと知りたいこと（興味をもったこと）」「文章から自分で考えたこと」など、教師から具体的に示すとよい。

　感想を書く前に、全体で共有する時間を設けるのも、書くことに苦手意識をもっている子供がイメージできるようにするねらいがある。どの子供も見通しをもって、「感想を書く」ことができるようにしたい。

本時案

ありの行列

本時の目標

・自分の感想との共通点や相違点に着目しながら友達の感想を読み、考えたことや思ったことを書いたり伝えたりすることができるとともに、進んで自分の興味のある資料を選んで読むことができる。

本時の主な評価

❹友達の感想を読み、思ったことや考えたことをワークシート３に書いたり、伝え合ったりして、感じ方の共通点や相違点に気付いている。【思・判・表】
❺用意された本や資料から自分の興味に合わせて選び、進んで読書しようとしている。【態度】

資料等の準備

・ワークシート３ 17-04
・関連する図書室の本や資料

○学習をふり返ろう。
①友だちの感想を読んでみて
・おどろいたところは同じでも、理由がちがう
・つなぎ言葉を使っていきたい
↑これから
②新しいしりょうを読んでみて
・かんさつして分かったことが書かれていた
・もぐらのあなをほるきょりにおどろいた

用意できた本のタイトルを書く。内容についても、大体で紹介するようにする

授業の流れ ▷▷▷

1 書いた感想を友達と読み合う 〈15分〉

T　同じところや自分とは違う感想を見つけながら、前回の時間に書いた感想をグループで読み合いましょう。
○同じところ、違うところについて、友達の名前や感想を書き込めるワークシート３を用意しておく。子供たちにとって違う点が分かりづらいときは、自分の感想には書いていないこと、なるほどと納得することなど、言葉を分かりやすくして伝えるとよい。
○まずはペアで読み合う時間を取ったり、生活班や意図的なグループを構成したりするなど、学級の実態に合わせて行う。
○読み合うペアやグループを変えながら、より多くの友達の感想を読めるようにする。

2 読み合って思ったことを全体で伝え合う 〈10分〉

T　友達の感想を読んで、思ったことや考えたことを発表してください。
・私はありの出すにおいが気になったのですが、同じような感想を書いている人が○人もいて、うれしくなりました。
T　ワークシート３に友達の感想と同じところやちがうところをメモできていますね。
・つなぎ言葉を意識して使っていこう、と書いている友達がいて、ぼくもそうしたいなと思いました。
T　これからの学習に生かそうとするのはすてきですね。同じ考えの人はいますか。
○１人の発言を聞いて終わるのではなく、クラス全体に問いかけ、全体で共有できるようにする。

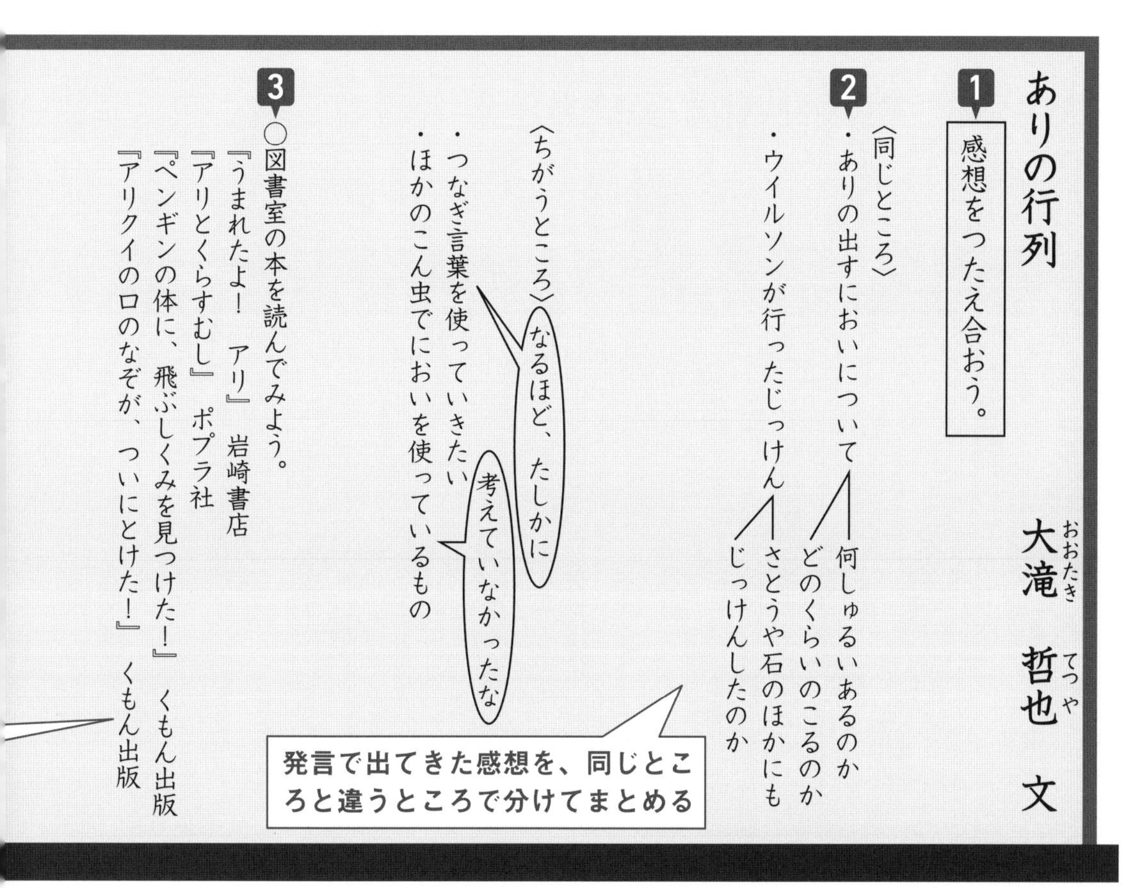

3 図書資料を読み、学習を振り返る 〈20分〉

T 「ありの行列」の学習や「もっと読もう」を読んで、感想が広がったり、深まったりしましたね。図書室にある、ありやその他の生き物についての本をさらに読んでみましょう。

○子供の書いた感想の内容によっては、ありについての本のみならず、ほかの昆虫などの生き物をテーマにした研究の本も考えられる。

T 友達と感想を伝え合ったり、さらに新しい資料も読んだりしました。学習の振り返りを書きましょう。

・ウイルソンさんのように、観察して分かったことが書いてありました。

・もぐらの穴を掘る距離に、驚きました。

ICT 等活用アイデア

興味・関心に合わせて

本単元に関する本を、1人1冊手にできる蔵書のある学校は多くない。自分の興味・関心に合わせて十分に本や資料に向き合わせたい本時のような授業では、1人1台端末を有効に活用していきたい。このような時間が、本を読もうとする意欲や図書室に行ってみようとする態度につながる。

事前に見取った子供の感想から、図書資料の必要なページだけを抜き出しておいたり、読みやすい内容を選んでおいたりすることができる。

資料

1 第3・4・5時　形式段落の表　17-01

形式段落の表

組　番　名前（　　）

									まとまり
9	8	7	6	5	4	3	2	1	形式段落
									大事な言葉や文とないよう

2 第5時　ワークシート1　17-02

ワークシート1

組　番　名前（　　）

○「ありの行列」をまとめよう

	ありの行列のできる仕組み	（　）	（　）	（　）	（　）	ウイルソンのじっけんや研究

3 第６時　ワークシート２ 17-03

ワークシート２

組　番　名前（　　）

○感想を書こう

もっと知りたいこと

自分で考えたこと

筆者の書き方について

4 第７時　ワークシート３ 17-04

ワークシート３

組　番　名前（　　）

	さん		さん		さん		さん	
同じところ		ないよう		ないよう		ないよう		ないよう
ちがうところ		ないよう		ないよう		ないよう		ないよう

言葉について考えよう

つたわる言葉で表そう （5時間扱い）

単元の目標

知識及び技能	・言葉には、考えたことや思ったことを表す働きがあることに気付くことができる。((1)ア) ・様子や行動、気持ちや性格を表す語句の量を増し、話や文章の中で使い、語彙を豊かにすることができる。((1)オ)
思考力、判断力、表現力等	・自分の考えとそれを支える理由や事例との関係を明確にして、書き表し方を工夫することができる。(B ウ)
学びに向かう力、人間性等	・言葉がもつよさに気付くとともに、幅広く読書をし、国語を大切にして、思いや考えを伝え合おうとする。

評価規準

知識・技能	❶言葉には、考えたことや思ったことを表す働きがあることに気付いている。(〔知識及び技能〕(1)ア) ❷様子や行動、気持ちや性格を表す語句の量を増し、話や文章の中で使うとともに、語彙を豊かにしている。(〔知識及び技能〕(1)オ)
思考・判断・表現	❸「書くこと」において、自分の考えとそれを支える理由や事例との関係を明確にして、書き表し方を工夫している。(〔思考力、判断力、表現力等〕B ウ)
主体的に学習に取り組む態度	❹言葉には考えたことや思ったことを表す働きがあることに積極的に気付き、学習の見通しをもって相手に伝わる文章を書こうとしている。

単元の流れ

次	時	主な学習活動	評価
一	1	学習の見通しをもつ ・教科書 p.107の 3 コマの絵を基に、伝えたいことがうまく伝わらない理由について考える。 ・体験したことや感じたことを、よりよく伝えるためにはどうしたらいいかを考える。	
二	2	似た意味でも言葉から受ける感じが違うことを捉え、伝えたいことに合う言葉を選ぶ大切さに気付き、短い文を書くことを通して使える言葉を増やす。	❷
	3	前時までの学習ポイントを基に、作成した例文で相手に伝わる言葉について考える。	❶
三	4	冬休みの出来事とそのときの気持ちを、読み手に伝わるように200字程度で書く。	❸
	5	学習を振り返る 前時で書いた文章を互いに読み合って、よかったところを伝え合い、学習を振り返る。	❹

授業づくりのポイント

〈単元で育てたい資質・能力〉

本単元のねらいは、言葉には考えたことや感じたことを表す働きがあることに気付き、それらを表す語句の量を増やし、話や文章の中で使うことで語彙を豊かにすることである。そのために、p.107の例文からロボロボの想像、比較することで、伝えたいことを相手が思い描けるような言葉を選ぶ必要性に気付くことが大切である。また、文章を書く場面では、自分の気持ちや表したい様子に合う言葉を見つけるために、辞書やp.165の「言葉のたから箱」などを調べることで、活用できる語彙を増やしたい。

〈教材・題材の特徴〉

p.107の３コマイラストで使われている「すごい」は、子供の日常会話の中でもよく使われる言葉である。単元の導入場面では、自分が伝えたい「すごさ」が、実は相手に伝わっておらず、自分と相手が共感し合うためには、さらに言葉を添えたり言い換えたりする必要があることが分かりやすく示されている。子供の日常に即した場面を扱うことにより、学習したことをすぐに生活場面で活用することができるという教材の特徴がある。

また、似た意味の言葉を比較し、言葉から受ける感じ方の違いに気付くことで、自分が伝えたいことにぴったり合う言葉を探そうとする意欲の向上が期待できる教材である。そして、「調べる」「選ぶ」「書く」「相手と確かめ合う」ことで、子供たち自身が、「書くことの力がレベルアップした」と実感をもつことができる教材である。

〈言語活動の工夫〉

p.107の例文から、伝えたいことがうまく伝わらない理由について考える活動を設定する。その中で、どんな言葉が相手に伝わる言葉なのか、選んだ言葉によって受ける感じにどんな違いがあるのかなどを検討することで、相手に伝わる言葉への理解を深められるようにする。

また、学んだことを活用して実際に文章に書く活動を設定する。その活動を通して、相手に伝わる言葉への理解をさらに深めていき、自分の気持ちを分かりやすく表す技能の定着を図りたい。そして、書いたものを互いに読み合う場面を設定し、自分が用いた言葉や表現が相手にはどう伝わったかを知ることができるようにする。

［具体例］

○p.107の３コマイラストの「すごい」は、なぜ相手に伝えたいことがうまく伝わらなかったのか、またどんな別の言い方にすればいいのかを考える。また、似た意味でも言葉から受ける感じが違うことを確かめ、他の似た意味の言葉を探したり、辞書や本などで他の言葉を調べたりする活動を設定する。

○学んだことを活用して、実際に文章を書く活動を設定し、互いに読み合い、感想を伝え合うことで、どのように相手に伝わったのかを書き手が実感できる場をもつ。

〈ICTの効果的な活用〉

調査：端末の検索機能を用いて、似た意味の言葉探しをすることで、語彙を豊かにする。

共有：学習支援ソフトを用いて、調べた言葉を共有したり、言葉の入れ替えをしたりすることで伝わり方の違いを実感できるようにする。

記録：端末の文章作成ソフトなどを用いて作成した文を保存し、読み合い交流する。

本時案

つたわる言葉で表そう

本時の目標

・伝えたいことをよりよく伝えるためには、相手や状況に合う言葉を使ったり、選んだりする必要があることに気付くことができる。

本時の主な評価

・絵を基に、伝えたいことをよりよく伝えるためには、相手や状況に合う言葉を使ったり、選んだりする必要があることに気付いている。

資料等の準備

・ワークシート１ 18-01
・教科書 p.107の絵の２コマ目拡大コピー

3
○様子や気持ちをつたえるときに、大事なことは何かな。
・相手が、様子や気持ちを思いうかべられる言葉を使う
・様子や気持ちをくわしく思い出す（いつ・どこで・だれが・どうしたなど）
・自分の気持ちに合う言葉を考える

子供の言葉を生かして板書する

授業の流れ ▷▷▷

1 学習の見通しをもつ 〈10分〉

○本単元で、子供たちが何を学ぶのか、見通しをもてるようにする。
○ p.107の３コマを教師が読み上げる。
T　これはどんな様子ですか。
・野球の試合を見に行ったことです。
・ホームランを打ったみたい。
T　２コマ目は、その様子を見に行ったロボロボが友達に感想を伝えようとしています。どう感じますか。
・何がすごいと思ったのかな。
・すごいホームランってどんなのかな。
・どんな様子だったのか分かりません。
○本時のめあてを確認する。

2 伝わりやすい言葉選びの工夫を考える 〈20分〉

○ロボロボが見たことや感じたことを、よりよく伝えるためには、どうすればよかったのか、再度絵の１コマ目をよく見て、そのときの出来事や気持ちを考える。
T　どんなホームランだったか、絵をよく見てみましょう。
・カキーンという音が響いています。
・虹みたいに球が飛んでいっています。
・遠くの壁に当たりそうです。
T　それを見たとき、ロボロボはどんな気持ちだったかを想像してみましょう。
・かっこいいな、興奮する、かな。
T　どのように言い換えれば、ロボロボの気持ちが伝わるでしょうか。ワークシート１に記入しましょう。

つたわる言葉で表そう

様子や気持ちがつたわるような言い方を見つけよう。

1 2

p.107
1コマ目の絵

・カキーンという音がする
・かべに当たりそうなくらい

すごいホームランを打ったんだ。
↓
遠くのかべに当たりそうなくらい大きいホームランを打ったんだ。

本当にすごいなあと思ったよ。
↓
にじのように球が飛んでいって、こうふんした（と思ったよ。）

3 よりよく伝えるために大事なことをまとめる 〈15分〉

○ p.108下段「様子や気持ちをつたえるときは」を用い、ロボロボの例と照らし合わせながら、まとめていく。

T ロボロボの発言から、様子や気持ちを詳しく思い出すことや、それに合う言葉を考えたり、選んだりすることが大事であることが分かりましたか。

・自分が伝えたいことを、相手が思い浮かべられるような言葉を使うことが大事だと分かりました。
・話すときだけでなく、書くときも、様子や気持ちを詳しく思い出すことが大事だと思いました。
・気持ちを表す言葉をもっと知ったり、考えたりしたいです。

よりよい授業へのステップアップ

何を意味する「すごい」なのか明確に

p.107　2コマ目でロボロボが言った、1つ目の「すごい」は、ものの程度を表すもの、2つ目は気持ち・感情を表すものである。「すごいホームラン」を詳しく表すには、絵を基にして、どんなホームランだったかを共有することで、個々の気付きを全体に広げることができる。

「すごいなあと思ったよ。」で、ロボロボの気持ちを想像するのが難しい場合は、自分だったらどんな気持ちになるか、状況をイメージするような声かけをして支援したい。

本時案

つたわる言葉で表そう

本時の目標

・伝えたいことに合う言葉を選び、文に書くことで語彙を増やすことができる。

本時の主な評価

❷伝えたいことに合わせて言葉を選ぶ大切さを知り、伝えたい様子や気持ちを表すのにふさわしい言葉を選んで文の中で使っている。
【知・技】

資料等の準備

・教科書 p.109上段①、②の例文の短冊
・国語辞典（できれば１人１冊）
・ワークシート２ 18-02

◎自分の気持ちや表したい様子にぴったり
合う言葉をえらぶことが大事

3
○調べた言葉を使って、短い文を作ろう。
・きのう買ったくじの当たりを見つけたとき、
心がおどりました。
もっとうれしい気持ち

子供の発言を板書する

授業の流れ ▷▷▷

1 p.109①、②の２つの例文を比べ、本時の課題をつかむ 〈10分〉

○ p.109上段①、②の２つの例文を比べることで、似た意味を表す言葉でも、言葉から受ける感じ方に違いがあることに気付く。

T　２つの例文を比べて気が付いたことはあるかな。

・似ているけど少し違う感じがします。
・「どきっ」は焦ったときに使う。
・「はっと」は何かに気付いたときに使います。
・「寒い」と「はだ寒い」ではどのくらい寒いかが違う感じがする。

T　使える言葉が多いと、自分が伝えたい気持ちや様子にぴったり合う言葉を選ぶことができます。そのために、使える言葉を増やしていきましょう。

○本時のめあてを確認する。

2 語彙の増やし方を知り、似た意味を表す言葉を知る 〈15分〉

○語彙を増やす方法として、国語辞典や類語辞典、教科書 p.165の「言葉のたから箱」を利用するほか、友達の文章や本などからも知ることができることを押さえる。また、知り得た言葉を積極的に使うことで身に付いていくことを伝える。

T　みんながよく使う言葉に「うれしい」という言葉がありますね。似た意味を表す言葉を見つけて、ワークシート２の図に書きましょう。

・「喜ぶ」や「楽しい」があります。
・「幸せ」があります。
・「ハッピー」と言い換えると、もっとうれしそうです。
・「心がはずむ」や「心がおどる」もあります。

つたわる言葉で表そう

1 つたえたいことに合う言葉を見つけて、使ってみよう。

どんな感じを受けるか確認する

① 友だちの言葉に、どきっとした。
- あせっているのかな
- こまっている感じ？

友だちの言葉に、はっとした。
- 思い出した感じ？
- おこっているのかな

② 今日は、寒い一日だった。
- 冬っぽい感じ
- 北風がふいてそう

今日は、はだ寒い一日だった。
- こっちは秋っぽい感じ
- うすぎなのかな

2 ○つたえるときに使える言葉をふやそう。

〈言葉をふやす方ほう〉 ⇦
- 友だちの文章や言葉でいいなと思う言葉をおぼえておく
- 本を読む
- 国語辞典（じてん）で調べる
- p.165～p.166の「言葉のたから箱（ばこ）」からえらんで使う
- タブレットでけんさくする

3 調べた言葉を使って、短い文を作る 〈20分〉

○調べた中から、気になった言葉や使ってみたい言葉を用いて短文を作る。

T　気になった言葉や使ってみたい言葉を使って、短い文を作ってみましょう。選んだ言葉には線を引いて、横に意味も書き加えましょう。できた文は友達と見せ合うと、お互いに言葉が増えます。

・くじの当たりを見つけたときは、「うれしい」より「心がおどる」のほうが、もっと気持ちが伝わる感じがするね。

・「有頂天」を使うとかっこいいなあ。

T　自分の気持ちや表したい様子に合う言葉を選びましょう。また、文を書くときに、新しい言葉を調べて使うと、書く力がレベルアップします。進んで使いましょう。

ICT 等活用アイデア

ICT とアナログのよさを使い分けて

　検索機能では、たくさんの言葉を見つけることができるため、見つけた言葉はノートに書き溜めておく。オリジナルの言葉辞典を作って、今後の書く活動に生かすことができる。言葉探しを充実させるために、検索するサイトを提示しておくとスムーズである。

　知り得た言葉には、慣用句や難読漢字などもあるので、意味を調べてから実際に書くことで定着を図りたい。短時間で幅広く言葉探しをするためにはICT、言葉に深く向き合うには辞書、など有効に使い分けたい。

本時案

つたわる言葉で表そう

本時の目標

・2つの例文を比較し、言葉の働きに気付いたり、語句の量を増やしたりしながら、相手に伝わる言葉について考えることができる。

本時の主な評価

❶ 2つの例文を比較し、言葉には考えたことや思ったことを表す働きがあることに気付いている。【知・技】

資料等の準備

・ワークシート3 ⬇ 18-03
・ワークシート3の2つの例文の拡大コピー
・マーカーペン（赤・青）

②をえらんだ理由
・「いつ」「どこに」「だれと」が分かりやすい
・くわしく思い出して書いている
・気持ちがつたわる

3
○冬休みの出来事とそのときの気持ちを書くときに気をつけたいこと
・つたえたいことに合う言葉を調べて使う
・調べた言葉の中から、合う言葉をえらびたい
・様子がつたわるように、くわしく思い出して書きたい
・いつ、どこで、だれが、どうしたかが分かるように気をつける

授業の流れ ▷▷▷

1 例文を比較し、これからの学習の課題をつかむ 〈10分〉

○読み手に伝わる文章の書き方はどちらかを考え、これから書く「冬休みの出来事とそのときの気持ち」の課題をつかめるようにする。
○ワークシート3の2つの例文①、②の拡大コピーを掲示する。
T　2つとも同じ出来事を書いた文章です。どちらの方が、より自分の伝えたいことを相手に伝えられるか考えましょう。
・①の例文は、神社に行ったことは分かるけど、何か足りない気がします。
・①と②と比べたら、②の方がずっと気持ちが伝わります。
・②の方が、様子がよく伝わります。
○自分ならどう書きたいか、見通しがもてるようにする。

2 選んだ理由を考え、伝え合う 〈25分〉

○例文①、②を読み比べ、読み手に伝わる文章の書き方はどちらかを考える。その際、「この書き方が工夫されているから」など気付いたところに線を引くことで、選んだ理由をもつように伝える。
T　どうして、①または②を選んだのですか。
・②は、いつ、どこで、誰と、を詳しく思い出して書いているからです。
・①はすごかった、だけではどう思ったのか気持ちが伝わらないからです。
・願い事が何だったのか、が詳しく書いてあるから、②の方が分かりやすいです。
・「うれしい」よりも「心がおどる」と書いているので、本当にうれしい気持ちが伝わるからです。

つたわる言葉で表そう

どちらの文章が相手によくつたわるかくらべて、自分ならどう書きたいか考えよう。

1 2

①をえらんだ理由　・まず、次に、と書いていて、順序（じゅんじょ）が分かりやすい

①

はつもうで

冬休みに、神社に行きました。人が多くて、すごかったです。まず、ねがいごとをしました。次に、おみくじを引きました。大吉が出てうれしかったです。いい一年になるといいな、と思いました。

②

ねがいをこめたはつもうで

一月一日の朝、家族といっしょに神社にはつもうでに行きました。数えきれないほどたくさんの人がいて、とてもびっくりしました。まず、「家族が元気にすごせますように。」とねがいごとをしました。次に、どきどきしながらおみくじを引きました。大吉が出て心がおどりました。幸せな一年になるといいな、と思いました。

3 書くときに気を付けたいことをまとめる 〈10分〉

○本時とこれまでの学習を振り返り、「冬休みの出来事とそのときの気持ち」を書くときに、気を付けたいことをまとめる。

T　文章を書くときに気を付けることは何ですか。

・伝えたいことに合う言葉を調べて、使ってみたいです。
・調べた言葉の中から、合う言葉を選んで書いてみたいです。
・様子が伝わるように、詳しく思い出して書きたいです。
・いつ、どこで、誰が、どうした、が分かるように気を付けることです。

○これから様々な文章を書くときにも、大事であることを伝える。

よりよい授業へのステップアップ

文章を書くための、個々の時間の十分な確保

自分だったらこの書き方にしよう、この表現を使ってみたいから調べてみよう、という個々の興味や意欲を高めるために、「自分ならこうしたい」という気持ちを大事にしたい。

そのために、例文に向き合い、その子なりの気付きがあった箇所に、マーカーペンで線を引くことや、理由を考える時間をじっくり確保することが大切である。色は、赤は出来事、青は気持ち、など第5時の付箋の色と共通させることで、学習につながりをもたせる。

本時案

つたわる言葉で表そう

本時の目標

・経験したことから書くことを選び、伝えたいことを明確にして、書き表し方を工夫することができる。

本時の主な評価

❸出来事と気持ちが相手に伝わるように、書き表し方を工夫している。【思・判・表】

資料等の準備

・前時に使用した 2 つの例文①、② 18–03
・国語辞典

気持ちが伝わる書き方の工夫となっている箇所に線を引き、確かめる

ねがいをこめたはつもうで

一月一日の朝、家族といっしょに神社にはつもうでに行きました。数えきれないほどたくさんの人がいて、とてもびっくりしました。まず、「家族が元気にすごせますように。」とねがいごとをしました。次に、どきどきしながらおみくじを引きました。大吉が出て心がおどりました。幸せな一年になるといいな、と思いました。

授業の流れ ▷▷▷

1 学習の見通しをもつ 〈5 分〉

○これまでの学習を生かして、冬休みの出来事とそのときの気持ちを200字程度で書くことを伝える。

T　どんな出来事を書きたいですか。
・親戚に会ってお年玉をもらったことです。
・家族と温泉旅行に行ったことです。
・スキーに挑戦したことです。

○前時で見せた例文②は170字程度であることを伝え、目安を知る。
○次の時間には友達と読み合うことを伝え、次時への見通しがもてるようにする。

2 相手に伝わる文章にするために大事なことを確認する 〈10分〉

○これまでの学習から、様子や気持ちが伝わる文章を書くために大事なことを振り返る。

T　読む人に、そのときの出来事やあなたの気持ちがより伝わる文章を書くために、大事なことは何ですか。
・詳しく思い出して書くことが大事です。
・自分の気持ちが伝わる言葉を選ぶことです。

T　書くときに気を付けたいことは何ですか。
・教科書 p.165「言葉のたから箱」から、使っていない言葉を見つけて使うことです。
・国語辞典で調べて、そこから選ぶことです。

ICT 端末の活用ポイント

ワークシート 3 を撮影したものや、板書などモニターに言葉のヒントとなるものを表示しておくと、文章を書くときに参考にできる。

つたわる言葉で表そう

1

冬休みの出来事とそのときの気持ちを書こう。

冬休みの出来事
・お年玉をもらった
・家族と温せん旅行に行った
・スキーにちょうせんした

子供たちが発言した出来事を書く

3 2

○相手につたわる文章を書くときに大事なこと
・出来事をくわしく思い出すこと
・気持ちがつたわる言葉をえらぶこと
・p.165「言葉のたから箱」や国語辞典などでさがすこと

前時の掲示物を合わせて確認したい

はつもうで

冬休みに、神社に行きました。人が多くて、すごかったです。まず、ねがいごとをしました。次に、おみくじを引きました。大吉が出てうれしかったです。いい一年になるといいな、と思いました。

3 冬休みの出来事とそのときの気持ちを200字程度で書く 〈30分〉

T 冬休みの出来事とそのときの気持ちを200字程度で書きましょう。
・私は、弟と朝からお昼まで、庭で雪遊びをし、夢中になったことを書きます。
・クリスマスにご飯を食べに行って、お腹いっぱいで幸せになったことを書きます。
○読む人が、様子や気持ちを思い浮かべられるように、言葉を選んで書く。また、題名は後から考えたものでよいことを伝える。
○書き終えた子供には、相手に伝わりにくいところはないか、ほかにも自分の気持ちにぴったり合う言葉はないか、などを考えながら読み直すことを伝える。

よりよい授業へのステップアップ

書いている間の個別指導

個に応じ、出来事から書くことを選んだり、伝えたい出来事の整理をしたりする支援を行う。掲示した例文の拡大コピーを参考にしたり、モニターやプロジェクターに表示した言葉から選んで使ってみたりするとよい。

これまで使ったことのない言葉を使うために、国語辞典やp.165「言葉のたから箱」、第３時のワークシートなどを参考にすることを伝える。言葉を比較して、よりよい表現を選ぼうとする姿を褒める声かけをしたい。

本時案

つたわる言葉で表そう

本時の目標

・言葉には考えたことや思ったことを表す働きがあることに気付き、相手に伝わる言葉について考えることができる。

本時の主な評価

❹文章を読み合うことを通して、言葉には考えたことや思ったことを表す働きがあることに気付き、相手に伝わる言葉について考えようとしている。【態度】

資料等の準備

・前時で子供が書いた冬休みの出来事の文章
・赤と青色の付箋

3 ○学習をふり返ろう。
《分かったこと、取り組みたいこと》
・出来事や気持ちをくわしく思い出すこと
・相手が様子を思いうかべられるような言葉を使うこと
・国語辞典（じてん）などで調べた言葉を使ってみること

授業の流れ ▷▷▷

1 友達と文章を読み合うときのポイントを押さえ、読み合う 〈25分〉

T　友達と書いた文章を読み合いましょう。
○グループをつくり、前時に友達の書いた文章の中で見つけた、様子がよく伝わる言葉には赤の付箋を貼り、気持ちを表す言葉や表現には青色の付箋を貼るように伝える。
○読み合うときに、注目するポイントを押さえる。
・「雪がすごかった」よりも「一面、銀世界」と書いた方が、様子がよく伝わります。
・「心がおどる」だと、すごくうれしい気持ちが伝わります。
○言葉に着目した褒め方のポイントを板書し、いつでも参考にできるようにする。

2 友達の文章のよかったところを共有する 〈15分〉

T　友達が書いた文章で、いいなと思った言葉がありましたか。
・○○さんの「待ち遠しい」という言葉は、本当に楽しみな感じが伝わりました。
・△△さんは、「ごうか」という言葉を使っていました。立派そうな感じが伝わりました。
○「いいな」と感じた言葉は何か、なぜそう感じたのかも伝え合いたい。

ICT 端末の活用ポイント

友達の文章のよかったところを、モニターやプロジェクターに映して、どんな出来事や様子、気持ちが詳しく伝わったのかを全体で共有することで、新たな気付きや、その語句を増やすきっかけとする。

つたわる言葉で表そう

1 文章を読み合い、よかったところをつたえよう。

2 ○ほめ方のポイント
読んで「くわしくつたわる」と思ったところにふせんをはる。

ポイント①出来事やその様子がよくつたわる言葉
赤のふせん
（れい）・「雪がすごかったです。」
→「一面、銀世界でした。」

赤やピンクのチョーク

ポイント②気持ちがよくつたわる言葉
青色のふせん
（れい）・「うれしかったです。」
→「心がおどる」

青や水色のチョーク

3 学習を振り返る 〈5分〉

○単元全体を振り返って、分かったことや、これから意識したいことなどをまとめる。

T これまでの学習を振り返って、分かったことや、これから取り組んでいきたいことは何ですか。

・「すごい」という言葉はよく使うから、何がどうすごいと思ったのかを、相手が思い浮かべられることが大事だと分かりました。

・似た意味の言葉がたくさんあることが分かったから、使ったことのない言葉を、国語辞典などを使って、調べてみたいです。

○知った言葉は書くときだけでなく、話すときも進んで使ってみることを伝える。

ICT 等活用アイデア

文章や感想を共有する場面でも工夫を

学習支援ソフトを用いて、書いた文章を共有することで多くの文章を読み合うことができる。

また、友達から送られた文章に「いいな」と思う箇所に線を引いたものや、付箋機能で書いた感想などを相手に送ることで、振り返りに利用することもできる。

読み合う時間になった場合も、よかったところを、共有アプリなどを用いて、全体やグループに常に共有できるようにしたい。

資料

1 第1時　ワークシート1　18-01

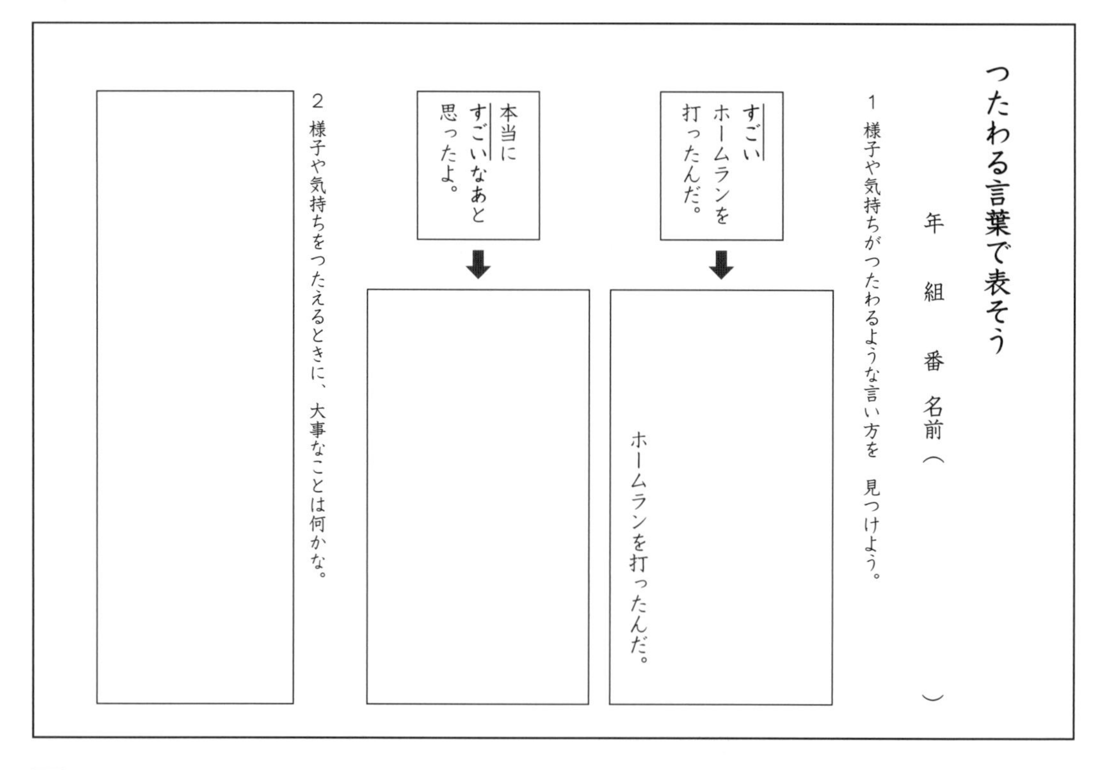

2 第2時　ワークシート2　18-02

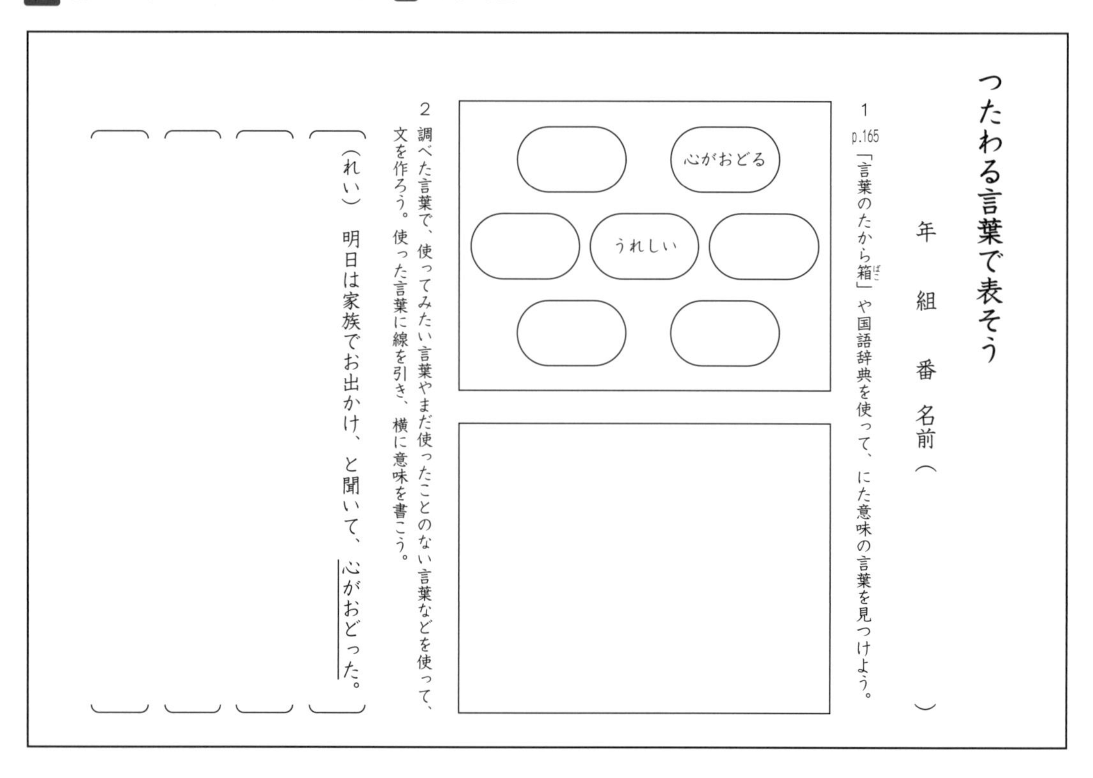

つたわる言葉で表そう

年　組　番　名前（　　　　　　）

1　二つの文章をくらべて、どちらがそのときの様子や気持ちがよくつたわりますか。

①
はつもうで

冬休みに、神社に行きました。人が多くて、すごかったです。まずは、ねがいごとをしました。次に、おみくじを引きました。大吉が出てうれしかったです。いい一年になるといいな、と思いました。

②
ねがいをこめたはつもうで

一月一日の朝、家族といっしょに神社にはつもうでに行きました。数えきれないほどたくさんの人がいて、とてもびっくりしました。まずは、「家族が元気にすごせますように。」とねがいごとをしました。次に、どきどきしながらおみくじを引きました。大吉が出て心がおどりました。幸せな一年になるといいな、と思いました。

様子や気持ちがよくつたわる文章は・・・・・・ □

えらんだ理由

（　　　　　　）

書き表し方をくふうして、物語を書こう

たから島のぼうけん　（8時間扱い）

単元の目標

知識及び技能	・様子や行動、気持ちや性格を表す語句の量を増し、話や文章の中で使い、語彙を豊かにすることができる。((1)オ)
思考力、判断力、表現力等	・書き表し方を工夫することができる。(B ウ)
学びに向かう力、人間性等	・言葉がもつよさに気付くとともに、幅広く読書をし、国語を大切にして、思いや考えを伝え合おうとする。

評価規準

知識・技能	❶様子や行動、気持ちや性格を表す語句の量を増し、話や文章の中で使い、語彙を豊かにしている。(〔知識及び技能〕(1)オ)
思考・判断・表現	❷「書くこと」において、書き表し方を工夫している。(〔思考力、判断力、表現力等〕B ウ)
主体的に学習に取り組む態度	❸友達と作品を読み合い、おもしろいと思ったところやまねしたいと思った書き表し方について、進んで感想を伝え合おうとしている。

単元の流れ

次	時	主な学習活動	評価
一	1	学習の見通しをもつ ・これまでに読んだ冒険物語を想起し、楽しさを共有する。 ・たから島の地図を見て登場人物や出来事を想像し、想像した話を伝え合う。 ・創作する物語のイメージを膨らませ、学習課題を設定する。 様子がつたわるように、書き表し方をくふうして、物語を書こう。	
二	2 3 4・5	教科書 p.92での学びを振り返り、物語の組み立てを考え組み立てメモにまとめる。 ・既習の物語文や p.165「言葉のたから箱」を振り返り、物語に入れたい語句や表現を見つける。 ・登場人物の会話、行動、気持ち、場面の様子などを考え、語句や表現を書き加える。 ・登場人物の性格や特徴、たから島の地図を手に入れた経緯を考える。 ・たから島で起こる事件やそれを解決する方法を考えたり、どのような宝物を手に入れるのかを決めたりする。	 ❶ ❶
三	6 7 8	2つの例文を読み比べ、冒険の様子がよく伝わる書き表し方を考える。 自分なりに書き表し方を工夫し、冒険物語を完成させる。 ・友達と作品を読み合い、自分が用いた工夫や文章のよさを実感する。 学習を振り返る ・作品を読み合い、友達や自分の文章のおもしろかったところや、いいなと感じた言葉や表現について紹介し合う。 ・p.115に示された観点で学習を振り返り、発表する。	 ❷ ❸

授業づくりのポイント

〈単元で育てたい資質・能力〉

本単元のねらいは、想像したことが読む人に伝わるように、場面や登場人物の様子、気持ちがよく分かる書き表し方を工夫する力を育むことである。そのためには、様子や行動、気持ちや性格を表す語句を自ら調べ使用することや、物語の場面の描写にふさわしい言葉や表現を考えることが必要となる。教師作成の例文の比較やこれまでの既習作品を通して、物語を書く上で必要となる登場人物の設定や構成、様々な言葉や表現の工夫といった、基本的な特徴に子供が自ら気付けるようにする。

〈教材・題材の特徴〉

本単元「たから島のぼうけん」は、魅力的な絵地図を基に、現実世界ではあり得ない奇想天外な出来事が次から次へと思い浮かぶなど、子供の想像をかき立て、誰もが書いてみたいと思える題材である。また、物語世界にとことん浸ることのできるこの時期の子供が、1枚の絵から想像を膨らませ、自由に冒険物語を創作することは、書くことを好きになる上で最適な活動である。

〈言語活動の工夫〉

物語を書く際には、子供が想像したことを整理しながら書けるよう、組み立てメモを基に、①登場人物の設定、②地図の入手方法、③事件と解決、④むすびという場面に分けて考えられるようにする。

また、読み手を惹きつける文章にするためには、物語の組み立てだけでなく、どういう登場人物が出てきて、どんな事件が起こり、どう解決するかを詳しく考えることが重要となる。その際に、「人物を表す言葉」「気持ちを表す言葉」「様子を表す言葉」や、オノマトペや比喩といった表現の工夫を意識できるようにしたい。

[具体例]

○教科書の巻末にある「言葉のたから箱」を見返し、自分の物語に使えそうな語句を選ぶ時間を設ける。また、端末を用いて性格、オノマトペ、比喩などの言葉一覧や、似た意味の言葉を調べ、物語創作に使えそうな語句をまとめておくことで、様々な語句を使おうとする意識が高められる。

○既習の物語教材を読み返し、登場人物の設定、様子や気持ちがよく伝わる表現の工夫を見つけ、活用することで、過去の学びを生かす学習を展開することができる。

○教師作成の2つの例文を読み比べる活動を設定する。書き表し方が工夫されている例文Aと工夫されていない例文Bを比較することで、書き表し方を工夫するポイントやそのよさに自ら気付くことができ、自分の物語でも使ってみよう、工夫して書いてみようという意欲が高まる。

〈ICT の効果的な活用〉

共有：端末の文章作成ソフトを用いて、場面ごとにお話を作成し、推敲・校正を行うことで、文章全体を書き直す労力が少なくなる。また、音声入力を使用することで、長文を書くことや文字を打つことに慣れていない子供も容易に活動に取り組めるようになるだろう。

記録：例文や言葉の一覧表等を共有ドライブに入れることで、随時見ることができ、参考にすることができる。

本時案

たから島のぼうけん

本時の目標

・たから島の地図を見ながら、想像したお話を伝え合うことで、創作する物語へのイメージを膨らませたり、学習の見通しをもったりすることができる。

本時の主な評価

・たから島の地図を見て、登場人物や出来事を想像したり、物語創作活動への見通しをもったりしている。

資料等の準備

・教科書 p.112–113たから島の地図の絵の拡大コピー

4
○どんな物語にしたい？
・「三年とうげ」…主人公の気持ちの変化（へんか）がある話にしたい
・「四まいの絵を使って」…じけんとかいけつをわくわくする物語にしたい

様子がつたわるように、書き表し方をくふうして、物語を書こう。

授業の流れ ▷▷▷

1 冒険物語を読んだ経験を発表する 〈5分〉

○これまでに読んだ冒険物語を想起し、わくわく感やドキドキ感など、冒険物語に対する思いを引き出してから、学習に入りたい。

T　みなさんは、これまでわくわくする冒険物語を読んだことはありますか。

・『おしいれのぼうけん』という、押し入れの中に入って友達と一緒に冒険する物語を読みました。惹きつけられる場面がたくさんあってハラハラしました。

・『エルマーのぼうけん』を読みました。竜やライオンが出てきて、ドキドキしました。

・仲間と一緒に宝を探す『わんぱくだんのたからじま』を読み、わくわくしました。ぼくも、ワープして宝探しをしてみたいです。

2 地図を見て、どんな冒険が起こるかを想像する 〈15分〉

○教科書 p.112のたから島の地図を拡大したものを黒板に掲示する。想像する楽しさを味わえるよう、たから島の地図との出合いを演出し、わくわく感を高めたい。

T　廊下にこのようなものが落ちていました。

・宝島の地図だ！　宝箱がある！

・いろいろな怪獣がいるよ。

・行って宝箱を開けてみたい！

T　みんなだったら、どの道を通って宝箱を目指しますか。

・赤い鳥のところを通って仲間にしたいです。

・宝は火山にあるから、氷のところに行って何かアイテムを手に入れたい！

○それぞれの道で起こりそうな出来事やそれを解決する方法を自由に出せるようにする。

たから島のぼうけん

1
○ぼうけん物語・・たからさがしのぼうけんにわくわく
かいじゅうが出てきてドキドキ

教科書p.112の「たからの地図」の挿絵
拡大コピー

2
赤い鳥のところから。
・鳥の火におそわれる
↓氷の世界の氷でたおす
↓なかまにして、たから箱（ばこ）まで

ワニのところから。
・湖をわたる橋がない
↓ワニをたおしてなかまにし、湖とたきをわたる

・発言した内容をルートごとにまとめる
・起こりうる事件や解決策なども書く
・板書を撮影し掲示すると、今後の参考になる

3
○どんな登場人物？
・小学三年生男子
・自分を主人公に
・親友や犬といっしょに

○たから島の地図の手に入れ方
・犬が持って来る
・助けたお礼にもらう
・地図を開くとワープする

3 物語の登場人物や始まりについて話し合う 〈15分〉

○地図を見て生まれた物語のイメージを自由に発表する時間を設定し、創作への思いを高めるようにする。

T　冒険するのは、どんな人物ですか。

・ぼくたちと同じ３年生がいいです。

・自分を登場人物にしてもおもしろそうです。

T　この地図は廊下に落ちていましたが、みなさんならどういう出合いにしますか。

・ペットの犬が地図をくわえて持ってきて、一緒に冒険に行く話にしたいです。

・助けたおじいさんからお礼にもらった地図にしたいです。

・帰り道で金色に輝く地図を拾って、広げると宝島にワープする話にしたいです。

・話していたら、書いてみたくなりました。

4 学習課題を設定し、書いてみたい物語を考える 〈10分〉

T　宝の地図から素敵な物語がたくさん生まれそうですね。宝島を舞台にしてどういう物語を書いてみたいですか。

・「三年とうげ」のように、主人公の変化やそのきっかけがおもしろくて、主人公の気持ちが伝わる話を書きたいです。

・「四まいの絵を使って」の学習で、事件と解決の場面を詳しく書くと、様子がよく伝わると学びました。だから、怪獣との戦いや宝を手に入れる場面を詳しく書きたいです。

○学習課題を設定する。

T　これまでの学習を生かして書き表し方を工夫しようとしていますね。次の時間までに登場人物や事件などを考えておきましょう。

本時案

たから島のぼうけん

本時の目標

・登場人物の設定、物語の始まり、起こる事件や解決について具体的に想像し、組み立てメモに書くことができる。

本時の主な評価

・登場人物の設定、物語の始まり、起こる事件や解決について具体的に想像し、組み立てメモに書いている。

資料等の準備

・組み立てメモ①の（始まり） 19-01
・組み立てメモ①の（むすび） 19-01
・組み立てメモ②の（出来事） 19-02

かいけつ ②	むすび / たから もどり方
・ピラミッドの中に入り、たから箱のかぎを見つける	・たから箱を開けると、中にすいこまれて元の世界にもどってくる

4

具体的に考えられている子供を例として取り上げ、書き方を示す

授業の流れ ▷▷▷

1 物語の組み立てを振り返り、活動の見通しをもつ 〈５分〉

○教科書 p.92「四まいの絵を使って」の学習を振り返り、物語を書く際の組み立てを確認する。登場人物や始まり、事件と解決を決め、物語を作っていくことを説明する。

T どう書けばよいか悩んでいる人がいるので、まずは物語の組み立てを考えましょう。

・「四まいの絵を使って」のように、「始まり」「出来事」「むすび」に分けるといいです。
・「始まり」は、登場人物の設定や、地図をどうやって手に入れるか工夫して書きます。
・「出来事」は、事件と解決を書くので、どういう生き物と出会って事件が起こり、どのように解決するのかを書くといいです。
・「むすび」は、宝箱の中身、現実に戻ってきた後の変化などを書くといいです。

2 「始まり」について考え、組み立てメモに書く 〈15分〉

T 「始まり」の部分を考えます。冒険するのはどのような人物ですか。

○人数が多すぎると、内容がまとまりづらいので、登場人物は、２～３人が望ましい。

・自分と同じ３年生の男の子にします。
・心優しい女の子にしたいです。
・ファンタジーにしたいから、ペットの犬を話せるようにして一緒に冒険に出ます。

T 次に、物語の始まりについてです。地図をどうやって手に入れ、その島に行くかを考えましょう。

・クリスマスの日に、助けたおじいさんからお礼に地図をもらうようにしたいです。
・飼い犬が地図を拾ってきて、地図を広げると、中に吸い込まれるようにしたいです。

たから島のぼうけん

物語の組み立てを考えよう。

1
①始まり…登場人物のせっていや地図の手に入れ方
②出来事…事けんとかいけつ　どういう生き物と出会うか
③むすび…たから箱の中身、もどる方ほう

〈組み立てメモ〉

2

始まり	
登場人物	・心やさしい子 ・せいかくのちがう親友といっしょにぼうけん
地図について	・助けたおじいさんから地図をもらう ・地図を広げると、中にすいこまれる

3

出来事	
事けん①	・大きいサソリにおそわれる ・たから箱のカギがあるが、暗号がある
かいけつ①	・ピラミッドの中ににげこむ ・暗号をとき、カギを手に入れる
事けん②	・たから箱の前でまたサソリが出てきて戦う

3 「出来事」について考え、組み立てメモに書く 〈15分〉

T　次に、「出来事」の部分を考えます。宝箱までの道順や起こる事件とその解決方法について考えましょう。

○たから島の地図を見ながら、宝箱への道順、出会う生き物、起こる事件と解決方法などを簡潔に書くことを確かめる。

・サソリに襲われてピラミッドの中に入ったら、宝箱の鍵を見つけます。与えられた暗号を解いてカギを手に入れます。

・大きなワニと仲間になって、激しい流れの滝を渡れるようにしたいです。

・犬と一緒に氷のクマを倒し、火山の宝箱にたどり着く話にしようと思います。

○子供たちの実態に応じて、事件と解決についてペアで話し合う時間を設けてもよい。

4 「むすび」について考え、組み立てメモに書く 〈10分〉

T　最後に、「むすび」の部分を考えます。宝箱の中身や、宝を手に入れた後について考えましょう。

○ファンタジーの世界から現実の世界に戻ってくる方法について考えられるようにする。

・宝箱の中身はあえて書かないでおき、読む人が自由に想像できるようにします。

・宝箱を開けると、中に吸い込まれて犬と一緒に家に戻ってくるようにします。

・現実世界に戻って来た主人公が、冒険に行って成長することができたようにします。

○学習活動２～４は、子供の実態に応じて展開していく。「出来事」を考えることに悩んでいるときは、時間を十分に取り、「むすび」を考える活動は次時に行う。

本時案

たから島のぼうけん

本時の目標

・これまでに学習した物語文や「言葉のたから箱」から、自分の物語に取り入れたい語句や表現を見つけ、会話、行動、気持ち、場面の様子などを考え、書き加えることができる。

本時の主な評価

❶様子が詳しく伝わるように、登場人物の気持ちや人物の設定等を表す言葉を考え、組み立てメモに書き加えている。【知・技】

資料等の準備

・人物を表す言葉、気持ちを表す言葉（教科書巻末「言葉のたから箱」参照）⏬ 19-03
・既習の物語文教材の本文を拡大したもの
・１～３年までの国語の教科書

光村図書国語教科書
２・３年巻末
「言葉のたから箱」より
人物や様子、気持ち
を表す言葉

3
○人物を表す言葉
○様子を表す言葉
○気持ちを表す言葉

自分が使っている語句には線、使ってみたい語句には○印を付けるよう促す

○自分の物語に取り入れたい言葉やひょうげん
・せいかくを表す言葉・・陽気、すなお、おく病
・オノマトペ・・・・きらきら、ぐらぐら

授業の流れ ▷▷▷

1 「スイミー」の学習を振り返り、人物設定や比喩を確認する〈15分〉

○「スイミー」を読み、スイミーの性格が分かる言葉や、場面の様子がよく伝わる比喩表現を探す。

T　スイミーは、どのような魚ですか。

・からす貝よりも真っ黒くて賢い魚です。
・泳ぐのが誰よりも速く、勇気がある魚です。

T　２・３場面から、恐怖や楽しさを感じる言葉を探しましょう。

・「ミサイルみたい」という言葉から、怖いイメージが伝わりました。
・それは、喩えだよね。「にじ色のゼリーのようなくらげ」が出る場面にも、喩えがいっぱいあって、具体的に想像できました。
・喩えや修飾語があると、登場人物の気持ちや様子などがよく伝わります。

2 「まいごのかぎ」の学習を振り返り、表現を確認する〈15分〉

○「まいごのかぎ」を読み、場面やりいこの様子、気持ちなどを具体的に想像することができるオノマトペや比喩、色を確認する。

T　はじめから不思議な出来事が起こるまでを読み、場面の様子やりいこの気持ちがよく伝わる言葉を探しましょう。

・「夏の日ざしをすいこんだような、こがね色のかぎ」から、不思議さを感じます。
・「どんどんうつむいて」から、りいこが落ち込んでいる気持ちがよく伝わります。
・オノマトペや擬人法があると、場面の様子がよく分かり、わくわくします。
・「木がふるえた」という人間みたいな表現から、不思議さと不気味さを感じます。

たから島のぼうけん

物語に取り入れたい言葉や表現を見つけて、メモしよう。

学習用語は色を分けて書き、意識化を図る

光村図書国語教科書
2年上巻「スイミー」
第1場面・第2場面
第3場面の拡大コピー

1

○スイミーについて
・かしこい　・ゆう気がある
せいかく

○こわさがつたわる
・ミサイルみたい
比喩（ひゆ）

○楽しさを感じる
・にじいろのゼリーのような

光村図書国語教科書
3年上巻「まいごのかぎ」
すべての場面ではなく、最初から
不思議が起こる場面まで
p.72〜77

2

○りいこについて
・どんどんうつむいて
・さけぶ
行動 ← 気持ち

○場面の様子　ふしぎさがつたわる
・こがね色…しんぴてき
・木がふるえる…人間みたいでこわい
色
擬人法（ぎじんほう）

・もじゃもじゃ
・ばらばら
オノマトペ

3 「言葉のたから箱」や既習の物語文教材を確認し、メモに加える〈15分〉

○「言葉のたから箱」や既習の物語文教材を参考にし、様子がよく伝わる文や表現を見つけ、組み立てメモに書き加える。家庭でも調べられるよう次時まで少し日を空ける。

T 「言葉のたから箱」やこれまでに学習してきた物語を参考にして、自分の物語に取り入れたい言葉や表現を探し、メモに書き加えていきましょう。

・登場人物について詳しく書きたいので、「言葉のたから箱」を見て付け加えます。
・「まいごのかぎ」のように、オノマトペと比喩を使って、場面や登場人物の様子がよく伝わるようにしたいです。
・家でも、これまでに学習した物語を読み返して、使ってみたい言葉を探してみます。

よりよい授業へのステップアップ

過去の学びを生かせるように

本単元では、冒険の様子がよく伝わるように書き表し方を工夫する必要がある。書き表し方を考える際、様々な言葉の中からよりぴったりな言葉を選ぶことが大切になる。そのためには、これまでの学年の教科書巻末にある「言葉のたから箱」を参考にして、語句の量を増やすことが欠かせない。また、これまでに学習した物語文教材を読み返し、言葉を吟味し活用することで、過去の学びを生かす学習を展開したい。過去・現在・未来と、系統性を意識した授業を目指していきたい。

本時案

たから島のぼうけん

4·5/8

本時の目標

・既習の作品や言葉調べなどを通して、様子や行動、気持ちや性格などを表す語句の量を増やし、物語を書く際に使うことができる。

本時の主な評価

❶既習の作品や言葉調べなどを通して、様子や行動、気持ちや性格などを表す語句の量を増やし、物語を書く際に使っている。【知・技】

資料等の準備

・組み立てメモ①の（始まり）⏬ 19–01
・組み立てメモ①の（むすび）⏬ 19–01
・組み立てメモ②の（出来事）⏬ 19–02
・人物を表す言葉、気持ちを表す言葉（教科書巻末「言葉のたから箱」より参照）
⏬ 19–03

4

むすび

たからやもどり方

・たから箱（ばこ）を開けると、中にすいこまれて元の世界にもどってくる

・弱気で自しんのなかった主人公がかわる
・たからは自しんと友情

具体的に考えられているものを例として書き込み、しょうかいする

授業の流れ ▷▷▷

1 物語の登場人物について具体的に考える 〈15分〉

T　まずは、登場人物を詳しく書きましょう。
○前時の学習を基に、性格や関係性など、登場人物の設定を詳しく書くよう伝える。
・スイミーのように、賢く、だれにも負けない強さをもっている人物にします。
・「まいごのかぎ」のりいこのように、好奇心旺盛な子にしたいです。
・「お手紙」のように、性格が違う２人組の物語にしたいです。
・最初は弱気だったけれど、冒険によって勇気が出る主人公にしたいです。
・「三年とうげ」のトルトリのように、主人公を助ける、頭のいい仲間を書きます。
○教科書を参考にして書き加えている子供を紹介し、適宜参考にした物語を共有する。

2 物語の始まりについて具体的に考える 〈20分〉

T　次は、物語の始まりを詳しくしましょう。
○内容面はもちろんのこと、会話文など、読み手を引き付ける書き出しの工夫をしている子供を紹介し、全体で共有する。
・「春風をたどって」のように、様子を詳しくするセリフを入れて、読み進めたいと思うような始まりにしたいです。
・「まいごのかぎ」のように、帰り道にきらきらと光るたから島の地図を見つけ、開くと中に吸い込まれるファンタジーにします。
・スイミーやりいこのように、最後はプラスな気持ちに変化したいから、最初は悲しい気持ちの始まりにしたいです。
○気持ちや考えの変化を意識して書いている子供を紹介し、人物の変化を意識させたい。

たから島のぼうけん

それぞれの場面とその組み立てをくわしく考え、場面に合った言葉を使って、物語をもっとおもしろくしよう。

始まり（1）	（2）	出来事（3）	
登場人物	地図について	事けん①	かいけつ①
・心やさしい子 ・せいかくのちがう親友といっしょにぼうけん	・助けたおじいさんから地図をもらう。広げると、中にすいこまれる	・大きいサソリにおそわれる ・たから箱のカギがあるが、暗号がある	・ピラミッドの中ににげこむ ・暗号をとき、カギを手に入れる
・おく病だが頭がいい ・弱気とゆう気 ・気持ちの変化	・せん人のような人から地図について、あやしげに語られる ・きらきら光る地図	・比喩を使う。「山のように大きい」 ・「毒や火がおいかけてくる」を入れる	・「わぁ」とさけぶ ・おく病な主人公が暗号をとき、かつやくする

3 事件と解決方法について具体的に考える 〈40分〉

T　次に、たから島に着いてから起こる事件と解決方法について、詳しくしましょう。

○読み手を惹きつける重要な場面であるため、様子や登場人物の気持ちがよく伝わる言葉を調べ、検討する時間を十分に取る。

・滝の流れの激しさが伝わるように、「ゴーゴー」や「地ひびきのよう」を入れます。

・「まるで山のよう」という比喩を入れて氷のクマの大きさを書きます。そして、赤い鳥から手に入れた火で倒すようにします。

・「ちいちゃんのかげおくり」では、「ほのおのうずがおいかけてきます」という擬人法が、怖さを強調していました。この工夫を取り入れて、鳥の形をした炎が追いかけてくるというドキドキする文を書きます。

4 物語の終わりについて具体的に考える 〈15分〉

T　最後に、宝箱の中身や、宝を手に入れた後について詳しく考えましょう。

○冒険を経て、変化のあった終わり方を書いている子供がいれば紹介し、共有する。

・「三年とうげ」のように、謎を残して終わりたいです。宝箱の中身は書かず、読む人が想像できるようにします。

・弱気で自信がなかった主人公が、勇気を出して様々な怪獣と戦ったことで、自信がつき成長することができるようにします。

○「話す」「つぶやく」「さけぶ」といった言葉を言い換えている子供、オノマトペ、比喩を用いている子供など、書き表し方を工夫している子供を適宜紹介することで、クラス全体の言葉の感度を高めていく。

本時案

たから島のぼうけん

本時の目標

・２つの例文を読み比べ、冒険の様子がよく伝わる書き表し方を考えることができる。

本時の主な評価

・２つの例文を読み比べ、冒険の様子がよく伝わる書き表し方を考えている。

資料等の準備

・２つの例文Ａ　Ｂ（拡大コピーしたもの）
　19–04、19–05
・前時で用いた組み立てメモ

3
○自分の物語で使ってみたい言葉やひょうげん
「ぴかっと」や「きらっと」… 様子がよくつたわる
オノマトペ
「ぶきみな真っ黒い雲」… こわさがつたわる風景（ふうけい）を
使ってみる

授業の流れ ▷▷▷

1 例文Ａを読み、様子がよく伝わる表現を見つける 〈15分〉

○例文Ａを読み、場面や登場人物の様子などがよく伝わってくる表現を見つけ、書き表し方のポイントを意識できるようにする。

Ｔ　例文Ａの文章を読み、場面や登場人物の様子、気持ちなどがよく伝わるところに線を引いてみましょう。

・「とぼとぼ歩いて」という行動から、落ち込んでいる気持ちが伝わります。
・臆病で自信がない「りつ」と、勇ましく行動力がある「ゆう」と、性格を反対にしているのがいいです。
・「ぴかっと地図が光り」というオノマトペで、不思議な様子がよく伝わります。
・「真っ赤にもえるよう岩がおいかけて」という言葉から、緊張感と怖さが伝わります。

2 例文Ｂを読み、もっとよくできるところを考える 〈15分〉

○例文Ｂを読み、もっとよくできるところを考え、書き加えるようにする。

Ｔ　例文Ｂの文章を読み、もっとよくできるところに線を引き、アドバイスを考えて書いてみましょう。

・「りつとゆうが歩いていると」ではなく、「真面目で注意深いりつ」と「活発でそそっかしいゆう」のように、性格を書いた方がどんな人物か想像できます。
・「小さな箱」ではなく、「きらっと金色に光る小さな箱」にした方が、特別な箱という感じが伝わります。
・「にげました」ではなく、「とぶようににげました」のように比喩を使った方が、素早さや怖い気持ちがよく分かります。

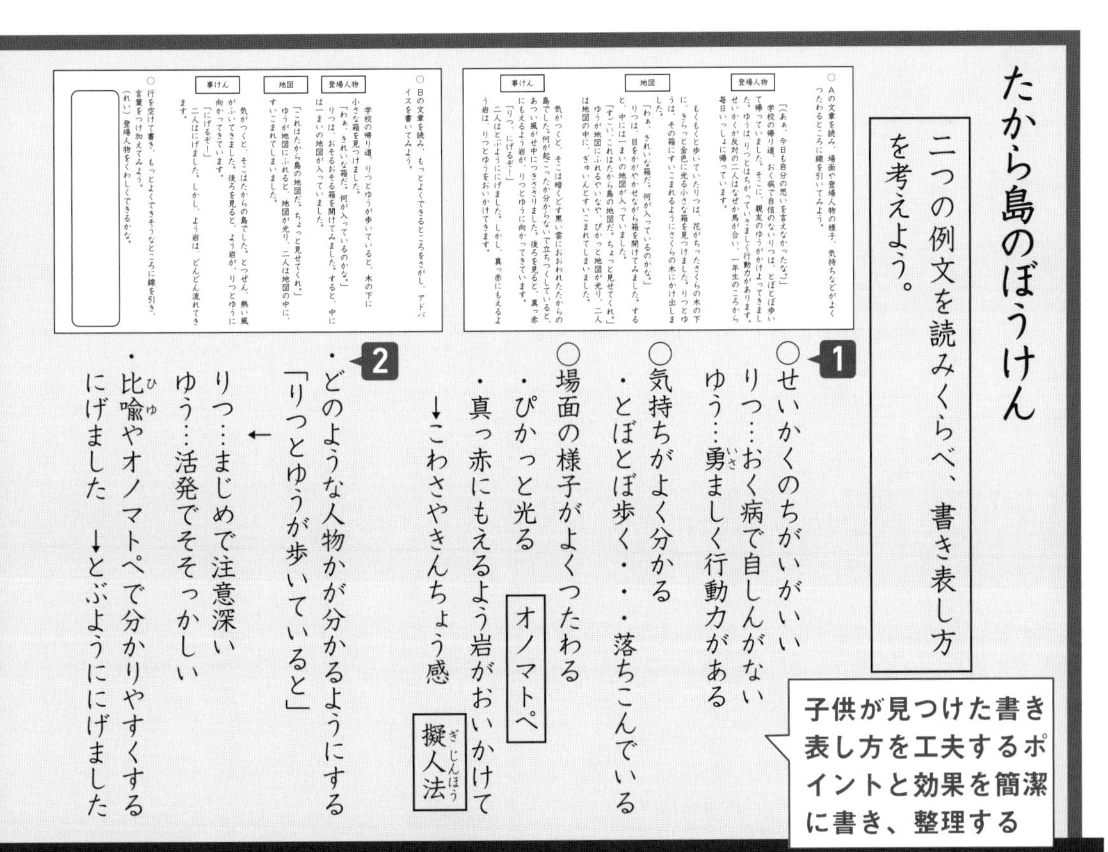

3 例文を参考に、組み立てメモに言葉を書き加える 〈15分〉

○例文や友達の考えを参考に、自分の組み立てメモに書き加えたい言葉や表現を考える時間を設ける。

T　2つの例文や友達の意見を聞いて、自分の物語に書き加えたいものはありますか。

・ぼくも2人の登場人物を書いていましたが、性格を反対にするとおもしろそうなので、p.165「言葉のたから箱」を参考にして、反対の性格だと分かる表現を加えます。
・「ぴかっと」や「きらっと」という、様子がよく伝わるオノマトペを使ってみます。
・「とぶようににげました」のように、比喩を使って書いてみます。
・「不気味な真っ黒い雲」のように、怖さが伝わる風景を入れてみようと思います。

よりよい授業へのステップアップ

言葉や表現のよさに気付き、活用する

本単元では、子供が書き表し方を工夫することのよさを実感する必要がある。そのためには、文章の比較が有効である。書き表し方が工夫されている例文Aと工夫されていない例文Bを比較することで、工夫するポイントや状況を詳しく表す語句の効果に自ら気付くことができ、自分の物語でも使ってみよう、工夫して書いてみようという意欲が高まる。

教えられるのではなく、自ら気付き活用することで、言葉に対する感度は高まっていく。

本時案

たからの島のぼうけん

本時の目標

・組み立てメモを基にして、自分なりに書き表し方を工夫し、冒険物語を書くことができる。

本時の主な評価

❷組み立てメモを基に、場面や登場人物の様子、気持ちなど、書き表し方を工夫して文章を書いている。【思・判・表】

資料等の準備

・人物を表す言葉、気持ちを表す言葉（教科書巻末「言葉のたから箱」参照）⤓ 19-03
・教科書 p.114を基に教師が作成した例文 ⤓ 19-06
・原稿用紙（①300字挿絵あり ⤓ 19-07
②400字挿絵なし ⤓ 19-08）

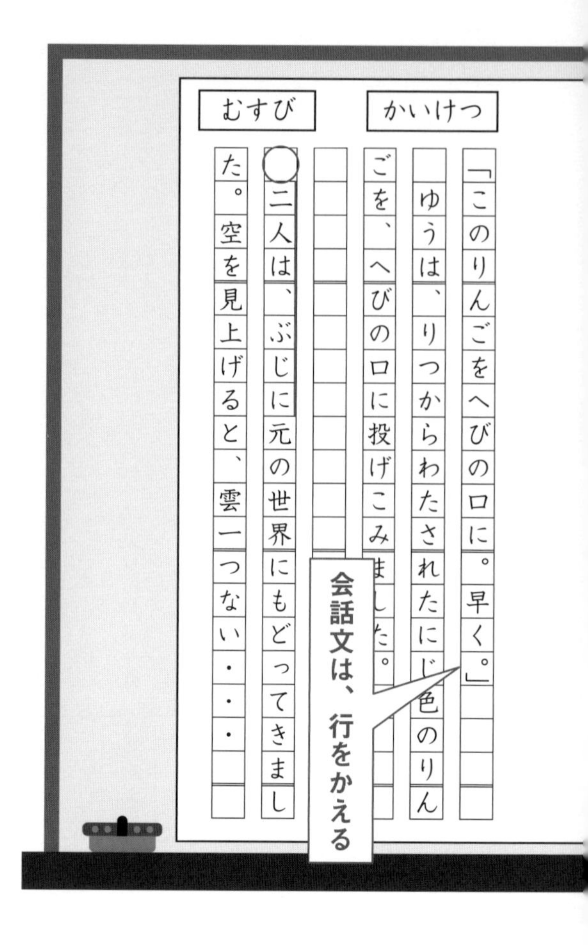

かいけつ
「このりんごをへびの口に。早く。」
ゆうは、りつからわたされたにじ色のりんごを、へびの口に投げこみました。
むすび
〇二人は、ぶじに元の世界にもどってきました。空を見上げると、雲一つない・・・
会話文は、行をかえる

授業の流れ ▷▷▷

1 原稿用紙の書き方を確認する〈10分〉

○教科書 p.114を基に、原稿用紙に教師が書いた例文を用意し、段落の始めは１マス下げることや、会話文では改行することを確かめる。

T 例文の「始まり」は、２つの段落に分かれていますね。どうして、２つの段落に分かれているのでしょうか。
・最初の段落は、登場人物について書かれていて、次の段落は地図を拾った場面だからです。
・内容が違うから分かれていると思います。

T 会話文の前と後ろを見てください。何か気付いたことはありますか。
・行をかえています。会話文を書くときには、改行して一番上のマスにかぎ（「 」）が来るように書きます。

2 組み立てメモを基に、書き表し方を工夫して書く〈35分〉

○分量の上限は決めず、原稿用紙の種類も自分に合うものを選択することで、前向きに取り組む気持ちを高める。
○これまでの学習で学んできた書き表し方の工夫（本単元の第３時）や「言葉のたから箱」の言葉をまとめたものを教室に掲示しておき、いつでも確認できるようにしておく。

〈よりよい文章にするためのポイント〉
①人物を表す言葉（性格）
②気持ちを表す言葉（会話文や行動など）
③物や事柄の様子を表す言葉（オノマトペ、比喩、擬人法、情景、色、においなど）
④言い換えている言葉（話す、叫ぶ、つぶやく、注意するなど）

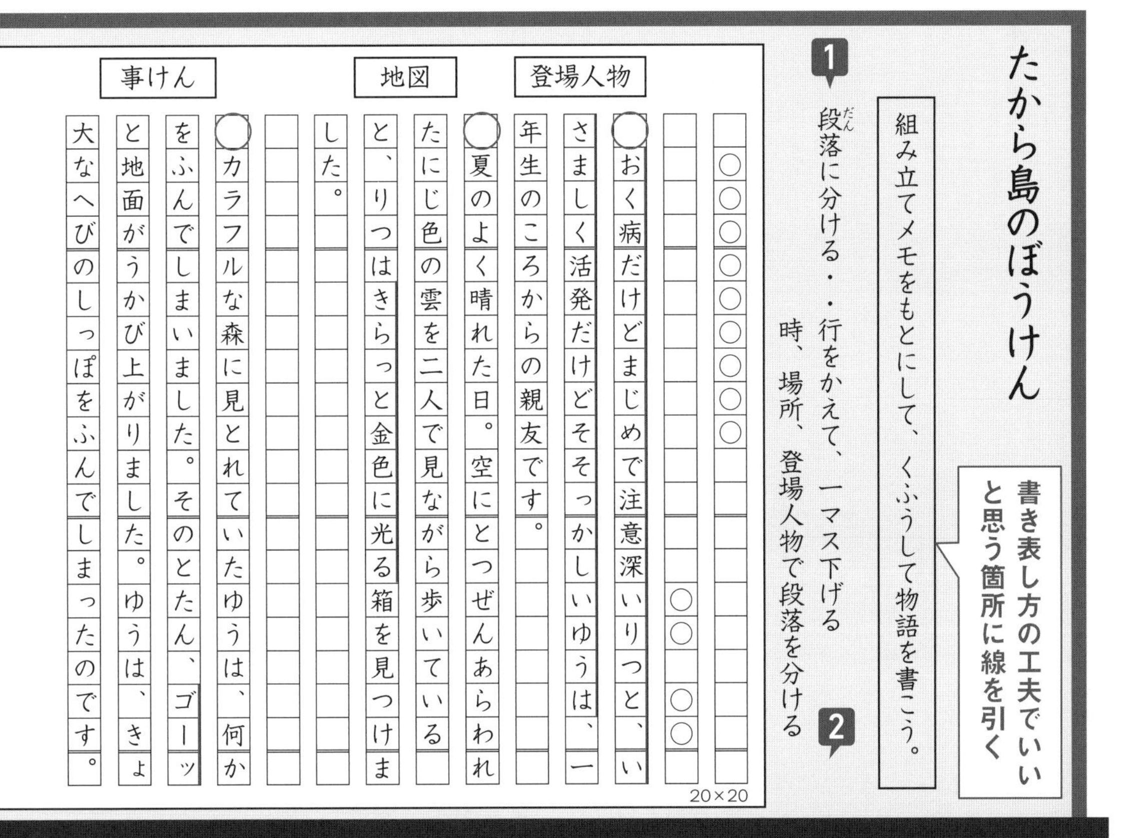

○机間指導の際には、次のポイントを意識し、個別に声掛けを行うとよい。

(1)原稿用紙の書き方について
- ①段落を分けているか。時間や場所が変わるとき、登場人物の増減があるときなどで段落を分けているか
- ②かぎ（「」）の使い方は、合っているか
- ③会話文の前で改行しているか

(2)書き表し方の工夫について
- ①会話文や行動、オノマトペを用いて、登場人物の気持ちを表しているか
- ②オノマトペ、比喩、色などを用いて、様子を詳しく表現しているか
- ③「見る」「見つめる」「のぞく」など、ぴったりな言葉を選んでいるか

○早く書き終わった子には、友達と見せ合い、よいと思った工夫を伝え合い、その箇所に線を引くようにする。

ICT 等活用アイデア

自ら言葉を調べ、活用する

本単元の物語創作は、様子や行動、気持ちや性格などを表す様々な語句を調べ、文章の中で使うことが求められるため、語彙を豊かにすることに適している。

端末の検索機能を用いることにより、自ら進んで調べることができ、語句を増やすことにつながる。

また、本単元の資料を共有ドライブに入れることで、子供は随時参考にしながら書く活動に取り組むことができる。

本時案

たから島のぼうけん

本時の目標

・友達と作品を読み合い、おもしろいと思ったところや書き表し方の工夫について伝え合うことで、友達や自分の文章のよいところに気付くことができる。

本時の主な評価

❸友達と作品を読み合い、おもしろいと思ったところやまねしたいと思った書き表し方について感想を伝え合おうとしている。【態度】
・友達と作品を読み合い、自分が用いた書き表し方や言葉の使い方の工夫のよさに気付くとともに、今後の学習に生かそうとしている。

資料等の準備

・付箋（赤色、青色）
・人物を表す言葉、気持ちを表す言葉（教科書巻末「言葉のたから箱」より参照） 19-03

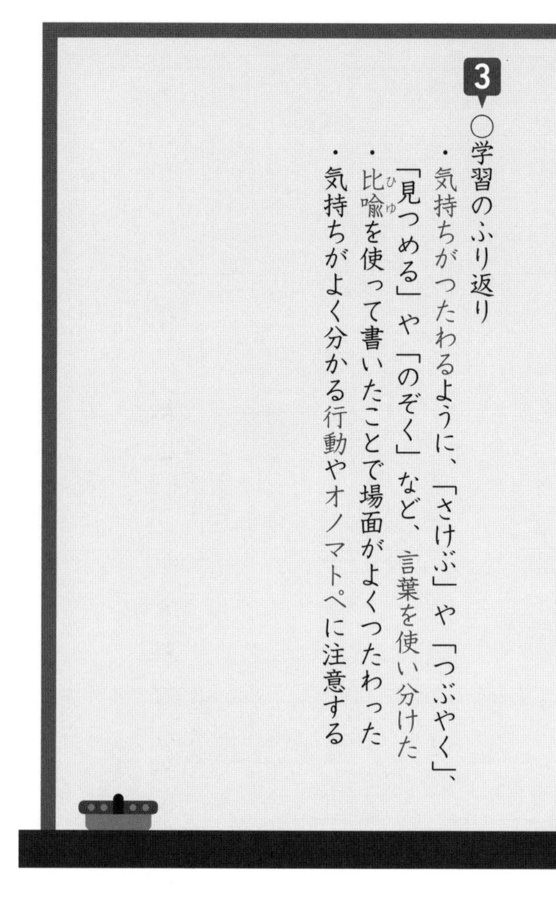

授業の流れ ▷▷▷

1 友達と作品を読み合い、感想を伝え合う 〈25分〉

○内容面のおもしろさはもちろん、書き表し方の工夫という表現面にも着目するよう促す。
○おもしろいと思った内容は赤の付箋、まねしてみたいと思った表現は青の付箋に書き、感想を伝え合うときに渡せるようにする。
T　友達の物語を読んで感想を伝えます。どういうところに気を付けて読みますか。
・一番わくわくする事件と解決の場面をどう書いているか、自分と比べて読みます。
・様子や気持ちが伝わるように、どういう言葉を使っているか、意識して読んでみたいです。
○感想を付箋に書くときは、「言葉のたから箱」の言葉を使って書くように促したい。
○子供の作品は、PDF 化して共有ドライブに入れ、いつでも読めるようにする。

2 読んだ物語の中で、紹介したい作品を伝え合う 〈10分〉

○内容はもちろん、場面の様子や登場人物の気持ちなど、表現の仕方がよいものも紹介するように声掛けを行う。
T　友達の物語で、みんなに紹介したい作品はありますか。
・A さんの作品は、赤い鳥との戦いや登場人物の気持ちの変化が詳しく書かれていたので、読んでいてわくわくしました。
・B さんの作品は、「言いました」という行動を「さけぶ」や「つぶやく」といろいろな言葉で書いていて、そこから主人公の気持ちや様子が伝わり、すごいと思います。
・C さんの作品は、ぼくと同じで赤い鳥が出てくる事件なのに、解決の仕方や使う言葉が違っていておもしろかったです。

たから島のぼうけん

1

友だちと物語を読み合い、感想をつたえ合おう。

○どういうところに気をつけて読むか
・一番わくわくする事けんとかいけつの場面をどう書いているか
・様子や気持ちがつたわるように、どういう言葉を使っているか

赤色のふせん・・内ようのおもしろさ
青色のふせん・・書き表し方のうまさ、まねしたいひょうげん

言葉の
たから箱一覧

2

〈おもしろかったところ〉
・たからはなくて、友じょうや自しんというものがたから物という終わり方がいい
・赤い鳥とのたたかいや登場人物の気持ちの変化がくわしく書かれていて、わくわくした

〈まねしたい表現、言葉の使い方〉
・オノマトペや比喩があり、そうぞうしやすい
・「言いました」→「さけぶ」や「つぶやく」いろいろな言葉を使ううまさ

単元を通してどのような力が付いたかが分かるように板書する

3 学習の振り返りを行う 〈10分〉

○友達からの感想を基に作品を振り返り、自分の書き表し方のよいところを確認する。

○ p.115に示された観点で学習を振り返り、学んだことをまとめる。

T　自分の作品のよかったところや、この学習で学んだことを振り返りましょう。

・気持ちが伝わるように、「さけぶ」「つぶやく」「見つめる」など、言葉を変えて書きました。気付いてもらえてうれしいです。

・事件や解決の場面で、オノマトペや比喩を使って書いたことで、場面の様子がよく伝わってよかったです。

・これから、物語を書いたり、読んだりするときは、登場人物の気持ちがよく分かる行動やオノマトペに注意してみます。

よりよい授業へのステップアップ

交流を通して、自分のよさに気付く

本単元を通して、書くことを楽しみ、自分の書きぶりのよさを自覚する子供になってほしい。そのためには、他者評価は欠かせない。感想を書き、伝える活動では、感想や気持ちを表す言葉を確認し、語句を増やしたい。また、内容面だけでなく文章構成や表現の工夫にも着目できるように、p.114の書き表し方を考えるときの観点やこれまでに見つけた工夫を提示し、交流を行うようにする。友達のよさにも気付きつつ、自分のよさに目を向けられるような交流としたい。

資料

1 第2・3・4・5時　組み立てメモ①　19-01

たからしまのぼうけん

年　組　名前（　　　　）

始まり	
登場人物	地図について
2時間目	2時間目
4・5時間目	4・5時間目

むすび
たからやもどり方について

2 第2・3・4・5時　組み立てメモ②　19-02

たからしまのぼうけん

年　組　名前（　　　　）

出来事１	
事けん①	かいけつ①

出来事２	
事けん②	かいけつ②

3 第3・4・5・7・8時　人物を表す言葉、気持ちを表す言葉（「言葉のたから箱」）19-03

「言葉のたから箱」（三年生上下巻末にのっている言葉のれい）
使ってみたい言葉をさがしてみよう！

○人物を表す言葉

・すなお　・あたたかい
・ねばり強い　・気が長い
・気が短い　・弱気　・気が小さい
・おく病　・強気　・陽気
・いさましい　・がんこ
・たのもしい　・注意深い　・活発
・そそっかしい　・おさない

○気持ちを表す言葉

・さわやか　・ゆかい　・てれる
・なつかしい　・心が動く　・心細い
・心がおどる　・感動　・なやむ
・そわそわする　・うずうずする
・落ち着かない　・かっとなる
・ぎょっとする　・目を丸くする
・ぞっとする　・ぞくぞくする
・おそるおそる　・心がくもる
・ひっし　・むちゅう　・きたい
・いかり　・ふきげん　・つらい
・こうふん　・かんしゃ　・感心

○あなたの物語の登場人物は・・・

○始まりの気持ち

○事けんが起こったときの気持ち

○むすびの気持ち

4 第6時　例文A　19-04

○Aの文章を読み、場面や登場人物の様子、気持ちなどがよくつたわるところに線を引いてみよう。

登場人物

「（あぁ、今日も自分の思いを言えなかったな。）」
学校の帰り道、おく病で自信のないりつは、とぼとぼ歩いて帰っていました。そこに、親友のゆうがかけよってきました。ゆうは、りつとはちがっていさましく行動力があります。せいかくが反対の二人はなぜか馬が合い、一年生のころから毎日いっしょに帰っています。

地図

もくもくと歩いていたりつは、花がちったさくらの木の下に、きらっと金色に光る小さな箱を見つけました。りつとゆうは、その箱にすいこまれるようにさくらの木にかけ出しました。
「わぁ、きれいな箱だ。何が入っているのかな。」
りつは、目をかがやかせながら箱を開けてみました。すると、中には一まいの地図が入っていました。
「すごい、これはたから島の地図だ。ちょっと見せてくれ。」
ゆうが地図にふれるやいなや、ぴかっと地図が光り、二人は地図の中に、ぎゅいんとすいこまれてしまいました。

事けん

気がつくと、そこは暗くどす黒い雲におおわれたたからの島でした。何が起こったか分からないで立ちつくしていると、あつい風がせ中につきささりました。後ろを見ると、真っ赤にもえるよう岩が、りつとゆうに向かってきています。
「りつ、にげるぞ！」
二人はとぶようににげました。しかし、真っ赤にもえるよう岩は、りつとゆうをおいかけてきます。

5 第６時　例文Ｂ　19-05

○Ｂの文章を読み、もっとよくできるところをさがし、アドバイスを書いてみよう。

登場人物　地図　事けん

　学校の帰り道、りつとゆうが歩いていると、木の下に小さな箱を見つけました。
「わぁ、きれいな箱だ。何が入っているのかな。」
　りつは、おそるおそる箱を開けてみました。すると、中には一まいの地図が入っていました。
「これはたから島の地図だ。ちょっと見せてくれ。」
　ゆうが地図にふれると、地図が光り、二人は地図の中にすいこまれてしまいました。
　気がつくと、そこはたからの島でした。とつぜん、熱い風がふいてきました。後ろを見ると、よう岩が、りつとゆうに向かってきています。
「にげるぞ！」
　二人はにげました。しかし、よう岩は、どんどん流れてきます。

○行を空けて書き、もっとよくできそうなところに線を引き、言葉をつけ加えてみよう。
（れい）登場人物をくわしくできるかな。

6 第７時　教科書 p.114を基に教師が作成した例文　19-06

○○○○○○○○○
○○　○○

　おく病だけどまじめで注意深いりつと、いさましく活発だけどそそっかしいゆうは、一年生のころからの親友です。
　夏のよく晴れた日。空にとつぜんあらわれたにじ色の雲を二人で見ながら歩いていると、りつはきらっと金色に光る箱を見つけました。

　カラフルな森に見とれていたゆうは、何かをふんでしまいました。そのとたん、ゴーッと地面がうかび上がりました。ゆうは、きょ大なへびのしっぽをふんでしまったのです。

「このりんごをへびの口に。早く。」
　ゆうは、りつからわたされたにじ色のりんごを、へびの口に投げこみました。

　二人は、ぶじに元の世界にもどってきました。空を見上げると、雲一つない・・・

20×20

7 第７時　原稿用紙　300字（20×20）　挿絵あり 19-07

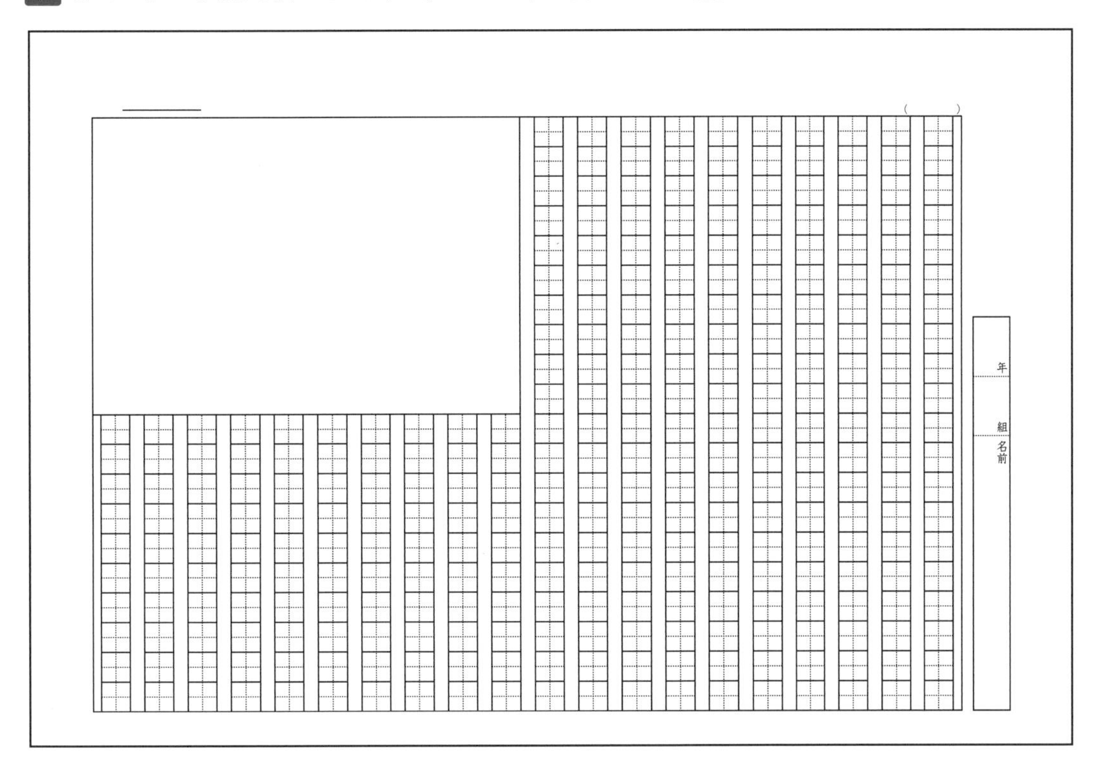

8 第７時　原稿用紙　400字（20×20）　挿絵なし 19-08

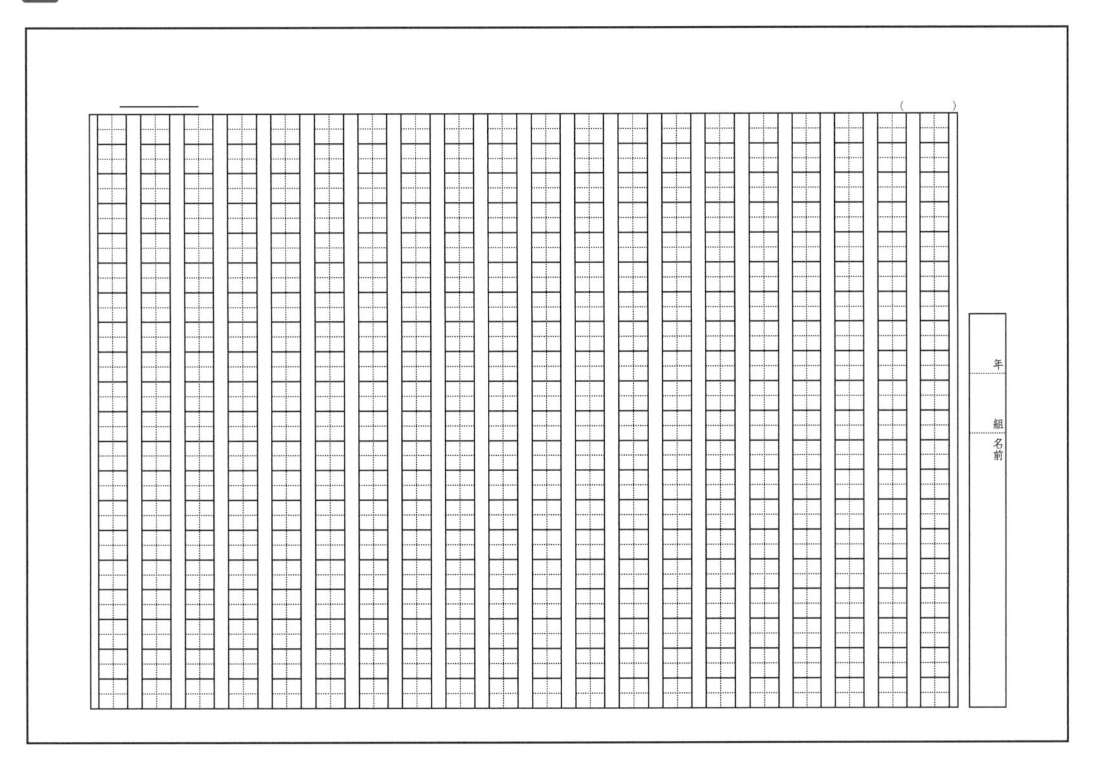

つたえたいことを、理由をあげて話そう

お気に入りの場所、教えます　8時間扱い

単元の目標

知識及び技能	・相手を見て話したり聞いたりするとともに、言葉の抑揚や強弱、間の取り方などに注意して話すことができる。((1)イ) ・考えとそれを支える理由や事例、全体と中心などの情報と情報の関係について理解することができる。((2)ア)
思考力、判断力、表現力等	・相手に伝わるように、理由や事例などを挙げながら、話の中心が明確になるように話の構成を考えることができる。(A イ) ・話の中心や話す場面を意識して、言葉の抑揚や強弱、間の取り方などを工夫することができる。(A ウ)
学びに向かう力、人間性等	・言葉がもつよさに気付くとともに、幅広く読書をし、国語を大切にして、思いや考えを伝え合おうとする。

評価規準

知識・技能	❶相手を見て話したり聞いたりするとともに、言葉の抑揚や強弱、間の取り方などに注意して話している。(〔知識及び技能〕(1)イ) ❷考えとそれを支える理由や事例、全体と中心などの情報と情報の関係について理解している。(〔知識及び技能〕(2)ア)
思考・判断・表現	❸「話すこと・聞くこと」において、相手に伝わるように、理由や事例などを挙げながら、話の中心が明確になるように話の構成を考えている。(〔思考力、判断力、表現力等〕A イ) ❹「話すこと・聞くこと」において、話の中心や話す場面を意識して、言葉の抑揚や強弱、間の取り方などを工夫している。(〔思考力、判断力、表現力等〕A ウ)
主体的に学習に取り組む態度	❺進んで話の中心が明確になるように話の構成を考え、学習課題に沿ってお気に入りの場所を発表しようとしている。

単元の流れ

次	時	主な学習活動	評価
一	1	学習の見通しをもつ ・学校のお気に入りの場所について、学級の友達に発表することを知り、伝える相手やその目的を確かめる。 ・学習のおおよその見通しをもち、学習課題を設定する。 お気に入りの場所のことが、聞く人に分かりやすくつたわるように発表しよう。	
二	2	みんなに教えたいお気に入りの場所と理由を考える。	
	3	お気に入りの場所の説明のために必要な資料を、理由を基に決め、用意する。	
	4	分かりやすく伝えるための組み立てを考えて、発表メモを作る。	❷❸
	5	話し方の工夫を確認し、ペアやグループで、発表会に向けて練習をする。	❹
	6	撮影した動画を見返し、言葉の抑揚や強弱、間の取り方などの話し方を工夫する。	❹

三	7・8	・発表会を開き、組み立てや話し方のよいところなどについて感想を伝え合う。 学習を振り返る ・分かりやすく伝えるための組み立てや話し方について、学習を振り返る。	❶❺

授業づくりのポイント

〈単元で育てたい資質・能力〉

本単元で育てたい資質・能力は、理由や事例などを挙げながら、話の中心が明確になるように話の構成を考えること、言葉の抑揚や強弱、間の取り方などを工夫することである。これらの資質・能力を子供が身に付けるためには、具体的な相手や目的を一層強く意識することが大切である。

また、相手のことを踏まえて理由や事例を選んだり、相手が知らないことについては、丁寧に理由付けをしたり、相手にとって理解しやすい事例を挙げたりすることが求められる。そして、調べたことをつなぎ合わせるだけでなく、冒頭で話の中心を述べ、それに合わせて理由や事例を挙げたり、最初に提示した内容と結論がずれないようにしたりすることも必要である。話の中心が明確になるように話の構成を考えることについて、指導を工夫していきたい。

〈教材・題材の特徴〉

同じ学校で過ごしていても、「お気に入り」と感じる場所や、その理由は様々である。多様な考えが想定される題材であり、子供はお気に入りの場所について、自分なりの思いをもって、伝えたいことや話の中心を明確にすることができると思われる。題材の選定にあたっては、子供にとって必然性があり、自分ごととなる学習活動であることが大切である。そのため、地域のお気に入りの場所など、社会科や総合的な学習の時間と関連した題材を設定することも考えられる。

〈言語活動の工夫〉

本単元では、「お気に入りの場所を発表する」という言語活動を設定する。発表の内容や表現は、相手や目的によって大きく変わる。言語活動を子供と共有する際には、相手や目的への意識を大切にしたい。

また、本単元の題材は、３年生の子供たちにとって、個々の思いをもちやすく、表現しやすいと考えられる。発表に対して苦手意識をもつ子供にも自分なりのめあてをもたせ、達成を見守りたい。

[具体例]

○１年間のまとめとなる「話すこと」「聞くこと」の単元であることを意識し、言葉の抑揚や強弱、間の取り方などについて、これまでの学習での発表の様子を撮影した動画などを振り返り、自分なりのめあてをもつことができるようにする。

〈ICT の効果的な活用〉

分類：情報の収集場面では、お気に入りの場所を撮影して保存する。内容の検討場面では、付箋機能を使って、お気に入りの理由を比較したり分類したりして、必要な事柄を選ぶようにする。

表現：話の構成を検討する場面では、どのように話を組み立てるのかを考えたり、発表メモを作ったりする際に、入れ替えなどの操作性が高く、検討を効率的に行うことができる。

記録：言葉の抑揚や強弱、間の取り方の工夫が適切であったかなど、録画機能を活用し、発表練習を見直して本番に生かしたり、単元末に見直して学びを自覚できるようにしたりする。

本時案

お気に入りの場所、教えます

本時の目標

・学校のお気に入りの場所を学級の友達に発表するために、どのように学習を進めていくのか見通しをもつことができる。

本時の主な評価

・学校のお気に入りの場所を学級の友達に発表するために、どのように学習を進めていくのか見通しをもっている。

資料等の準備

・学習計画表の例 20-01

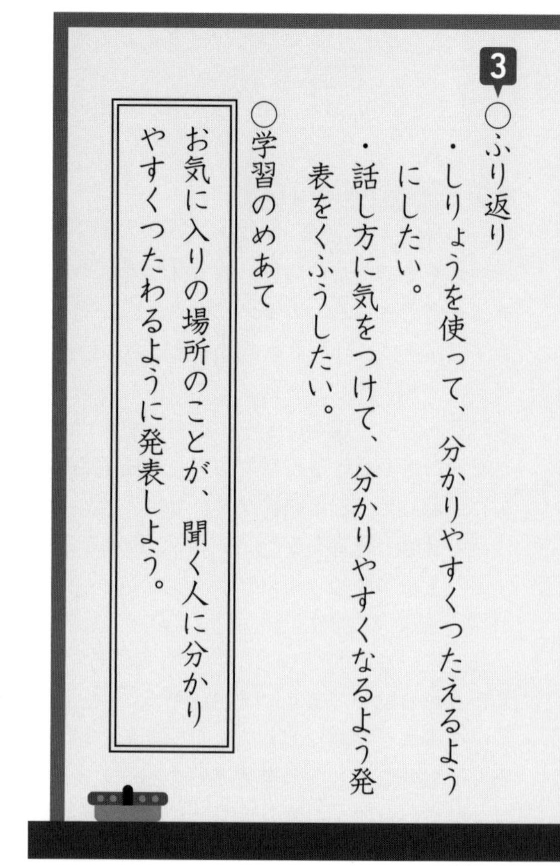

授業の流れ ▷▷▷

1 学校のお気に入りの場所を自由に出し合う 〈15分〉

○子供たちが意欲をもって単元の学習に取り組むことができるよう、お気に入りの場所が様々であることを知り、理由を聞いてみたいという期待を膨らませる。

T　学校にはいろいろな場所がありますね。みなさんのお気に入りの場所はどこですか。

・運動場や教室です。

・図書館や飼育小屋です。

T　いろいろな場所がありますね。みなさん、どうしてこの場所がお気に入りなのでしょう。理由を知りたいですね。

○教師のお気に入りの場所とその理由についての発表を聞き、言語活動の見通しをもつ。

T　先生のお気に入りの場所は中庭です。理由は２つあります。１つ目は……。

2 相手や目的を確かめ、学習計画を立てる 〈20分〉

○教科書 p.116の「問いをもとう」、p.117「もくひょう」を基に本時の学習課題を設定し、学習計画を立てる。

T　発表する相手や目的を確かめましょう。

・相手は、学級の友達がいいと思います。

・目的は、お気に入りの場所と理由を相手に分かってもらうことです。

T　p.116を参考にしながら、どのように学習を進めていくか、学習計画を立てましょう。

・お気に入りの場所を決めて理由を考えます。

・資料を用意します。

・組み立てを考えて、発表メモを作ります。

・練習をして、発表会を開きます。

・感想を伝え合います。

お気に入りの場所、教えます

お気に入りの場所を発表するために、どのようなことを行うか、学習の計画を立てよう。

1
○お気に入りの場所はあるかな。
・運動場
・教室
・図書館
みんなは、どうしてこの場所がお気に入りなのかな。

2
○発表する相手や目的
・相手…学級の友だち
・目的…お気に入りの場所とその理由をふまえて相手に自分の考えを分かってもらうこと

〈学習計画〉

学習計画表の例
↓20-01

お気に入りの場所について、自由に出し合う雰囲気をつくり、友達の理由を聞きたいという思いを膨らませる

3 本時の学習をまとめ、単元のめあてをもつ 〈10分〉

○学習のまとめとして、振り返りを書き、単元のめあてをもつ。

T　振り返りを書き、今日の学習のまとめをしましょう。

・私は、図書館を発表したいです。理由がいろいろあるから、資料を使って、分かりやすく伝えたいです。

・ぼくは運動場を発表したいです。発表するのは少し苦手だけれど、話し方に気を付けて、分かりやすく伝えたいです。

ICT 端末の活用ポイント

これまでの国語科や総合的な学習の時間等で、端末に録画した自分の発表を見返す場面を設けると、個々の子供のめあてがより明確になる。

よりよい授業へのステップアップ

一人一人の学びに向かう力を生み出す工夫

同じ学校で過ごしていても、「お気に入り」と感じる場所や、その理由は様々ある。そのことに気付かせ、子供たちが自分なりの思いをもって、伝えたいことや話の中心を明確にしていくことができるよう、期待が膨らむような教師の声かけをしていきたい。

また、教師が言語活動のモデルとして、具体的な発表をしてみせることで、どの子も学習の見通しや意欲をもつことができるようにしたい。

本時案

お気に入りの場所、教えます

本時の目標

・友達に伝えたいお気に入りの場所を決め、お気に入りの理由を考えることができる。

本時の主な評価

・友達に伝えたいお気に入りの場所を決め、友達と交流することを通してお気に入りの理由を深めたり、参考にしたりして考えている。

資料等の準備

・教科書 p.117の図の拡大コピー
・付箋（もしくは端末の付箋機能等）

（れい）

中庭の写真

②大がた画面や自分のたんまつで、理由を聞いてみたい相手を見つけて交流する
③相手を変えながら、くり返す
④自分のお気に入りの場所やえらんだ理由をもう一度考え、はっきりさせる

4
○ふり返り
・はっきりしたこと
・次の時間にがんばりたいこと

授業の流れ ▷▷▷

1 本時のめあてを確かめる 〈5分〉

○学習計画を基に、本時のめあてを確かめる。
T　今日の学習のめあてを確かめましょう。
・今日はお気に入りの場所を決めます。
・理由も考えます。
T　自分のお気に入りの場所が友達に伝わるように、理由をはっきりさせることができるといいですね。

2 お気に入りの場所と理由を考える 〈20分〉

○ p.117「話すことを考えるときは」、p.167「図を使って考えよう」を参考に、お気に入りの場所について考えを広げ、整理する。
T　お気に入りの場所を1つ決めて、その理由を考えましょう。図を使って考えてみましょう。
・私のお気に入りの場所は、図書館です。理由は、おすすめの本コーナーにおもしろい本があることです。ほかにもどんな理由があるか考えようと思います。
・ぼくのお気に入りの場所は、運動場です。でも、ピロティもいいな。理由を考えてから、どちらにするか決めよう。

お気に入りの場所、教えます

1 友だちにつたえたい、お気に入りの場所を決めて、理由を考えよう。

2 「話すことを考えるときは」

p.117の図
「話すことを考えるときは」

教科書の例にある図を示し、どのように考えを広げたり、整理したりするか、思考の過程を共有する

3 ○同じ場所やにている場所をえらんでいる友だちを見つけて交流（こうりゅう）しよう。

①お気に入りの場所の写真を友だちにおくる

3 相手を選んで交流し、考えを再考する 〈15分〉

○お気に入りの場所が似ている相手を選び、考えを交流することで、理由を広げたり、自分の考えを見直したりする。

○大型画面や端末に、友達のお気に入りの場所を共有し、見ることができるようにする。

T　同じ場所や似ている場所を選んでいる友達を見つけ、どんな理由なのか、交流しましょう。友達の考えを聞いて、付け足したり、参考にしたりできるといいですね。

ICT 端末の活用ポイント

学習支援ソフトにお気に入りの場所の写真を送信し、共有することで、友達がどんな理由でお気に入りなのかを聞いてみたいという思いをもたせる。

4 本時の学習を振り返り、次時の見通しをもつ 〈5分〉

○学習のまとめとして、本時の学習の振り返りを書く。

T　今日の学習では、どんなことがはっきりしましたか。次の時間は何に取り組みたいですか。

・私は、図書館がお気に入りの場所だけれど、理由がはじめは1つしかありませんでした。でも、同じ場所を選んでいた友達と交流をしたら、「季節の掲示が明るくてすてき」という理由も見つかりました。
次の時間は、理由とぴったり合った資料を用意したいです。

本時案

お気に入りの場所、教えます

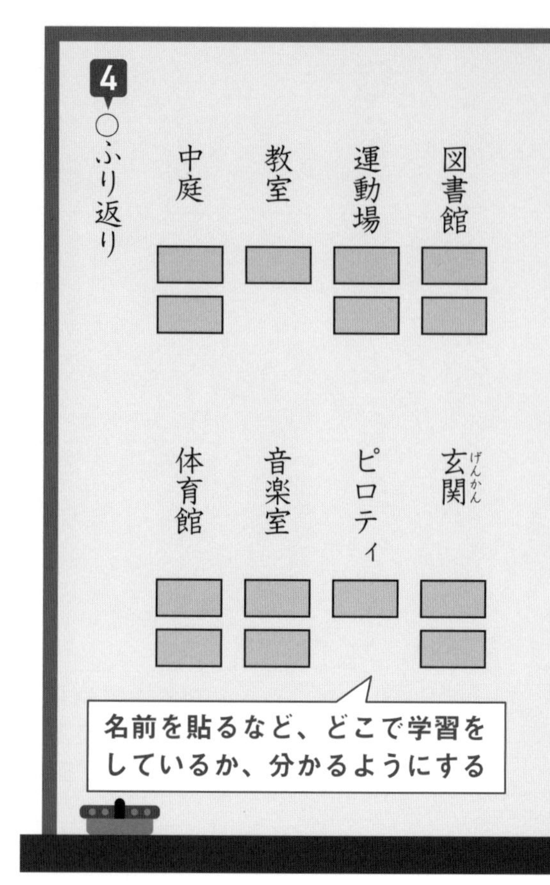

本時の目標

・お気に入りの場所と理由に沿って、相手に分かりやすく伝えるための資料を考えることができる。

本時の主な評価

・お気に入りの場所と理由に沿って、相手に分かりやすく伝えるための資料を考え、用意している。

資料等の準備

・磁石のネームプレート

授業の流れ ▷▷▷

1 本時のめあてを確かめる 〈5分〉

○学習計画を基に、本時のめあてを確かめる。

T　今日の学習のめあてを確かめましょう。

・今日はお気に入りの場所と理由が、友達に伝わるように資料を考えます。

・写真を撮りに行きたいです。

T　みなさんのお気に入りの理由が伝わる資料を見つけましょう。

2 お気に入りの理由に合う資料について考える 〈15分〉

○p.117「話すことを考えるときは」の例示などを基に、お気に入りの理由に合う資料について考える。

T　先生は、中庭がお気に入りの場所です。理由は花や植物がきれいで気持ちいいからです。どんな資料を用意したらいいでしょう。

・木や花がきれいで気持ちがよいという理由に合わせて、木や花の写真を見せたら、伝わると思います。

・合唱の練習をしたことが思い出という理由に合わせて、練習の写真を端末から探したり、絵に描いたりしたらよいと思います。

T　理由にぴったり合うと、相手に分かりやすく伝わりそうですね。みなさんも、どんな資料が必要か考えてみましょう。

お気に入りの場所、教えます

1 友だちに分かりやすくつたえるために、しりょうを用意しよう。

2 ○どんなしりょうがあるといいかな。

（れい）

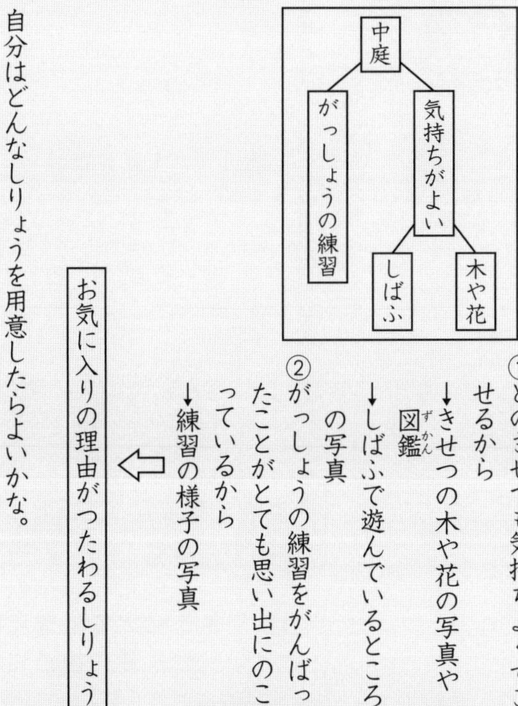

〈お気に入りの理由〉

①どのきせつも気持ちよくすごせるから

→きせつの木や花の写真や図鑑（ずかん）

→しばふで遊んでいるところの写真

②がっしょうの練習をがんばったことがとても思い出にのこっているから

→練習の様子の写真

⇦ お気に入りの理由がつたわるしりょう

自分はどんなしりょうを用意したらよいかな。

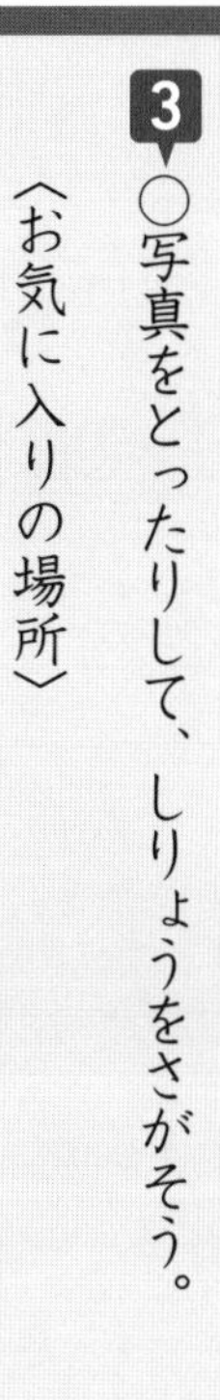

3 ○写真をとったりして、しりょうをさがそう。

〈お気に入りの場所〉

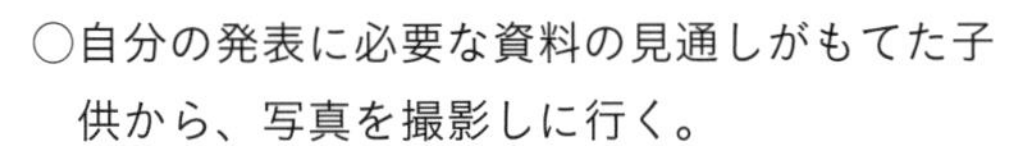

3 写真を撮影するなど、資料を用意する 〈20分〉

○自分の発表に必要な資料の見通しがもてた子供から、写真を撮影しに行く。

○お気に入りの場所ごとに板書し、名前を貼るようにするなど、子供がどこで学習を進めているかが、分かるようにする。

T　必要な資料を考えられたら、黒板の〈お気に入りの場所〉にネームプレートを貼って、撮影しに行きましょう。

・ぼくは、たくさんの友達と遊べるから、運動場がお気に入りです。だから、広い運動場全体の写真や休み時間によく遊ぶジャングルジムの写真を撮りたいです。

○資料は４、５枚程度が適切で、発表の際、一番伝えたいことが分かりやすくなるように使用することを伝える。

4 本時の学習を振り返り、次時の見通しをもつ 〈５分〉

○学習のまとめとして、本時の学習の振り返りを書く。

T　今日の学習は、どうでしたか。次の時間はどんなことに取り組みたいですか。

・ぼくは、たくさんの友達と遊べるから、運動場がお気に入りだという理由に合わせて、写真１枚を用意することができました。この資料を使って、どのような組み立てで発表するかを、次の時間に考えたいです。

・私はお気に入りの場所を、体育館にしました。理由は、とび箱やマット運動が好きだからです。だから、体育の時間に、体育館で前転の練習をしているときの写真を撮りたいです。

本時案

お気に入りの場所、教えます

本時の目標

・相手に伝わるように、理由を挙げながら、話の構成（組み立て）を考え、発表メモを作ることができる。

本時の主な評価

❷「はじめ」「中」「終わり」の関係を基に、相手に伝わりやすいように考えとそれを支える理由を捉えている。【知・技】

❸伝えたいことの中心が相手に伝わるように、理由を挙げながら、話の構成（組み立て）を考え、発表メモを作っている。【思・判・表】

資料等の準備

・教科書 p.118「発表メモのれい」の拡大コピー
・p.119の「発表のれい」の拡大コピー
・発表メモ ⤓ 20-02

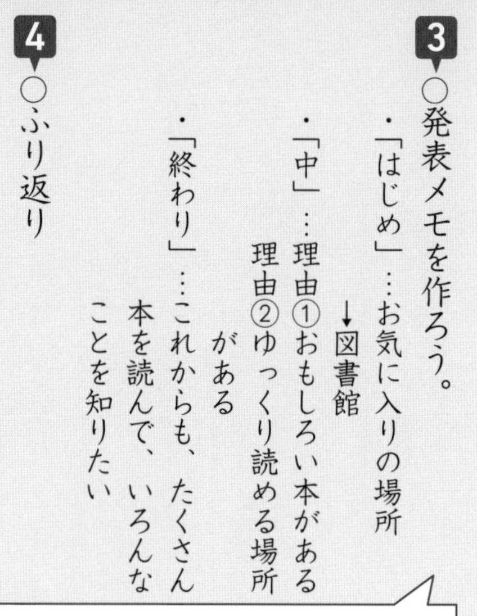

「相手を見て話す」「はっきりした声で話す」など、話し方の技能的な工夫についての考えが出たときには、場所や色を分けて板書するとよい。次時の発表練習の視点になる

授業の流れ ▷▷▷

1 本時のめあてを確かめる 〈5分〉

○学習計画を基に、本時のめあてを確かめる。

T 今日の学習のめあてを確かめましょう。
・今日はお気に入りの場所や理由が、友達に伝わるように、組み立てを考えます。
・どんな組み立てにしたらよいのか、よく分からないから、みんなで考えたいです。

T みんなに伝わるような組み立てになるよう、考えていきましょう。

2 例を基に、組み立ての工夫を見つける 〈15分〉

○ p.118「発表メモのれい」や p.119「発表のれい」を参考に組み立ての工夫を見つける。

T 「発表メモのれい」や「発表のれい」を読んで、組み立ての工夫を見つけましょう。
・「はじめ」「中」「終わり」の組み立てになっています。
・「はじめ」には伝えたいこと、「中」には理由、「終わり」にはまとめが書かれています。
・理由を話すときには、いくつあるかを先に言って、その後、1つ目、2つ目は、というのが分かりやすいです。
・2つ目の理由の後に、「…ですか。」と問いかけていて、興味を引くようにしています。ここで、話す速さをゆっくりにして、間をとるとよいと思いました。

お気に入りの場所、教えます

1

友だちにつたわるように、組み立てを考えて、発表メモを作ろう。

2

○それぞれのれいには、どんな組み立てのくふうがあるかな。

p.118「発表メモのれい」の図

p.119「発表のれい」の図

〈「はじめ」「中」「終わり」の組み立て〉
・「はじめ」…つたえたいことをはっきりさせる
・「中」…理由①
　　　　理由②
　つたえたいことに合った理由
・「終わり」…まとめ
　つたえたいことをくり返す

〈理由を話すとき〉
・いくつあるかを先に言う
・一つ目は、二つ目は、とつたえる

※話し方のくふう

3 組み立てを意識して、発表メモを作る 〈20分〉

○「はじめ」「中」「終わり」の組み立てを意識し、相手に分かりやすく伝わるように、発表メモを作る。

T　みなさんで見つけた組み立ての工夫を意識しながら、発表メモを作りましょう。

・「はじめ」…お気に入りの場所　図書館
　「中」…理由①おもしろい本がある
　　　　理由②ゆっくり読める場所がある
　「終わり」…これからも、たくさん本を読んで、いろんなことを知りたい

ICT 端末の活用ポイント

端末を使うことで、メモの入れ替えや加除修正が、簡単にできるようになる。前時までに考えた理由や写真を使うことで、時間も短縮される。

4 本時の学習を振り返り、次時の見通しをもつ 〈5分〉

○学習のまとめとして、本時の学習の振り返りを書く。

T　今日の学習では、どんなことが分かりましたか。分かったことを使うことができましたか。次の時間はどんなことを取り組みたいですか。

・私は、組み立ての工夫が分かりました。工夫を使って発表メモを作ったら、分かりやすくなりました。次の時間は、発表の練習なので、友達に聞いてもらって、がんばりたいです。

本時案

お気に入りの場所、教えます

本時の目標

・話の中心や話す場面を意識して、言葉の抑揚や強弱、間の取り方などを工夫することができる。

本時の主な評価

❹話の中心や話す場面を意識して、言葉の抑揚や強弱、間の取り方などを工夫し、相手に伝わりやすくなるように練習している。【思・判・表】

資料等の準備

・教科書 p.119「発表のれい」の拡大コピー

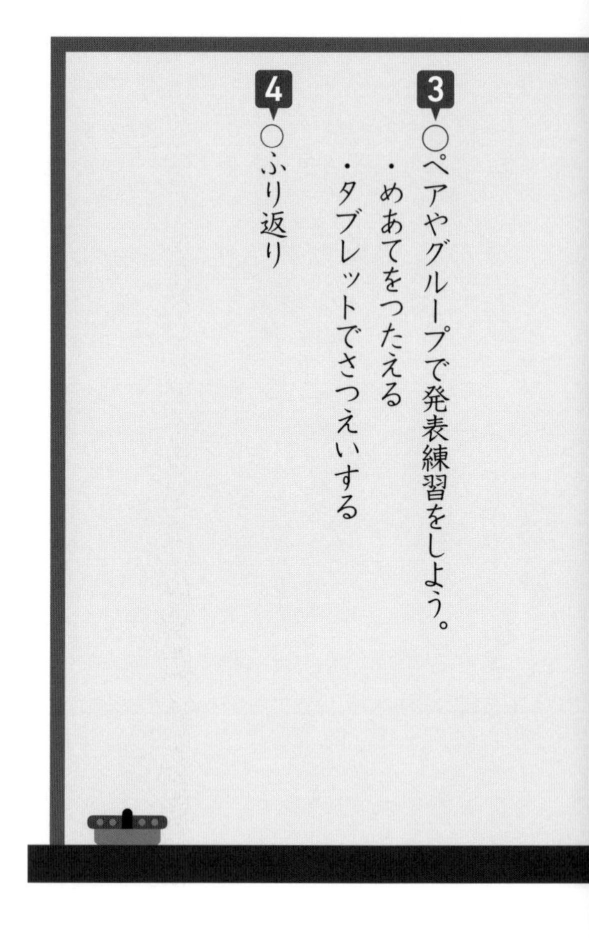

授業の流れ ▷▷▷

1 本時のめあてを確かめる 〈5分〉

○学習計画を基に、本時のめあてを確かめる。

T　今日の学習のめあてを確かめましょう。

・今日はお気に入りの場所や理由が、友達に伝わるように、どんな話し方をしたらよいか考えます。

・ペアやグループの友達に見てもらったり、撮影したりして発表の練習をしたいです。

2 教科書を参考に、話し方の工夫を確認する 〈15分〉

○ p.118の二次元コードの「発表のれい」や p.119「話し方をくふうするときは」を基に、話し方の工夫について考える。

T　教科書の「発表のれい」の動画や「話し方をくふうするときは」を見て、話し方の工夫について考えましょう。

・聞いている人全員に聞こえるような声の大きさで話すことです。

・声の大きさや強弱もあります。

・話す速さも重要です。

・聞き手を見て話すことです。

・間の取り方も工夫したいです。

・写真や絵などの資料の見せ方もあります。

T　たくさんの工夫が見つかりましたね。自分はどれをめあてにしたいですか。

お気に入りの場所、教えます

1
友だちにつたわるように、話し方をくふうして、発表練習をしよう。

2
○どんな話し方のくふうをしたらよいかな。

p.119「発表のれい」
※二次元コード（p.118）

・聞き手を見て話す
・呼びかけを使う
（れい）「〜を知っていますか」
・はんのうをたしかめる
（れい）「ここまで、分かりましたか」
・動作で表す
（れい）写真を指でさす
2つ目のとき、指でさす

①全体に聞こえる声の大きさ
②声の強弱
③速くなりすぎないように
④はんのうを見て、間を取る
⑤しりょうを見せるタイミング、見せ方

教科書の例にある「声の大きさ」などについて、どのような大きさであれば全体に伝わるのか、実際に確かめるとよい

3 ペアやグループで発表の練習をする〈20分〉

○学級の人数や状況に応じて、ペアやグループで、発表の練習をする。

T　はじめに、自分のめあてを聞き手に伝えてから発表しましょう。聞き手は、めあてについてよかったことや、アドバイスをしてください。後で見返すことができるように、端末で撮影をしましょう。

・ぼくのめあては、聞き手を見て、間の取り方に気を付けることです。それではははじめます。「ぼくのお気に入りの場所は、運動場です。理由は……」

ICT 端末の活用ポイント

撮影することで、話し手のめあてや、そのほかの話し方の工夫について、達成できていたかを考えられるようにする。

4 本時の学習を振り返り、次時の見通しをもつ〈5分〉

○学習のまとめとして、本時の学習の振り返りを書く。

T　今日の学習では、どんなことが分かりましたか。また、分かったことを使うことができましたか。

T　また、次の時間はどんなことを改善したいですか。

・ぼくは、いろんな話し方の工夫が分かりました。その中でも、聞いている友達を見て、間の取り方に気を付けることをめあてとして練習しました。

・次の時間は自分で、動画を確認して、発表をレベルアップさせたいです。

本時案

お気に入りの場所、教えます

本時の目標

・話の中心や話す場面を意識して、言葉の抑揚や強弱、間の取り方などを工夫することができる。

本時の主な評価

❹話の中心や話す場面を意識して、前時を振り返り、確かめた改善点を基に、言葉の抑揚や強弱、間の取り方などを工夫している。

【思・判・表】

資料等の準備

・教科書 p.119の拡大コピー
・磁石のネームプレート

2
○練習をして、発表をよりよくしよう。
・めあてをつたえる
・動画でさつえいする

3
○動画を見て、ふり返ろう。
・気持ちをつたえたいところで、はっきり、ゆっくり言うことができた

授業の流れ ▷▷▷

1 前時の動画を見て、話し方のよさや改善点を確かめる 〈15分〉

○前時の動画を端末で振り返り、自分の話し方のよさや改善したいところを確かめる。

T　動画を見て、自分の話し方のよさやもっと工夫したいことを考えましょう。

・相手を見て話すことができていました。
・話すのが速くて、伝わりづらいです。
・強弱があまりなくて、どこが伝えたいところなのか、分かりにくくなっていました。

○各自、気を付けたいと思ったところにネームプレートを貼り、本時の課題として意識できるようにする。

ICT 端末の活用ポイント

自分のめあてや前時に見つけた話し方の工夫を想起するため、動画を見る。改善点だけでなく、よいところにも目を向けるよう促す。

2 ペアやグループで発表の練習をして、再度、録画をする 〈20分〉

○個々の子供が、改善したい話し方のめあてをもち、ペアやグループで発表の練習をする。

T　今日のめあては決まりましたか。

・伝えたいところは、強めにはっきり言ったり、ゆっくり言ったりしたいです。
・友達の反応を確認しながら、語りかけるような部分も入れて、より聞いてもらえるように工夫しようと思います。

T　前の時間と同じように、端末で撮影をし合いながら練習しましょう。

・理由に合わせて、資料を指しながら話してくれたから、分かりやすかったです。
・聞き手の様子を見て、間を取りながら、ちょうどよい速さで話していてよかったです。

お気に入りの場所、教えます

1

友だちにつたわるように、話し方をくふうして、発表をよりよくしよう。

○前の時間にとった動画を見て、めあてを立てよう。
話し方のよさやもっとくふうしたらよいところはどこかな。

①聞き手を見て話す
②よびかけを使う
（れい）「〜を知っていますか」
③はんのうをたしかめる
（れい）「ここまで、分かりましたか」
④動作で表す
（れい）写真を指でさす
２つ目のとき、指でさす
⑤全体に聞こえる声の大きさ
⑥声の強弱
⑦速くなりすぎないように
⑧はんのうを見て、間を取る
⑨しりょうを見せるタイミング、見せ方

前時の板書を生かし、本時の工夫に、ネームプレートを貼る

3 動画を見て振り返り、次時の見通しをもつ 〈10分〉

○学習のまとめとして、自分の発表の動画を見て、本時の学習の振り返りを書く。

T　動画を見て、よくなったことや次の発表会で気を付けたいことなどを振り返りに書きましょう。

・ぼくは、「終わり」のところで、これからも運動場でみんなとたくさん遊びたいという気持ちが伝わるように、はっきり、ゆっくりと言うことができました。発表会もがんばりたいです。

・前の時間ではできていなかった声の強弱のつけ方が意識できるようになりました。次の発表会では、資料の見せ方も工夫できるようにしたいです。

ICT 等活用アイデア

自己の変容を実感する

音声による言語は、消えてしまうので、ICT の活用を取り入れ、効果的に学習を進めたい。

導入では、前時の動画を振り返る場を設定することで、子供一人一人にとって必要性を感じる本時のめあてを設定することができる。そのめあてを基に練習をしたり、友達からアドバイスをもらったりすることで、自己の変容を実感していくことができるだろう。また、学習活動の終末では、本時の動画を見て振り返ることで、ついた力を実感することができる。

本時案

お気に入りの場所、教えます

本時の目標

・相手を見て話したり、言葉の抑揚や強弱、間の取り方などに注意して話したりすることができる。
・進んで話の中心が明確になるように、お気に入りの場所を発表し、友達と組み立てや話し方について感想を伝え合うことができる。

本時の主な評価

❶前時までに改善した点や練習してきた話し方の工夫に注意して話している。【知・技】
❺進んで話の中心が伝わるように、お気に入りの場所を発表し、組み立てや話し方のよいところなどについて、友達と感想を伝え合おうとしている。【態度】

資料等の準備

・前時までの板書をまとめた掲示物 20-03

□理由を話すときの言葉
・理由は、二つあります
・一つ目の理由は、・・・二つ目の理由は・・・
・それは、・・・からです

4
○学習をふり返ろう。
・どのような話し方のくふうをしましたか
・どのような組み立てを考えましたか
・友だちからどのようなくふうを学びましたか

授業の流れ ▷▷▷

1 本時のめあてを確かめる 〈5分〉

○学習計画を基に、本時のめあてを確かめる。
T　今日の学習のめあてを確かめましょう。
・今日は、発表会なのでこれまで学習してきたことを生かして、学級の友達にお気に入りの場所と理由を分かりやすく伝えたいです。
T　これまで練習してきた話し方の工夫を踏まえて、お気に入りの場所と理由が伝わるように、発表しましょう。

2 発表会を開く 〈50分〉

○前半（本時）、後半（次時）に分けて発表会を開く。人数が多い場合は、学級を半分に分けて、２つのブースで行うことも考えられる。
T　発表を聞いた後には、「組み立て」や「話し方」について、よかったところを伝え合いましょう。
○よかったところを見つける観点として前時までの板書をまとめたものを用意しておくとよい。

ICT 端末の活用ポイント

感想を端末にメモするなどして共有し、どの子供にもよかったところが伝わるようにする。感想を、子供同士が送信し合う。

お気に入りの場所、教えます

1 「お気に入りの場所、教えます」発表会を開こう。

2 ○これまで学習したことを生かして発表しよう（話し手）。

3 ○友だちの発表のよさを見つけよう（聞き手）。

〈組み立てを考えるときは〉
□「はじめ」　つたえたいことをはっきりさせる
□「中」　つたえたいことに合った理由を、いくつかあげる
※理由に合わせたしりょう
□「終わり」　つたえたいことを、もう一度くり返す。「はじめ」で言うことより、くわしくしてもよい

〈話し方をくふうするときは〉
□聞く人のことやつたえるないようから、考える
・声の大きさや強弱
・話す速さ
・間の取り方
・写真や絵などのしりょうの見せ方

3 感想を伝え合う 〈20分〉

○発表のよかったところを伝え合い、学習の達成感をもつことができるようにする。
　1人ずつの発表と感想をセットで進めることも考えられる。

T　友達の発表のよかったところを教えてください。

・お気に入りの理由が、分かりやすく３つに分けられていて、好きな理由がはっきりと伝わってきました。
・最後の言葉をゆっくり話していて、大好きな気持ちが伝わりました。
・お気に入りの理由と資料がぴったり合っていて、分かりやすかったです。

4 学習を振り返る 〈15分〉

○単元の振り返りを書く。振り返りの観点を示し、どの子も確実に書くことができるようにする。

T　これまでの学習を振り返りましょう。

・私は、みんなの感想を聞いて、お気に入りの場所や理由が伝わったと感じました。組み立てを工夫することが大切だと分かったので、これからも生かしたいです。
・ぼくは、発表が少し苦手だったけれど、話し方の工夫をみんなで考えて、自分もやってみることができてよかったです。みんなに伝わって、発表に自信がつきました。

資料

1 第1時　学習計画表の例 20-01

学習計画表

時間	学習ないよう
1	学習計画や学習のめあてを立てよう。
2	お気に入りの場所を決めて、理由を考えよう。
3	分かりやすくつたえるためのしりょうを用意しよう。
4	組み立てを考えて、発表メモを作ろう。
5	話し方のくふうを考えて、発表練習をしよう（動画をとる）。
6	動画を見て、発表をよりよくしよう。
7 8	発表会を開こう。 学習をふり返ろう。

2 第4時　発表メモ 20-02

発表メモを作ろう　組　番（　　　　）

「はじめ」
お気に入りの場所

「中」
理由①
理由②

「終わり」
まとめ

3 第7・8時　第4・5・6時の板書をまとめた掲示物 20-03

〈組み立てを考えるときは〉

□「はじめ」　つたえたいことをはっきりさせる
□「中」　つたえたいことに合った理由を、いくつかあげる
※理由に合わせたしりょう
□「終わり」　つたえたいことを、もう一度くり返す。「はじめ」で言うことより、くわしくしてもよい

〈話し方をくふうするときは〉

□聞く人のことやつたえるないようから、考える
・声の大きさや強弱
・話す速さ
・間の取り方
・写真や絵などのしりょうの見せ方
□理由を話すときの言葉
・理由は、二つあります
・一つ目の理由は、・・・二つ目の理由は・・・
・それは、・・・からです

登場人物について考えたことを、つたえ合おう

モチモチの木 （12時間扱い）

単元の目標

知識及び技能	・様子や行動、気持ちや性格を表す語句の量を増し、語彙を豊かにすることができる。((1)オ)
思考力、判断力、表現力等	・文章を読んで感じたことや考えたことを共有し、一人一人感じ方が違うことに気付くことができる。(C カ) ・登場人物の気持ちの変化や性格について具体的に想像することができる。(C エ)
学びに向かう力、人間性等	・言葉がもつよさに気付くとともに、幅広く読書をし、国語を大切にして、思いや考えを伝え合おうとする。

評価規準

知識・技能	❶様子や行動、気持ちや性格を表す語句の量を増し、語彙を豊かにしている。(〔知識及び技能〕(1)オ)
思考・判断・表現	❷「読むこと」において、文章を読んで感じたことや考えたことを共有し、一人一人感じ方が違うことに気付いている。(〔思考力、判断力、表現力等〕C カ) ❸「読むこと」において、登場人物の気持ちの変化や性格、情景について、場面の移り変わりと結び付けて具体的に想像している。(〔思考力、判断力、表現力等〕C エ)
主体的に学習に取り組む態度	❹進んで斎藤隆介の他の作品を読み、今までの学習を生かして、登場人物や性格について具体的に想像したり、「モチモチの木」との共通点を見つけたりしながら、ポスター作りや紹介活動に取り組もうとしている。

単元の流れ

次	時	主な学習活動	評価
一	1 2	学習の見通しをもつ 作者である斎藤隆介の作品を紹介し、「モチモチの木」を読んで感想を伝え合う。 ・おおまかなあらすじや登場人物を確認する。 ・「豆太はどんな人物なのか」を考え、学習課題を設定する。 豆太について考えたことを、つたえ合おう。	
二	3 4 5 6	・「おくびょう豆太」の場面を読み、豆太とじさまの性格や関係性を考える。 ・語り手について学習し、語り手が登場人物について語っている言葉を見つける。 「やい、木ぃ」の場面を読み、昼と夜の豆太の様子を表す言葉を比べながら、豆太の性格を考える。 「霜月二十日のばん」の場面を読み、豆太とじさまの気持ちや性格が分かる表現を見つけ、豆太とじさまの気持ちなどについて考える。 「豆太は見た」の場面を読み、豆太の気持ちの変化が分かる表現を見つけ、豆太の気持ちの変化について考える。	❶

	7 8 9	これまでの場面と比べながら「豆太は見た」の場面の豆太の性格を想像する。 「弱虫でも、やさしけりゃ」を読み、豆太は変わったかについて、着目する視点を教科書 p.135「えらんで読み深めよう」から 1 つ選んで考え、交流する。 ・豆太について考えたことや感じたことをまとめ、友達と交流する。 学習を振り返る ・教科書 p.135に示された観点で「モチモチの木」の学習を振り返る。	❸ ❸ ❷
三	10・11 12	・「モチモチの木」で学習したことを生かして、登場人物の設定や性格、気持ちの変化などに注目しながら斎藤隆介の他の作品を選んで読む。 ・作品を読んでいない友達に紹介するためのポスターを作成する。 作成したポスターを友達と見せ合い、斎藤隆介の作品を紹介し合う。	 ❹

授業づくりのポイント

〈単元で育てたい資質・能力〉

本単元では、登場人物の気持ちの変化や性格について、場面の移り変わりと結び付けて具体的に想像する力を付けたい。そのためには、文章中の気持ちや性格が分かる表現に着目するとともに、その表現がどのような意味なのか、どのような状態を表しているのかを理解する必要がある。また、一つ一つの語句に立ち止まることで、具体的に場面の様子を想像する力を育てたい。例えば、豆太がじさまを呼ぶときの「小さい声」とはどれぐらい小さい声なのだろうか。「霜月二十日の真夜中」とはどれぐらいの暗さなのだろうか。こういった場面の様子を具体的に想像することは、物語全体をより豊かに読むことにつながっていくはずである。

〈教材・題材の特徴〉

文章全体に 5 つの小見出しが付けられ場面が構成されている。文章は、語り手が「全く、豆太ほどおくびょうなやつはない。」という語りで豆太を評する言葉から始まっている。また、最後も「豆太は、じさまが元気になると、そのばんから『じさまぁ。』と、しょんべんにじさまを起こしたとさ。」という語り手の言葉で幕を閉じている。このことからも分かるとおり、この物語は語り手がどのように登場人物や出来事を捉えているかが読み取れる表現が多い。また、「豆太は見た」の場面では「いたくて、寒くて、こわかったからなぁ。」という表現のように、登場人物の内面に入り込んで気持ちを語っている。だからこそ本作品は、語り手が語る地の文と登場人物の会話や行動とを読み分けることで、読み手自身が登場人物の性格や気持ちについて想像することができる教材である。

〈言語活動の工夫〉

単元の終末には、単元の初めと同じ問い「豆太はどんな人物か」を考え、その学びの深まりを実感することができるような単元構成や言語活動を設定していきたい。また、「モチモチの木」の豆太のように、斎藤隆介の本で描かれている人物は、優しさや一生懸命さがテーマであるように描かれた作品が多い。第三次では斎藤隆介の他の作品のポスターを作成し、お互いに紹介し合うという言語活動に取り組んでいくことを通して、作品のテーマや登場人物の共通点を見つけるような姿に期待したい。

〈紹介活動読書リスト〉

『ソメコとオニ』『半日村』『花さき山』『八郎』『かみなりむすめ』『三コ』『ふき』

本時案

モチモチの木

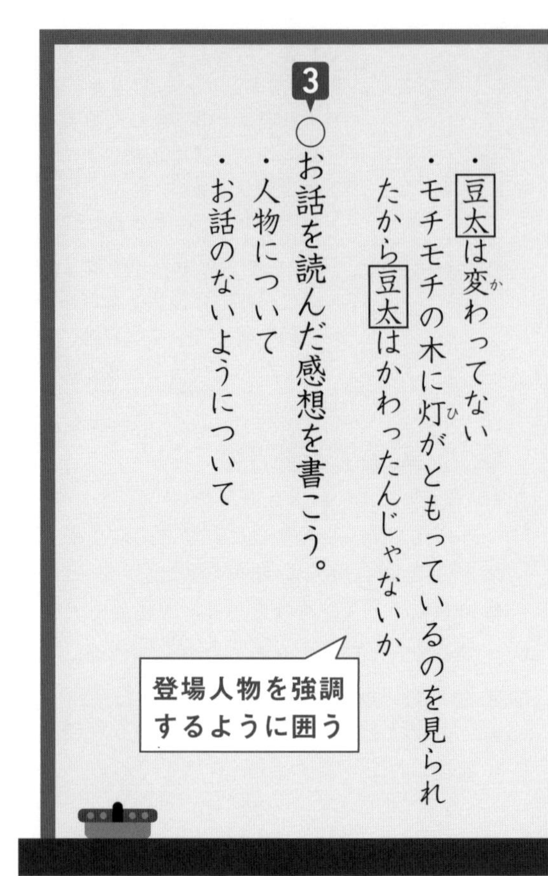

本時の目標

・「モチモチの木」を読んで感想をもったり、伝え合ったりすることができる。

本時の主な評価

・物語を読んで感想をもったり、伝え合ったりしている。

資料等の準備

・斎藤隆介の作品や表紙のコピー
・教科書 p.128の豆太の挿絵のコピー

授業の流れ ▷▷▷

1 斎藤隆介の作品の特徴を理解する 〈10分〉

○単元に入る前から、教室に斎藤隆介の作品を数冊置いておく。

T　みなさんは斎藤隆介さんという作家を知っていますか。

・「モチモチの木」を読んだことがあります。
・『ソメコとオニ』という本を読みました。

T　表紙の絵を見て何か気付いたことはありますか。

・どれも絵が似ているなと思います。
・全部絵を同じ人が書いています。

T　斎藤隆介さんはたくさんの絵本を出しています。その多くの絵は滝平二郎さんという切り絵画家が描いています。斎藤さんの絵本の絵は、滝平さんにお願いすると決めていたものも多かったそうですよ。

2 「モチモチの木」の範読を聞き、感想を全体で交流する 〈20分〉

T　それでは、そんな斎藤隆介さんと滝平二郎さんが作った「モチモチの木」を読んでみましょう。読み終わった後、どんなことを感じたり考えたりしたか教えてください。

・豆太は冬の寒い中１人で医者様を呼びに行って、勇気があるなと思いました。
・でも、その後にまた１人でしょんべんに行けなくなっているのがおもしろいです。
・じさまは豆太のためにいつでもやさしいのがすてきだなと思いました。
・豆太は変わってないなと思いました。
・豆太は変わったと思います。勇気のある子しか見られないというモチモチの木に、灯がともっているのを見ることができたからです。

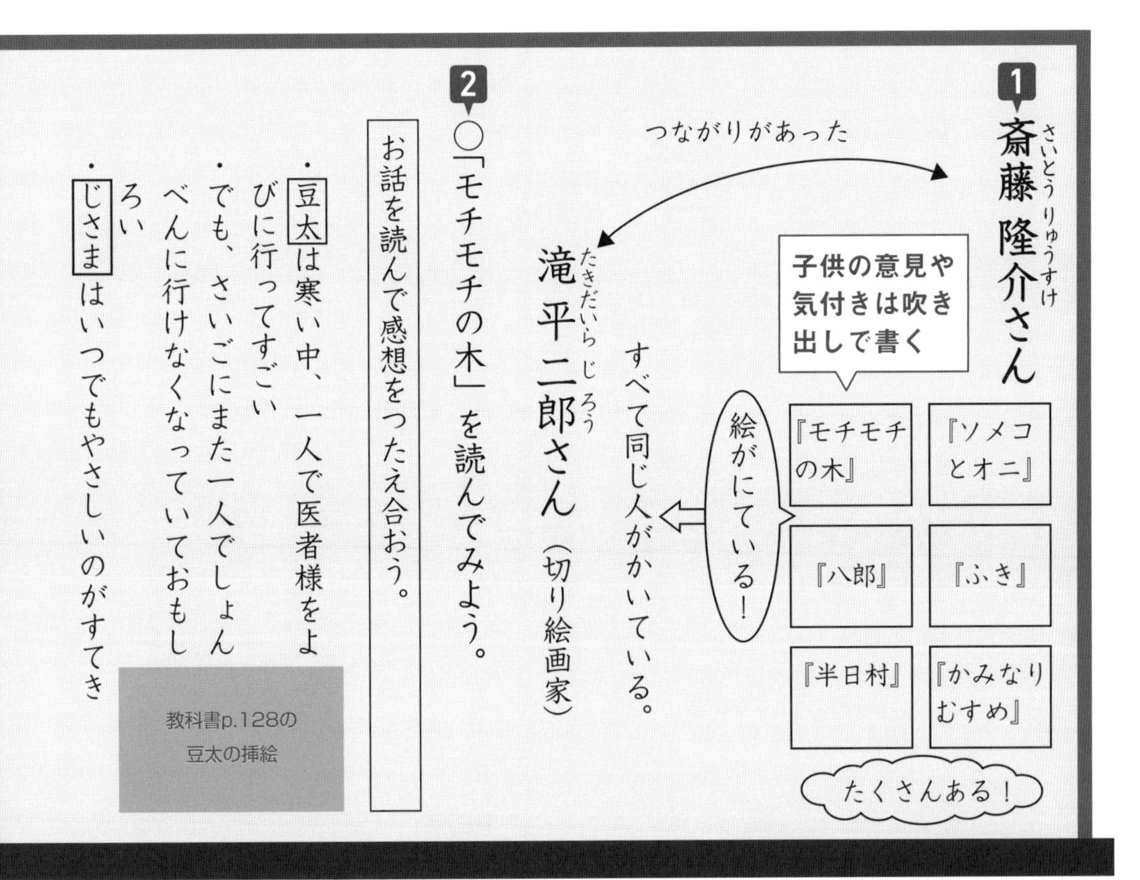

3 「モチモチの木」を読んだ感想をノートに書く 〈15分〉

T　今何人かの子に感想を発表してもらいました。豆太について感想を発表してくれた子が多かったですね。みなさんは「モチモチの木」を読んでどんなことを感じたり、考えたりしましたか。感想を書いてみましょう。

・豆太は変わってないと言っている子がいたけれど、私もそうだなと思いました。
・じさまはとても優しい人だなと思いました。
・豆太はすごいなと思いました。自分はもうすぐ10歳だけど、夜１人で医者を呼びに行けないと思うからです。
・臆病な豆太が、この後どのようになるんだろうと、展開が気になるお話でした。

○感想の視点は、人物と、物語全体を通して、に分けてまとめられるようにする。

ICT 等活用アイデア

感想や振り返りの共有の仕方

単元の初めに書く、初発の感想や授業の最後に書く振り返りの共有の仕方の１つとして、テキストマイニングを活用するとよい。テキストを入力するだけで、AI が頻出語や特徴語を分類・抽出し、視覚的にも分かりやすくしてくれる。テキストマイニングを活用すると、学級全体としてどんな言葉を使っている子供が多かったのか、という全体の傾向をつかむことができる。個々の感想に目を通し、一人一人の学びを丁寧に見取ることと併せて、効果的に活用するとよいだろう。

本時案

モチモチの木

本時の目標

・登場人物やあらすじを確認し、登場人物について考えていくという学習の見通しをもつことができる。

本時の主な評価

・前時に書いた感想を伝え合いながら、登場人物の様子やあらすじを振り返り、豆太について考えるという学習の見通しをもっている。

資料等の準備

・前時に子供が書いた感想
・教科書（p.123、p.124・125、p.127、p.128・129、p.130・p.131、p.133）にある挿絵のコピー

3

どんな人物かな

（理由は）

豆太は ～

なぜかというと、～～

いさましい

勇気

弱気

おくびょう

たよりない

やさしい

どんな人物か、数人の子供の発表を板書するとよい

授業の流れ ▷▷▷

1 前時の学習を振り返り、あらすじを確認する 〈15分〉

T　前回の授業では「モチモチの木」というお話を読みましたね。「モチモチの木」はどんなお話でしたか。
・豆太がじさまを助けるために勇気を出したら、モチモチの木に灯がともるのを見ることができたというお話です。
・臆病な豆太がじさまを助けるために医者様を呼びに行ったけれど、最後はまた臆病に戻っているというお話です。

ICT 端末の活用ポイント

文章作成ソフトを使い、全員が「～というお話」で終わるようなあらすじを考える時間を確保し、簡単に共有することもできる。

2 前時に書いた感想を全体で共有し、学習課題を設定する 〈20分〉

T　お話のおおまかな内容はしっかりと捉えられていましたね。それでは、前の時間でみんながどんな感想を書いたのか確認してみましょう。
・豆太は１人で医者様を呼びに行けて、勇気があるという感想を書いている人がいます。
・でも、豆太は臆病だと書いている人が多いと思います。
T　豆太はどんな人物かについていろいろな意見がありそうですね。この単元では豆太に注目して、どんな人物かについて考え、友達と考えたことを伝え合いましょう。

モチモチの木

斎藤 隆介（さいとう りゅうすけ）

1

「モチモチの木」はどんなお話だった？

教科書p.127の挿絵

教科書p.123の挿絵

教科書p.133の挿絵

豆太がじさまを助けるために勇気（ゆうき）を出したら、モチモチの木に灯がともるところを見ることができたお話

おくびょうな豆太が医者様をよびにいったけれど、さいごにまたおくびょうにもどったお話

豆太の性格を強調するよう、囲うと分かりやすくなる

豆太はどんな人物なのだろう？

教科書p.130,131の挿絵

教科書p.128の挿絵

2

豆太について考えたことを、つたえ合おう。

3 豆太はどんな人物かについて、考えをノートに書く 〈10分〉

T みなさんは、豆太はどんな人物だと思いますか。理由も合わせて書きましょう。

・豆太は勇気のある子だと思います。理由は冬の寒くて真っ暗な中でも医者様を呼びに行くことができたからです。

・豆太は頼りない子だと思いました。なぜかというと５才なのに夜中にトイレに行けないからです。

○「豆太は～だけど、～」のような、性格の２つの側面について書いてもよい。

○単元の最後に改めて書く活動を設定し、比べることで学びの深まりを実感できる。

○悩んでいる子には、p.165「言葉のたから箱」にある人物を表す言葉を参考にするように伝える。

よりよい授業へのステップアップ

挿絵を使ってあらすじや物語の内容を確認する

あらすじやおおまかな物語の内容を確認する際に効果的なのが、教科書の挿絵を使うことである。教科書にある挿絵をコピーしておき、物語の順番とは異なるように黒板にバラバラに貼る。すると子供たちは「そういう順番じゃない！」という反応をするだろう。

挿絵を正しく並べ替えることを通して、あらすじや物語の内容を確認することができる。物語の学習に苦手意識がある子供も授業に参加しやすく、単元冒頭におすすめの活動である。

本時案

モチモチの木 3/12

本時の目標

・「おくびょう豆太」の場面を読み、豆太とじさまの性格や関係性を考えることができる。

本時の主な評価

・「おくびょう豆太」の場面を読み、語り手の視点から語られている言葉を基に、豆太とじさまの性格や関係性を考えている。

資料等の準備

・教科書 p.123の挿絵
・せっちんや p.123の青じしを印刷したもの

授業の流れ▷▷▷

1 学習課題を思い出しながら、場面の音読をする 〈10分〉

T　前回の学習で「豆太について考えたことを、つたえ合おう。」という学習課題を設定しました。豆太の他にどのような登場人物がいましたか？
・じさまと医者様です。
T　どんなことに注目すると、登場人物のことや気持ちが分かりそうですか？
・登場人物の会話や様子、行動です。
T　そうですね。今日は「おくびょう豆太」の場面を読んで、豆太とじさまがどんな人物なのかということを考えましょう。
T　まずは音読をしながら、２人の様子や会話、行動を確かめていきましょう。
○この場面は様子や会話が少ないが、単元の今後の流れも考え、押さえておく。

2 豆太とじさまの性格や関係性を整理する 〈20分〉

T　豆太やじさまはどのような人物ですか。また、どのような性格だと書かれていますか？分かる言葉に線を引きましょう。
・「豆太ほどおくびょうなやつはない」です。
・５つと書かれていたので５才です。
・じさまについていってもらわないと、１人でしょんべんに行けません。
・おとうが亡くなってしまったので、２人で暮らしていることが分かります。
・じさまは、「どんなに小さい声で言っても、すぐ目をさましてくれる」と書いてあるので優しい人です。

ICT 端末の活用ポイント

p.123の二次元コードを読み取ったり、せっちんについて画像を検索したりすると、より物語の様子が豊かに想像できるだろう。

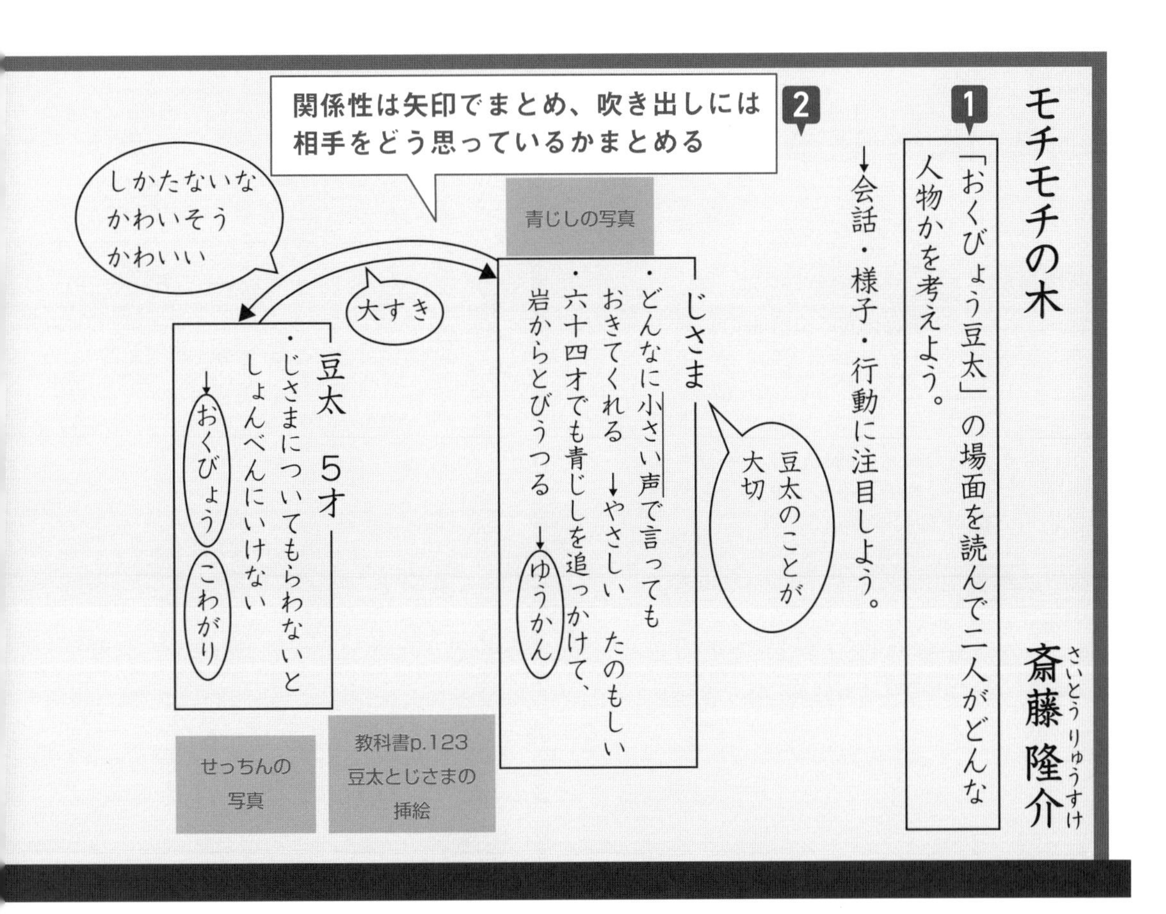

3 語り手という言葉を学び、語り手の言葉を整理する〈10分〉

T 「全く、豆太ほどおくびょうなやつはない」と言っているのは誰ですか？
・じさまです。
・じさまではないと思います。この物語のナレーターです。
T そうですね。物語を語る人を「語り手」といいます。他に語り手が豆太のことを語っている文を探してみましょう。
・最後の「それなのに、どうして豆太だけが、こんなにおくびょうなんだろうか──。」もそうだと思います。
・「いっしょにねている１まいしかないふとんを……」という文はどうだろう。
○語り手が登場人物の性格について語っている文に、色鉛筆等で線を引くように促すとよい。

4 本時の学習を振り返るとともに、次時の学習の見通しをもつ〈５分〉

T 今日の学習で、分かったことや考えたことを振り返りましょう。
・豆太とじさまのことがより分かりました。
・今日は語り手という言葉を知りました。臆病だと言っていたのは、語り手だったということが分かりました。
T 語り手は豆太を臆病だと語っていましたが、みなさんはどう考えましたか？
・豆太は物語のはじめは臆病だと思います。最後は豆太は、変われたのか変われていないのか分からないので、分かりません。

本時案

モチモチの木

本時の目標

・「やい、木ぃ」の場面を読み、豆太の性格を考えることができる。

本時の主な評価

❶「やい、木ぃ」の場面を読み、豆太の昼と夜の様子を比べ、豆太の性格を表す語句を増やしている。【知・技】

資料等の準備

・教科書 p.123の挿絵
・p.124・125の挿絵
・トチノキや栃の実の写真（必要に応じて）

語り手
「五つになって『シー』なんてみっともないやなぁ。」

4
○ふり返り
・豆太は昼と夜でちがう人みたい
・夜のモチモチの木は、豆太にとってすごくこわそう

性格は吹き出しでしておくと比べや

昼と夜を分けて板書するようにする

授業の流れ ▷▷▷

1 単元の学習課題を思い出しながら、場面の音読をする 〈10分〉

T　前回は「おくびょう豆太」の場面を読んで豆太やじさまのことを考えました。どんなことが心に残りましたか。
・豆太のことを臆病と言っているのは語り手だということです。
・じさまは、豆太のことを大事に思っているということが分かりました。
T　そうでしたね。今日は「やい、木ぃ」の場面を読んで、豆太がどんな人物なのかということや気持ちを考えていきましょう。
T　まずは音読をしながら、2人の様子や会話、行動を確かめましょう。
○語り手が登場人物の性格について語っている部分について、気付けるように促したい。

2 昼の豆太やモチモチの木の様子が分かる文に線を引く 〈15分〉

T　モチモチの木はどんな木だと書いてありますか？
・豆太がつけた名前と書いてあります。
・落ちた実を粉にしてもちにこね上げて食べると、ほっぺたが落ちるほどおいしいと書いてある。どんな味なんだろう。
・でっかいでっかいと繰り返されています。どれぐらいの高さなんだろう。
○必要に応じて実際に食べられていること、木の高さは25～30m 程になることなどを伝えると一層関心が高まるだろう。
T　昼の豆太はどんな様子ですか？
・臆病ではなく、なんだか木に対して威張っていて、偉そうな感じがします。

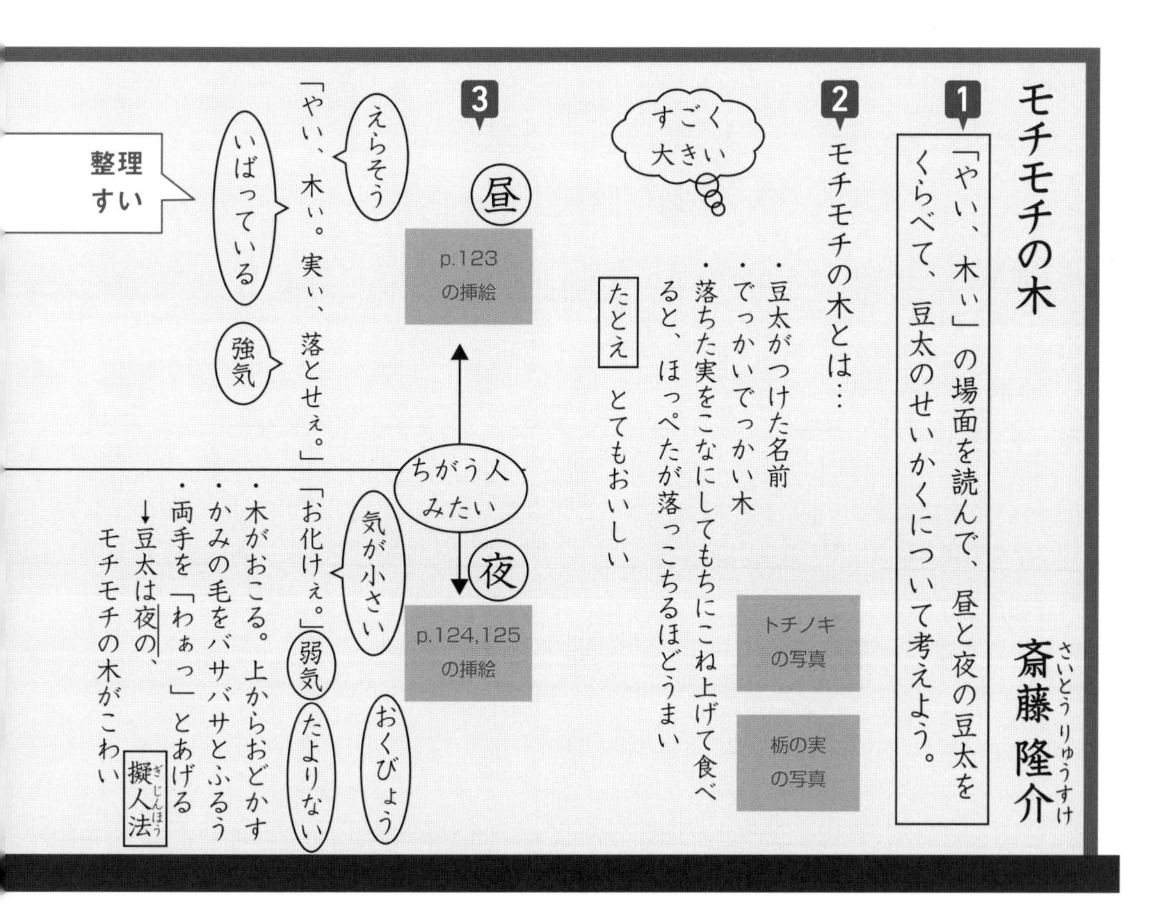

3 夜の豆太やモチモチの木の様子が分かる文に線を引く〈15分〉

T　夜になると豆太はどうなりますか？
・弱気になってしまっています。
・なんだか頼りないです。
・昼の様子と全然違って別人みたいです。
T　そうなってしまうのはどうしてですか？
・モチモチの木が「お化けぇ」とおどかしてくるからです。
T　本当におどかしてくるのですか？
・豆太にはそうやって見えていることを喩えています。
・前の場面にも「かみの毛をバサバサとふるって」「両手を『わあっと』あげるからって」という表現があります。とても怖そうです。
○擬人法とその効果にも意識を向けられるよう、ポイントとして板書する。

4 本時の学習を振り返るとともに、次時の学習の見通しをもつ〈5分〉

T　今日の学習を振り返って、分かったことや考えたことを発表しましょう。
・昼の豆太と夜の豆太は、ちがう人のようだということが心に残りました。
・豆太は、夜のモチモチの木が怖いということが分かりました。
・真っ暗な中にある25m ぐらいの木は、ぼくでも怖いかもしれないと思いました。
・じさまは、いつでも豆太に優しいなと思いました。
T　次の時間は「霜月二十日のばん」を読んで、豆太とじさま2人の性格や気持ちを考えていきましょう。

本時案

モチモチの木

本時の目標

・「霜月二十日のばん」の場面を読み、最も当てはまる言葉を探しながら、豆太とじさまの気持ちや性格を想像することができる。

本時の主な評価

・「霜月二十日のばん」の場面を読み、登場人物の気持ちや性格を表す言葉などを基に豆太やじさまの気持ちについて考えている。

資料等の準備

・絵本の「霜月二十日のばん」のコピー
（必要に応じて）
・教科書 p.131モチモチの木に灯がともっている挿絵のコピー

勇気のある
子どもにだけ
しか見れない

・一人でしょんべんにも
いけないからダメだ……
・夜じゃなくて昼なら見
たい

4
○ふり返ろう。
・豆太は気が小さい子だと思った
・じさまはどうして豆太に灯がともることを
話したのだろう

じさまや豆太の気持ちは吹き出しでまとめる

授業の流れ ▷▷▷

1 学習課題を思い出しながら、場面の音読をする 〈10分〉

T　前回の授業では「やい、木ぃ」の場面を読んで、モチモチの木の様子や豆太の性格を考えました。どんなことが心に残りましたか。
・夜のモチモチの木は、豆太にとってお化けみたいに怖いということです。
・昼間と夜の豆太は、別人のようだということです。
T　そうでしたね。今日は「霜月二十日のばん」の場面を読んで、豆太とじさまがどんな性格なのか、そしてどんな気持ちなのかを考えていきましょう。
T　まずは音読をしながら、２人の会話、様子や行動を確かめましょう。

2 豆太の性格が分かる言葉に線を引き、ふさわしい言葉を考える〈15分〉

T　「霜月二十日のばん」を読んで、豆太はどんな子だと思いましたか。線を引いてふさわしい言葉を考えてみましょう。
・考えただけでぶるぶるしているというのが、やっぱり怖がりだなと思いました。
・私は「おらは、とってもだめだ」という会話から気が弱い子だと思いました。
・「はじめっからあきらめて」とあるので、あきらめが早い子だなと感じました。
○本文の言葉に立ち止まると、豆太の性格の異なる側面が見えてくる場面である。適切な言葉で豆太の性格を表現できるようにしたい。p.165の「言葉のたから箱」も、適宜参考にするとよい。

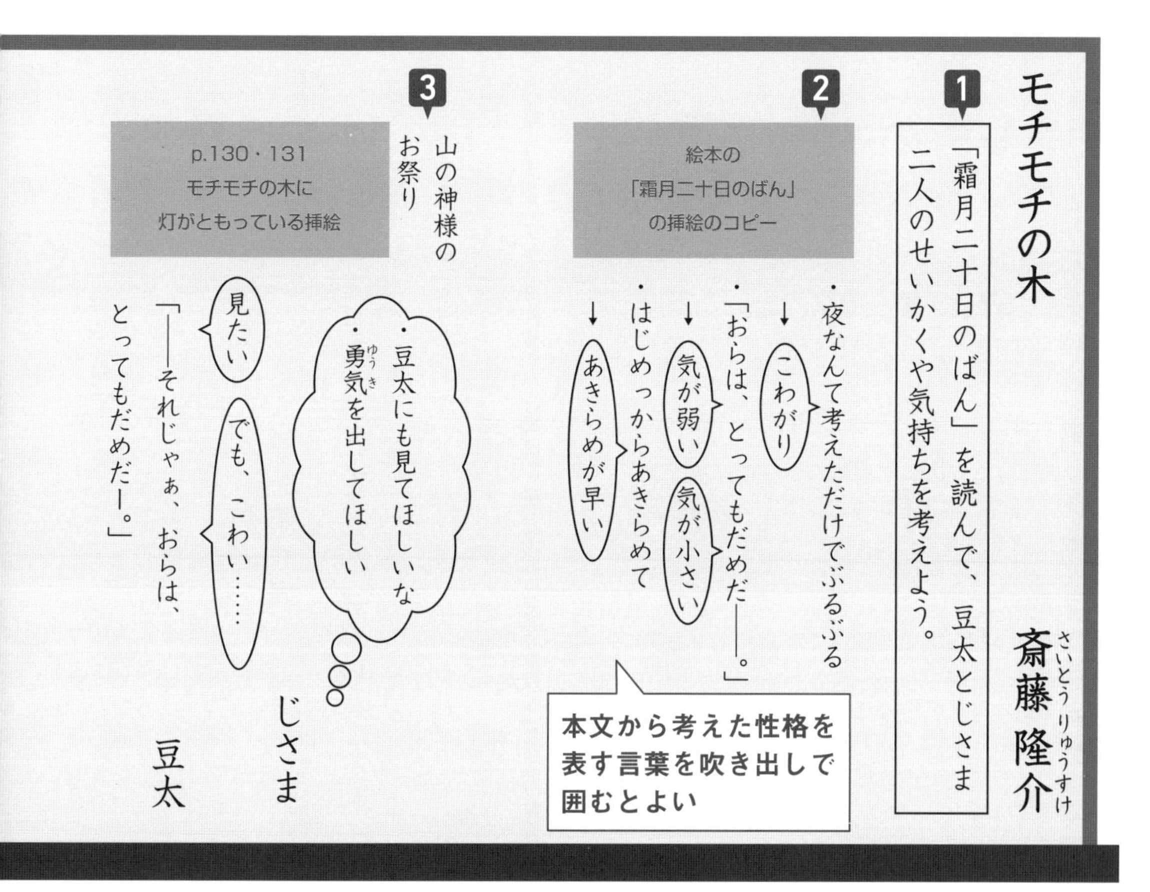

3 豆太やじさまの気持ちを考え、全体で発表する〈15分〉

T　豆太はモチモチの木に灯がともる話を聞いたとき、どんな気持ちだったのでしょうか。

・「ゆうきのある子どもだけ」と言われて「自分はしょんべんにも１人で行けないから無理だ」と、思ったと考えました。
・「夜のモチモチの木がお化けみたいに怖いから昼間だったらいいのに……」という気持ちだと考えました。

○ダッシュ（―）に立ち止まり、豆太の迷いや気持ちを具体的に想像するよう促す。

T　じさまはどんな気持ちだったのでしょうか？

・自分やおとうのように豆太にも見てほしいなという気持ちだったと思います。

4 本時の学習を振り返るとともに、次時の学習の見通しをもつ〈5分〉

T　今日の学習で、分かったことや考えたことを振り返りましょう。

・豆太は「おくびょうだ」と思っていたけれど、気が弱いとか気が小さいという言葉の方が合っているなと思いました。
・じさまは、豆太にモチモチの木に灯がともることを話して、勇気を出して見れるようになってほしいと願っていることが分かりました。

T　いよいよ物語も後半です。次の時間は「豆太は見た」の場面を読んでいきましょう。

本時案

モチモチの木

本時の目標

・「豆太は見た」の場面を読み、場面の様子を想像しながら豆太の気持ちとその変化を考えることができる。

本時の主な評価

・「豆太は見た」の場面を読み、叙述に基づきながら場面の様子を想像し、豆太の気持ちとその変化を考えている。

資料等の準備

・教科書 p.127じさまが腹痛で苦しんでいる場面の挿絵のコピー
・p.128豆太が真夜中に走っている場面の挿絵のコピー
・p.131モチモチの木に灯がともっている場面の挿絵のコピー

4
○ふり返り
・5才の豆太が冬の夜道を一人で医者様をよぶために走ってすごい
・豆太がじさまのことを思っているのが分かった
・おくびょう → 勇(ゆう)かんにかわった

挿絵を使って場面の様子を整理し、読み取った情報を図にまとめていく

授業の流れ ▷▷▷

1 場面の音読をしながら、全員で様子を整理する 〈15分〉

T 今日は「豆太は見た」の場面を読んで、主に豆太の気持ちを考えましょう。
T まずは音読をしながら、2人の様子や会話、行動を確かめましょう。
○場面の様子や気持ちを想像するために、実際に動作化したり、豆太の会話（「じさまぁっ。」や「じさまっ。」）を何度か読んだりするとよい。
・「じさまっ」の方が短く言っている感じがして、びっくりした様子をより表しています。

ICT 端末の活用ポイント

2 km が学区や通学路等の、どの程度にあたるのか調べたり、霜が一面に張っている様子の画像を調べたりするとより豊かに想像できる。

2 豆太の気持ちが読み取れる言葉に線を引き、豆太の気持ちを考える 〈10分〉

T まずは、自分で豆太の気持ちが分かる言葉に線を引いてみましょう。
・最初は、くまの声がしたと思ったので「こわくて、びっくら」したんだね。
・後でじさまだと分かったので、心配だという気持ちに変わった。
・「ねまきのまんま。はだしで。」ということは、それぐらいじさまを助けたいという気持ちが分かる。
・夜の道も怖いし、足から血が出るほど寒くて痛いけれど、大好きなじさまが死んでしまう方が怖かったのかな。
○「とびついた」「ふっとばして」「走った」などの動作を表す言葉にも着目できるようにしたい。

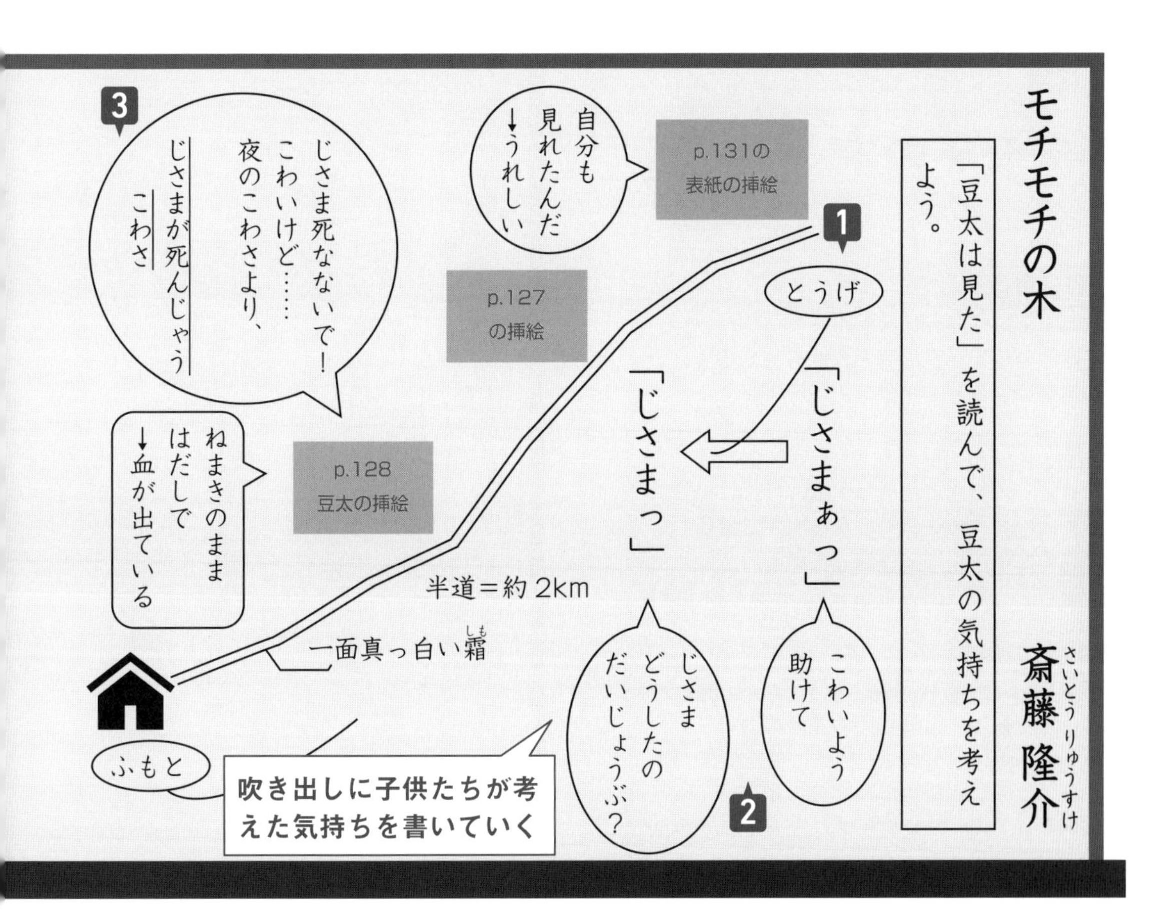

3 考えた豆太の気持ちを全体で共有する〈15分〉

T　それでは、どんな言葉に線を引いたのか、どんな気持ちだったのかをみんなで考えていきましょう。

・「小犬みたいに体を丸めて、表戸を体でふっとばして走り出した。」という言葉から、豆太が必死で、なんとかしないと、という気持ちだったと思います。

・「豆太は、その後は知らない」という言葉から、それぐらいじさまを助けたいと思ってお手伝いをしていたと思います。

・「霜が足にかみついた」という言葉があって、それぐらい痛いけれど、それでも大好きなじさまのために夢中で走っていることを表していると思います。

4 本時の学習を振り返るとともに、次時の学習の見通しをもつ〈5分〉

T　今日の学習で、分かったことや考えたことを振り返りましょう。

・5才の豆太が、冬の夜道を半道も走って、1人で医者様を呼びに行くなんてすごいです。

・豆太がどれだけじさまのことを大好きで、大切に思っているのかが分かる表現がたくさんあるなと思いました。

・ずっと豆太は臆病と思っていたけれど、勇敢だと思いました。

T　次の時間はこれまでの場面と「豆太は見た」の場面から分かる豆太の性格を比べてみましょう。

本時案

モチモチの木

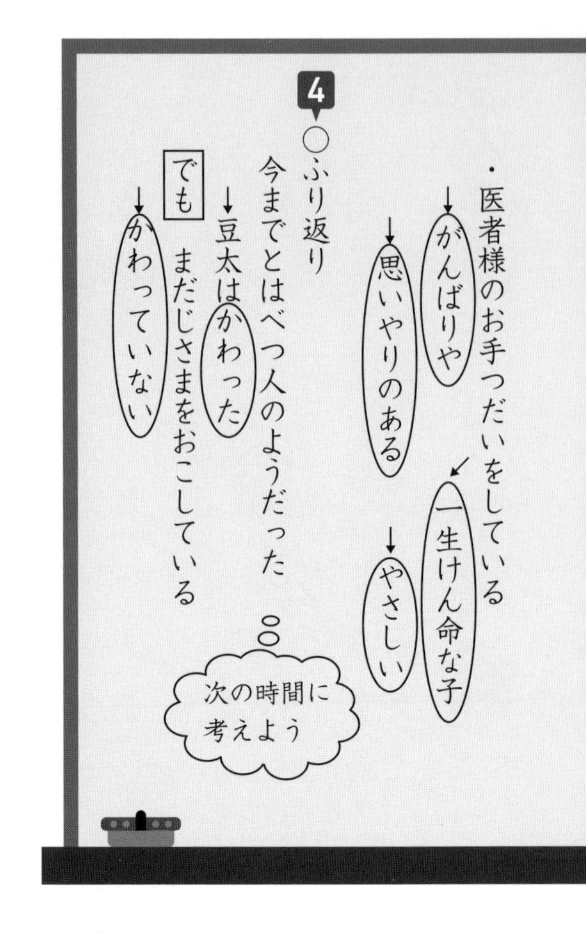

本時の目標

・これまでの場面と比べながら、「豆太は見た」の場面の語句を基に豆太の性格や気持ちについて想像することができる。

本時の主な評価

❸これまでの場面と比べながら、「豆太は見た」の場面の豆太の性格が分かる言葉に着目し、豆太の性格について想像している。
【思・判・表】

資料等の準備

・教科書 p.123じさまにしょんべんに連れて行ってもらっている場面の挿絵のコピー
・教科書 p.124・125豆太が昼にモチモチの木に威張っている場面の挿絵のコピー
・教科書 p.128豆太が真夜中に走っている場面の挿絵のコピー

授業の流れ ▷▷▷

1 前の時間での学習を振り返り、本時の課題を確認する 〈5分〉

T　前の時間では「豆太は見た」の場面の豆太の気持ちを考えました。どんなことを学んだり、考えたりしましたか？
・豆太は夜しょんべんに行くのも怖かったから、夜に半道を1人で走っていくのは、すごく怖かったと思います。
・でも、豆太にとって大好きなじさまが死んでしまうのが一番怖かったので、じさまのために一生懸命走って医者様を呼びに行ったんだと思いました。
・豆太は勇気がある子だなと思いました。
T　そうですね。では、これまでの場面と比べて「豆太は見た」の場面の豆太はどんな性格なのかをみんなで考えていきましょう。

2 これまでの場面の豆太の性格が分かる言葉を全員で確認する 〈10分〉

T　「豆太は見た」の前の豆太はどんな性格の子でしたか？　これまでの学習を振り返ってみんなで確認をしましょう。
・豆太は夜1人でしょんべんに行けないので臆病な子です。
・臆病は語り手が言っている言葉ですが、私も豆太は臆病だし怖がりだと思います。
・昼は偉そうで、強気な子だけど、夜になると気が小さい弱気な子になっていました。
・昼と夜で別人のようなので、豆太はまだまだ幼い子だなと思います。
○必要に応じて第4時のノートや板書を見返しながら授業を進めていくとよいだろう。

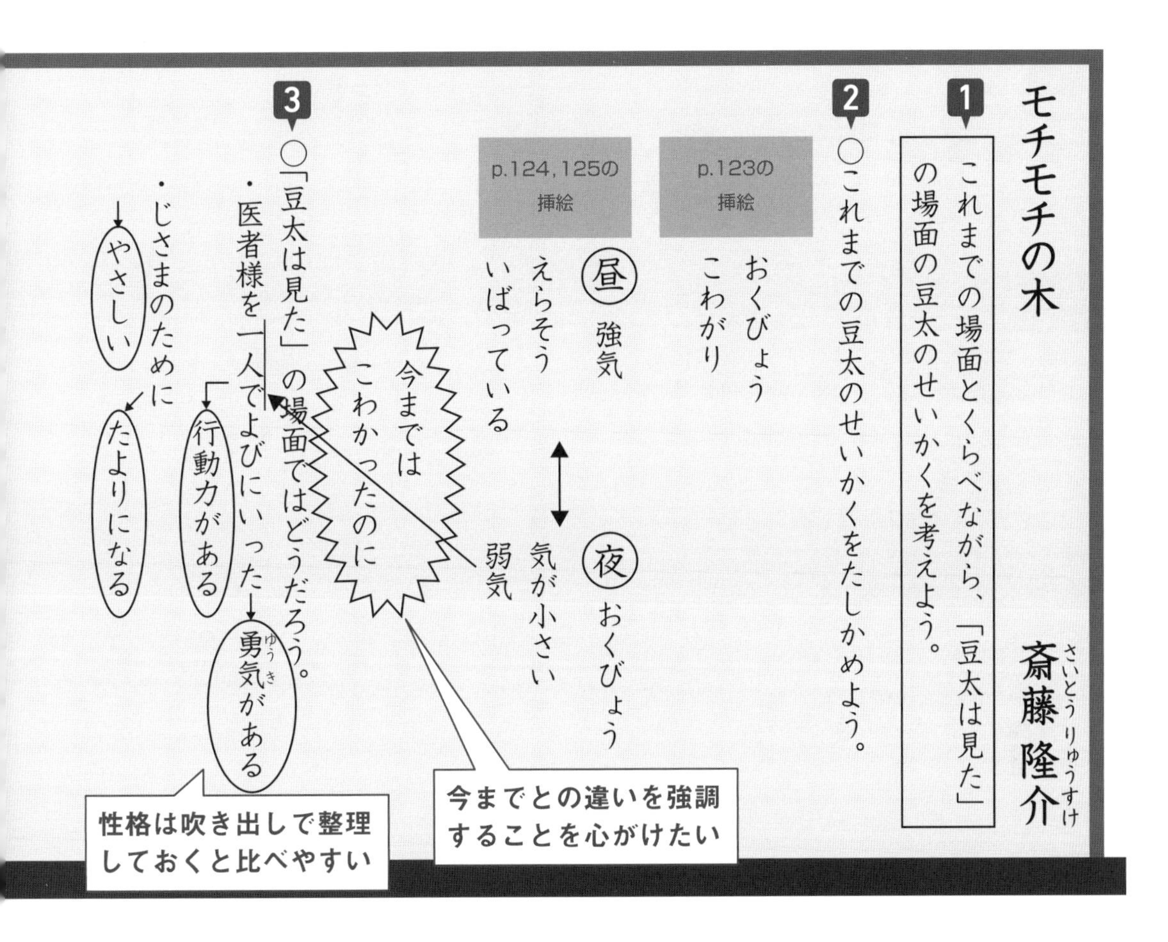

3 「豆太は見た」の場面の豆太の性格を考え、全体で共有する 〈20分〉

T 「豆太は見た」の場面の豆太はどんな子だと思いましたか？ まずは性格が分かる言葉に線を引いてみましょう。

○ p.165「言葉のたから箱」にある人物を表す言葉も参考にするように伝えるとよい。

T それではみんなで「豆太は見た」の場面の豆太の性格を考えていきましょう。

・豆太はじさまのために、怖かった夜に1人で、半道もある医者様のところまで呼びに行ったので、勇気がある子だと思いました。
・豆太は、見てみたかった灯がともったモチモチの木をずっと見ていたのではなく、医者様の手伝いをしているから、豆太はがんばり屋だと思いました。
・一生懸命な子というふうにも言えそうです。

4 本時の学習を振り返るとともに、次時の学習の見通しをもつ 〈10分〉

T 今日の学習を振り返って、分かったことや考えたことを確かめましょう。

・「豆太は見た」の場面の前と比べると、別人のようになっていました。
・豆太は、変わったなと思いました。
・どうしてそんな豆太は、また次の日からじさまを起こすのだろう。やっぱり、豆太は変わっていないんじゃないかなと思います。

T 意見が分かれそうですね。次の時間は「弱虫でも、やさしけりゃ」の場面を読んで、豆太は変わったのか変わっていないのかを考えましょう。

本時案

モチモチの木

本時の目標

・「弱虫でも、やさしけりゃ」の場面を読み、これまでの場面を結び付けながら、豆太は変わったか変わっていないかについて考えることができる。

本時の主な評価

❸豆太は変わったか変わっていないかについて場面の移り変わりと結び付けて想像したり、考えたことを伝え合ったりしている。

【思・判・表】

資料等の準備

・教科書 p.135「えらんで読み深めよう」の拡大コピー

②着目する点がちがう人どうしで

ちがう点から考えるとどうかな

4

○考えをつたえ合って分かったこと、考えたこと

・行動はかわってないけれど、心はかわっていると思った

・ちがう点から考えるとかわっていると思った

ポイント
友だちの考えをメモしておこう。ふり返りやすくなる！

授業の流れ ▷▷▷

1 場面の音読をしながら本時の学習課題を確認する 〈10分〉

T　前の時間では「豆太は見た」の場面の豆太の気持ちや性格を考えましたね。今日は「弱虫でも、やさしけりゃ」の場面を読んでいきましょう。

T　最初の場面と比べるとどうですか。

・また「じさまぁ。」としょんべんに起こしていて、行動は変わっていないと思います。

・でも、夜１人でしょんべんに行けない豆太が、夜道を１人で走って医者様を呼びに行っているから、行動も変わっている部分はあると思います。

T　前の時間でも意見が分かれていましたね。物語のはじめと終わりで豆太は変わったでしょうか。今日はこのことについて友達と話し合いましょう。

2 自分で p.135から着目する点を選び、ノートに考えを書く 〈10分〉

T　今日の学習課題に対して、p.135の４つの中から着目する点を１つ選んで、自分の考えを書いてみましょう。

○どれを選ぶか悩んでいる子がいるときには、まず変わったか変わっていないかについて意見とその理由を聞き、一番近い視点のグループに導けるとよい。

・豆太を「臆病だ」と言っているのは語り手で、豆太自身はモチモチの木に灯がともっているのを見られて自分は変われたと思っていると考えました。

・じさまは最後に「おまえは、ゆうきのある子どもだった」と言っています。豆太はそんな言葉を言われて、自分は変われたと思っていると考えました。

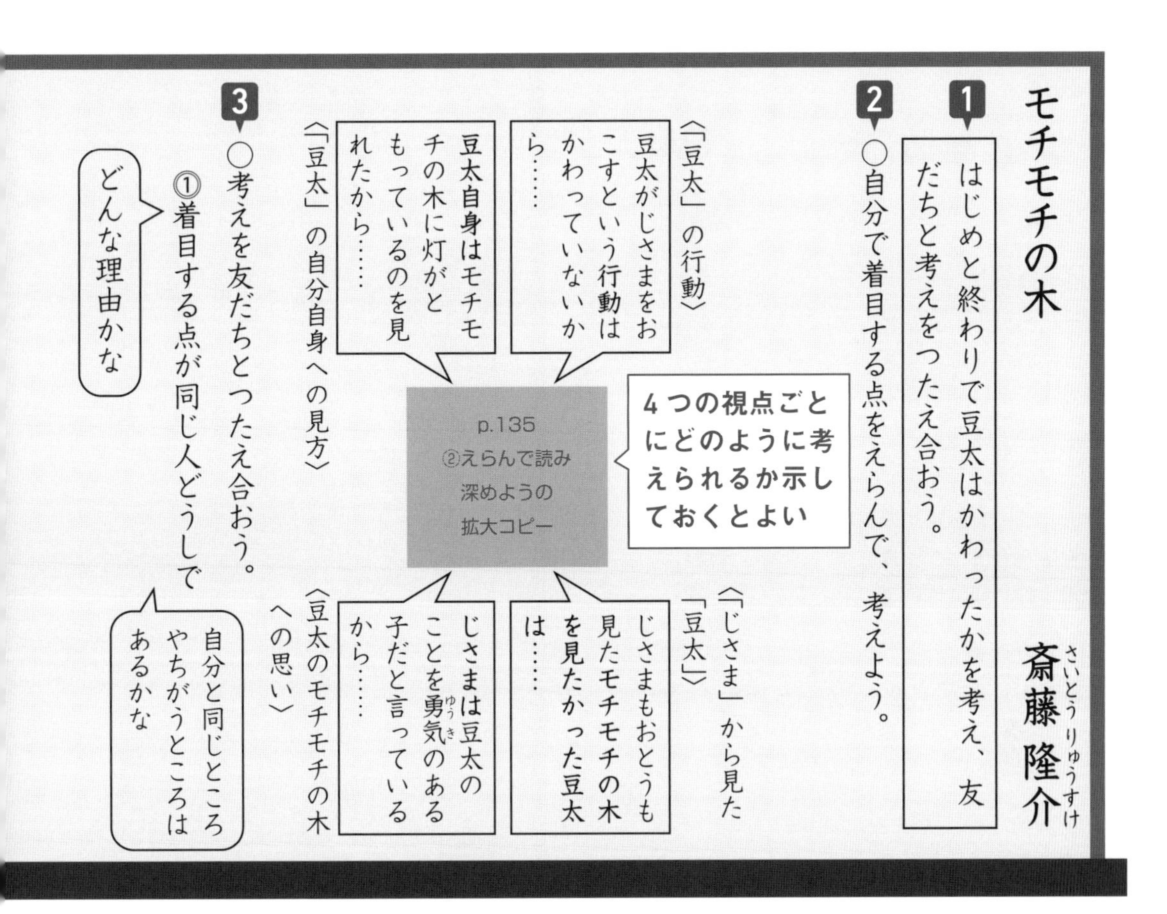

3 友達と考えを伝え合い、交流する〈20分〉

T　それでは、まずは着目した点が同じ人同士で考えを伝え合いましょう。
・豆太は、モチモチの木に灯がともるのを見たいと思っていて、勇気を出したらそれを見ることができた。それは、豆太にとって自信になったので変われたと思います。
・最後の行動は変わっていないけれど、誰かのためなら勇気が出せる豆太に変わったんだと思う。
T　次は着目した点が違う人同士で考えを伝え合ってみましょう。
○友達の意見を聞きながら、メモを取るように促し、自分の考えとの違いや同じところを考えられるようにしたい。

4 本時の学習を振り返るとともに、次時の学習の見通しをもつ〈5分〉

T　今日の学習で、分かったことや考えたことを振り返りましょう。
・最初は豆太は変わっていないと思っていました。けれど行動は同じでも心は変わっているという意見を聞いて、たしかにそうだなと思いました。
・医者様はモチモチの木を見て、「明かりがついたように見える」と言っています。じさまも本当のことは分かっていたけれど、豆太に勇気を出してほしいから、モチモチの木に灯がともる話をしたのだと思いました。
T　最初の方に豆太はこんな人物だと考えたのとは、ずいぶん変わってきたのではないでしょうか。次の時間では学習をふまえて、もう一度豆太がどんな人物か考えてみましょう。

本時案

モチモチの木

本時の目標

・豆太について考えたことや感じたことをまとめ、交流することを通して、一人一人感じ方が違うことに気付くことができる。

本時の主な評価

❷豆太について考えたことや感じたことについて、自分なりの考えをまとめ、グループで考えを伝え合うことを通して、一人一人感じ方が違うことに気付いている。【思・判・表】

資料等の準備

・教科書 p.135「ふりかえろう」の拡大コピー

・おくびょう ↓ あまえんぼう
「じさまぁ。」はこわいのもあるけど、あまえていると思う

4 ○豆太について考えたことをノートにまとめよう。

p.135「ふり返ろう」の拡大コピー

○学習をふり返ってみよう。

授業の流れ ▷▷▷

1 前時の学習を振り返り、本時の学習課題を確認する 〈10分〉

T　前の時間では「豆太は変わったか」について友達と考えを交流しましたね。どんなことが心に残りましたか？

・豆太が変わったということです。臆病で気弱だった豆太が、じさまのために勇気を出せる子に変わったと思うからです。

・勇気あるおとうやじさまも見たモチモチの木に灯がともっているのを、豆太も見られたというのは、豆太が変われたからだという友達の意見が心に残りました。

T　今日は学習のまとめとして、最初にも書いた「豆太はどんな人物か」を考えて、友達と考えたことを伝え合いましょう。

○最初に書いたものと見比べると、子供たちが学びの変容や深まりを実感しやすくなる。

2 豆太について感じたことや考えたことをまとめる 〈10分〉

T　これまで学習してきて、豆太について感じたことや考えたことをまとめましょう。

○単元の冒頭でも、豆太はどんな人物かについてはまとめている。まずは個人で活動に取り組み、最初に書いたものと比べるとよいだろう。

・豆太は怖がりだけれど、いざというときはがんばれる子だと思いました。しょんべんや夜のモチモチの木は怖いけれど、じさまのお腹が痛くなったときは医者様を呼びに行けるような子だからです。

・ぼくは、豆太は勇気のある子だと思いました。勇気のある子だけが見られるモチモチの木を見ることができたし、ぼくだったらできないと思ったからです。

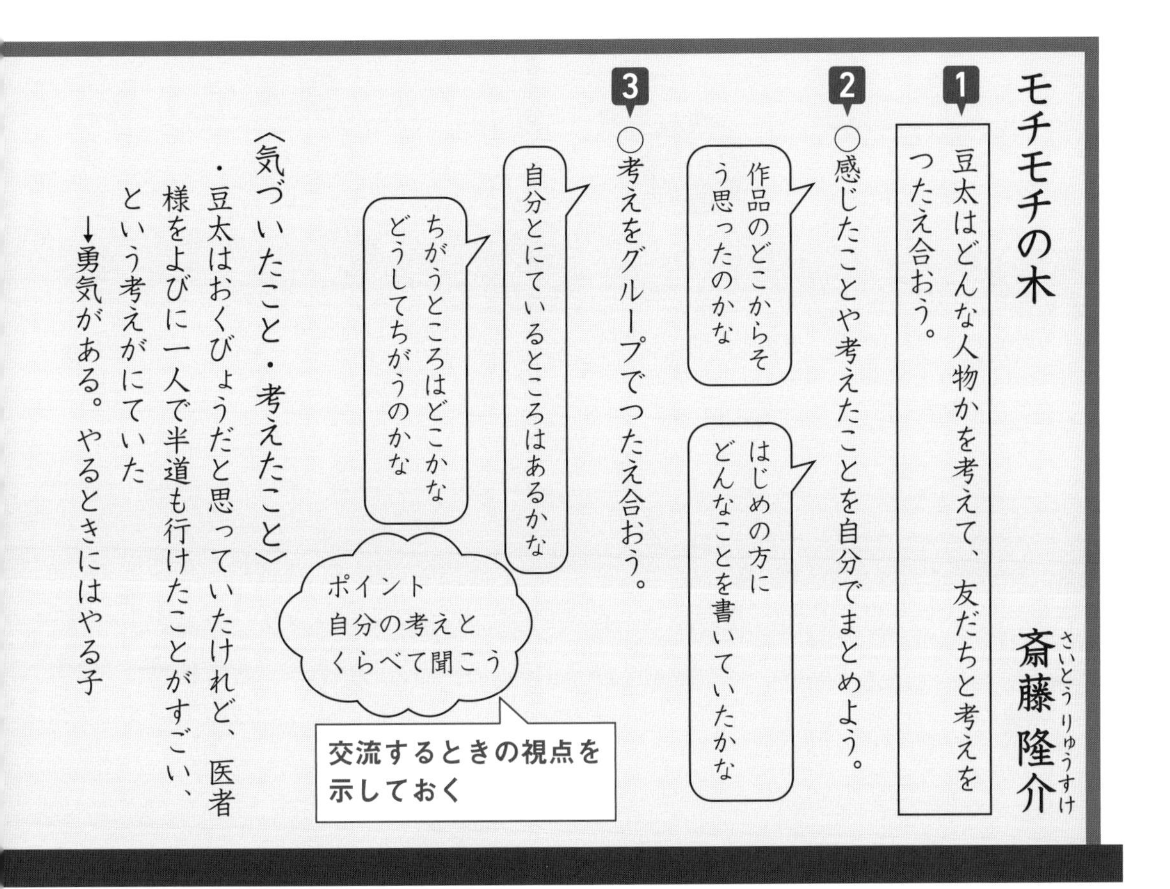

3 グループで考えを伝え合い、考えを交流する 〈15分〉

T　それではまとめた考えを伝え合いましょう。友達の意見を聞くときは、自分の考えと似ているところや違うところがあるかどうか気を付けましょう。

・豆太は、おくびょうではなく、優しくて甘えん坊な子だと思います。いざというときは、だれかのためにがんばれるからです。

・豆太は最後も変わっていないし、じさまが死んでしまうことが怖くて行動したから、臆病ではあると思います。

T　友達の考えを聞いて、何か気付いたことや考えたことはありますか？

○お互いの意見を発表するだけで時間を終えてしまわないように、話を聞いて気付いたことや考えたことも共有できるようにする。

4 学習を振り返り、学んだことをノートにまとめる 〈10分〉

T　これまで、「豆太について考えたことをつたえ合おう」という課題で学習を進めてきました。p.135の「ふりかえろう」を参考にしながら、学習を振り返ってみましょう。

・豆太は臆病な子だと思っていたけれど、それは、語り手の「おくびょう」という言葉に引っ張られていたからだと思いました。

・登場人物の行動や会話に注目すると、性格や気持ちなどいろいろなことが分かりました。

・斎藤隆介さんの他の作品ではどんな登場人物が出てくるのか気になりました。

T　斎藤隆介さんは、その他にもいろいろな作品を書いています。次の時間からは、今回学習したことを生かして、他の作品を読みましょう。

本時案

モチモチの木

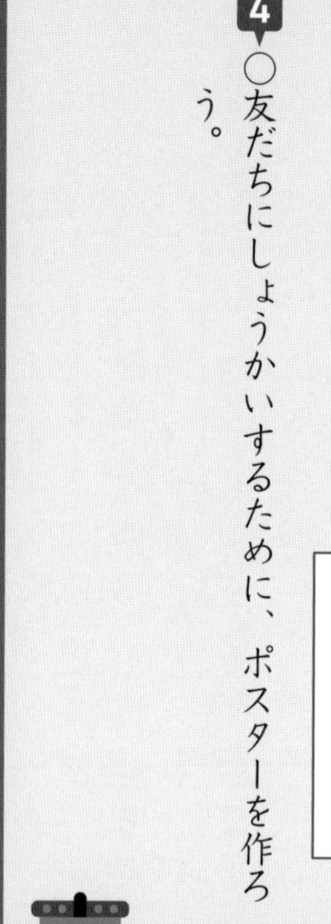

本時の目標

・「モチモチの木」で学習したことを生かして、登場人物の設定や性格、気持ちの変化などに着目しながら斎藤隆介の他の作品を読み、友達に紹介するためのポスターを作ることができる。

本時の主な評価

・選んだ本の登場人物の設定や性格、気持ちの変化などを想像しながら作品を読み、進んで友達に紹介するためのポスターを作っている。

資料等の準備

・本紹介ポスター 21-01
・紹介活動読書リスト 21-02
・斎藤隆介の絵本作品

授業の流れ ▷▷▷

1 前時に書いた「モチモチの木」の振り返りを共有する 〈10分〉

T 前回は、「モチモチの木」で学習したことを振り返りましたね。「モチモチの木」ではどんなことを学んだり、考えたりしましたか。
・豆太は臆病だと思っていた子が多かったけれど、それは語り手の言葉に影響を受けていたということです。
・最初は臆病だと思っていたけれど、最後は勇気がある子だと思いました。
・でも最初と同じように、しょんべんに１人で行けていないところがおもしろかったです。
T どんな言葉に注目して豆太やじさまの性格や気持ちを考えましたか？
・会話や行動です。

2 斎藤隆介の他の作品を紹介し、今後の学習の見通しをもつ〈10分〉

T 斎藤隆介さんは「モチモチの木」以外にも作品を書いています。「モチモチの木」で学習したことを生かして、他の作品を読んでみましょう。そしてその内容をまとめて、他の子に紹介しましょう。どのように紹介したいですか。
・ポスターを作りたいです。
・本に付いている帯を作りたいです。
○ワークシートはポスターを想定しているが、学習者の実態やこれまでの学習の積み重ねに応じて変更するとよい。
○他の学年の子に紹介したり、図書館にある斎藤隆介の本を他の子が読んでみたくなるようにする活動を設定できると、さらに目的をもって活動に取り組める。

モチモチの木　斎藤(さいとう)隆介(りゅうすけ)

1
○「モチモチの木」で学んだこと
・語り手の言葉に考えがえいきょうされていた
→勇気(ゆうき)がある。やさしい。やるときにはやる
（会話）や（行動）に注目した。

2
「モチモチの木」で学んだことを生かして、斎藤隆介さんのほかの作品を読んで、友だちにしょうかいしよう。

しょうかい活動読書リスト
・『ソメコとオニ』
・『半日村』
・『花さき山』
・『八郎』
・『かみなりむすめ』
・『三コ』
・『ふき』

3
「モチモチの木」とにているところは？
どんな登場人物かな？
どのように気持ちがかわっているかな？

3 自分で紹介する本を決めて、実際に読む 〈30分〉

T　それでは、紹介活動読書リストの中から本を選んで読み、自分が紹介する本を決めていきましょう。

○学校図書館や地域の図書館等からも本を借りて、同じ本でも複数冊用意しておけると学習活動をよりスムーズに行うことができる。

○紹介する本が決まった子は、登場人物の設定（性格）や気持ちの変化、「モチモチの木」と似ていると感じたところを、ノートなどにメモをするよう促す。

・ぼくは『ソメコとオニ』を選びました。理由は主人公のソメコが豆太と同じ５才の子だからです。でも、性格は豆太と比べるとオニのことも怖がらない度胸のある子でした。

4 友達に紹介するためのポスターを作成する 〈40分〉

T　それでは、読んだ本を友達に紹介するためのポスターを作成しましょう。ポスターの中には、登場人物がどんな人かということやどのように気持ちが変化しているのか、また「モチモチの木」と似ているなと感じたことなどをまとめましょう。

・登場人物の性格が「はじめ」と「終わり」でどのようにして変わったのか、性格と出来事とその解決に着目して、ポスターを作ります。

ICT 端末の活用ポイント

今回はプレゼンテーションソフト等を用いてポスターで作成するという学習活動を想定している。学級の実態に応じて、複数人のグループで取り組んでもよいだろう。

本時案

モチモチの木

本時の目標

・友達が紹介したポスターを見て、斎藤隆介の他の作品を読んだり、「モチモチの木」との共通点を見つけたりしながら進んで学習に取り組むことができる。

本時の主な評価

❹進んで友達が紹介したポスターを見て、斎藤隆介の他の作品を読んだり、友達の感想にふれたりして、「モチモチの木」との共通点や相違点を見つけようとしている。【態度】

資料等の準備

・前時で子供たちが作ったポスター（必要に応じて印刷）
・斎藤隆介の絵本作品
・付箋

モチモチの木と比べて書いている感想は強調して位置付けたい

授業の流れ ▷▷▷

1 本時の学習活動の見通しをもつ 〈5分〉

T　前回の学習で、斎藤隆介さんの作品を紹介するポスターを作りましたね。今日はそのポスターを基に作品を読み合いましょう。

○交流の際は、斎藤隆介の作品と友達が作成したポスターを一緒に置いておき、併せて読めるようにしておく。

T　読み合うときには、自分が選んだ作品や「モチモチの木」と比べながら読んで、似ているところを見つけられるといいですね。

○活動がスムーズに進むように、活動の流れを掲示する。

2 ポスターを基に作品を読み、読んだ感想を付箋に書く 〈30分〉

T　友達が作ったポスターを見ながら、本を読んでみましょう。読み終えたら付箋に感想を書いて、本やポスターがあるところの近くに貼っておいてください。ポスターに書かれている友達の感想と自分の感想を後で比べてみると、おもしろいですね。

〈『八郎』についての感想の例〉

・田を流された村の人々を助けたいと思ってした八郎の行動が、豆太の行動と似ていると感じました。でも山のように大きいところは、豆太と違うなと思いました。

・友達のポスターには、八郎の終わり方が寂しい感じがすると書いてあったけど、八郎は村人のためになれて幸せだったんじゃないかなと思いました。

モチモチの木

斎藤隆介（さいとう りゅうすけ）

1 ポスターをもとに、斎藤隆介さんの作品を読み合おう。

2 活動の流れ

①しょうかいポスターを読む

②ポスターをもとに作品を読む

③感想をふせんに書いてはっておく

3 ○感想をくらべてみよう。

・友だちとにていると思った

・同じものを読んでも感想がちがった

・登場人物のせいかくもにている本があった

モチモチの木と

・やさしさがキーワードになっていると思った

できるだけ

3 本時の学習を発表する 〈10分〉

T　今日はポスターを基に、いろいろな作品を読み合いました。貼ってある自分の感想と比べてみましょう。

・友達の感想と似ているところがありました。

・同じものを読んだのに、自分とは違う感想だったのがおもしろかったです。

T　他の作品や友達のポスターを見て、何か気付いたことや感じたことはありましたか。

・『ソメコとオニ』のソメコと『かみなりむすめ』のおシカは、２人ともだれかと遊びたい女の子というところが似ていると思います。

・『花さき山』も優しさがキーワードになっているところが「モチモチの木」と同じだなと思いました。

・他の作品も読んでみたくなりました。

よりよい授業へのステップアップ

ポスターの掲示や他の作品を読むことができる環境づくり

本時では、作成したポスターを読み、多くの本を手に取れるようにしたい。

しかしながら時間の都合もあり、全ての作品を読むことは難しいだろう。授業後も子供たちが作成したポスターを教室や廊下に掲示して、他のクラス、学年の子も作品を手に取れるような環境をつくるとよい。可能であれば、自由に読んだ感想を書いてもらうなど、フィードバックがあると今後の学習にもつながるだろう。

資料

1 第10・11時　本紹介ポスター 21-01

えらんだ本

中心となる人物

年　　組　名前（　　　　　　　　　　　　　　）

どんな登場人物か

どのように気持ちがかわっているか

「モチモチの木」とにているところ

読んだ感想

2 第10・11時　紹介活動読書リスト ⤓ 21-02

しょうかい活動読書リスト

- 『ソメコとオニ』
- 『半日村』
- 『花さき山』
- 『八郎』
- 『かみなりむすめ』
- 『ミコ』
- 『ふき』

2年生で習った漢字

漢字の広場⑥ （2時間扱い）

単元の目標

知識及び技能	・第2学年までに配当されている漢字を書き、文や文章の中で使うことができる。((1)エ) ・修飾と被修飾との関係について理解することができる。((1)カ)
思考力、判断力、表現力等	・間違いを正したり、相手や目的を意識した表現になっているかを確かめたりして、文や文章を整えることができる。(Bエ)
学びに向かう力、人間性等	・言葉がもつよさに気付くとともに、幅広く読書をし、国語を大切にして、思いや考えを伝え合おうとする。

評価規準

知識・技能	❶第2学年までに配当されている漢字を書き、文や文章の中で使っている。(〔知識及び技能〕(1)エ) ❷修飾と被修飾との関係について理解している。(〔知識及び技能〕(1)カ)
思考・判断・表現	❸「書くこと」において、間違いを正したり、相手や目的を意識した表現になっているかを確かめたりして、文や文章を整えている。(〔思考力、判断力、表現力等〕Bエ)
主体的に学習に取り組む態度	❹積極的に第2学年までに配当されている漢字を書き、これまでの学習を生かして、修飾語を用いて漢字を適切に使った文を作ろうとしている。

単元の流れ

時	主な学習活動	評価
1	学習の見通しをもつ ・提示されている漢字の読み方、書き方を確認する。 ・教科書 p.137の絵を見て、季節ごとの人物の行動や周りの様子を説明する。 絵の中の人になりきって、それぞれのきせつでどんなことをしたかを書こう。	❶❷
2	・提示されている漢字やそれ以外の既習の漢字を使って、それぞれの季節の様子を説明する文を書く。 ・書いた文を友達と読み合う。 学習を振り返る ・学習の達成度を自己評価し、学習を振り返る。	❸❹

授業づくりのポイント

〈単元で育てたい資質・能力〉

本単元のねらいは、第２学年までに配当されている漢字を書き、文や文章の中で使うことができる力を育むことである。そのため、季節の出来事といった身近な事柄を文として組み立てる上で、漢字をどのように用いれば、その季節にあったことや周りの様子を書き表すことができるのかを押さえられるようにしたい。さらに、本単元では、修飾と被修飾との関係への理解もねらいとしている。修飾語を使うことにより、そのものの様子や状況を詳しく表すことができるといったよさに、子供たちが気付くことができるようにすることも大切である。

〈教材・題材の特徴〉

本教材で提示されている漢字として、「春」や「夏」といった季節を表す漢字、「海」や「雪」といった季節との関連が強い漢字、「食べる」や「歩く」といった動作を表す漢字などがある。教科書p.137内の（れい）に示されているように、１つの絵の中で、提示されている漢字を組み合わせて書くことで、季節ごとにしたことを表す文を作ることができる。また、季節ごとの絵には、子供たちからそこで提示されていない修飾語が引き出されるような工夫もなされている。その１つが（れい）で紹介されている文である。（れい）に示されている「友だちと」「ピクニックに」「すっきりと」「あたたかな」といった言葉から、子供たちは修飾語について理解を深めることができる。この春の例文をヒントに、春以外の季節についても、まだ言葉として表されていないことを絵から想像し、修飾語を補いながら文を作ることで、書く内容が充実することが期待できる。

〈言語活動の工夫〉

はじめに、「絵の中の人になりきって、それぞれの季節でしたことの文を書く」という言語活動をきちんと押さえ、見通しをもてるようにすることが重要である。この見通しをもった上で、「絵の中の人になりきる」手だてとして、五感を観点にして書くことが考えられる。それぞれの絵の中の人が感じたものの様子を詳しく書き表そうとすることで、修飾語を適切に取り入れることが期待できる。また、次の単元である「三年生をふり返って」を意識して、既習の「春のくらし」や「冬のくらし」などと関連を図ることも考えられるだろう。

[具体例]

○五感に関する一例として、春の絵の中で、その人が感じた「風」について、子供に「どんな風だったと思う？」と問う。子供からは「あたたかい」のほかにも、「気持ちいい」や「花のいいにおいがする」といった修飾語が出されることが予想される。それらの修飾語も漢字を用いながら適切に書けるように促していく。

〈ICT の効果的な活用〉

調査：普段あまり使用していない言葉を使用する場合、辞書のほか、インターネットによる検索を用いて、その言葉の使い方や使用例を調べて、書く活動に生かせるようにする。

共有：提示されている漢字を用いて文を作ったり、修飾語を多様に書き出したりする際のヒントとして、ホワイトボードアプリなどを用い、一人一人のアイデアを共有することが考えられる。

記録：提示されていない漢字や修飾語の中で、絵を基に書き表すことができるものは、端末のメモ機能や文章作成を用いて蓄積しておき、自分が書きたいときに生かせるようにする。

本時案

漢字の広場⑥

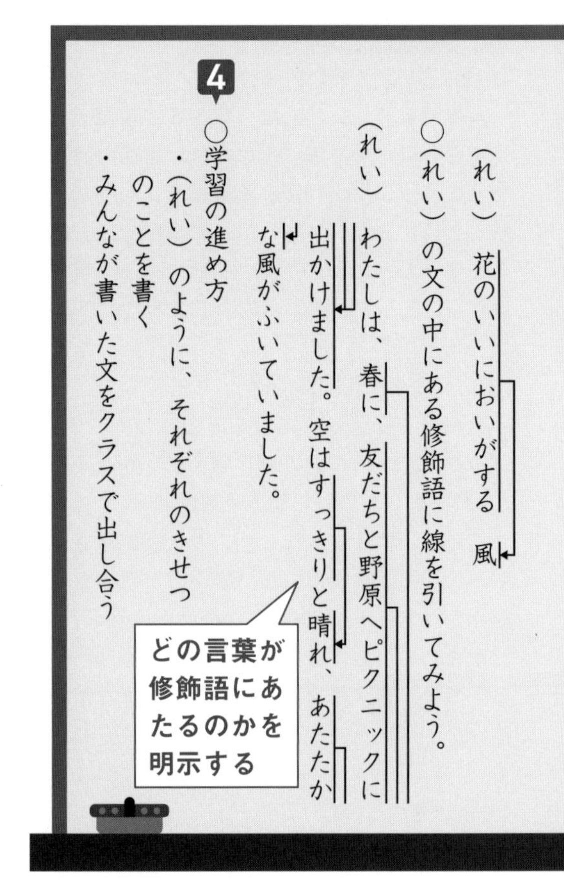

本時の目標

・第2学年までに配当されている漢字を書くことができる。
・修飾と被修飾との関係について理解することができる。

本時の主な評価

❶それぞれの季節のことについて第2学年までに配当されている漢字を書いている。【知・技】
❷周りの様子を詳しくする修飾と被修飾との関係について理解している。【知・技】

資料等の準備

・教科書 p.137の絵の拡大コピー

授業の流れ ▷▷▷

1 学習のめあてなどを押さえ、見通しをもつ 〈10分〉

○教科書 p.137の絵を提示し、何が描かれているかを押さえて、学習のめあてを示す。
T　この絵には、何が描かれていますか。
・季節の思い出が描かれています。
T　そうですね。この絵の中の人になりきって、それぞれどんなことをしたかを書きましょう。そのために、まず、それぞれの季節の絵を詳しく見てみましょう。
・春は、友達とピクニックに行ったときのことが描かれています。
・夏は、海へ行ったときのことです。「麦茶」を飲んでいるから、とても暑そうです。
○それぞれの絵に描かれている様子を出し合う中で、示されている漢字にも自然と目を向けられるようにしたい。

2 教科書に示されている2年生の漢字を復習する 〈20分〉

○教科書の中で示されている漢字を出し合いながら、読み方や書き方を復習する。
T　p.137の絵の中に、どんな漢字が書かれていますか。
・「海」や「米」、「雪」など季節に関係する漢字が書かれています。
・そのほか、「野原」や「雲」、「星」など、自然に関係する漢字も多いです。
T　そうですね。これらの漢字は、全て2年生で習った漢字ですが、もう一度、読み書きを復習しましょう。
○教科書に示されている漢字については、その読み書きを自筆しながら復習できるようにする。

漢字の広場⑥

教科書p.137の挿絵

1

絵の中の人になりきって、それぞれのきせつで
どんなことをしたかを書こう。

春…　友だちとピクニックに行ったときのこと
夏…　家ぞくで海へ行ったときのこと
秋…　お父さんと夕方、さんぽをしたときのこと
冬…　友だちと夜、雪であそんだときのこと

2

○漢字の読み書きをかくにんしよう。
春…　野原　昼ごはん　食べる　晴れ　風
　　明るい　鳥
夏…　魚　雲　船　体そう　岩　海　麦茶
秋…　遠い　汽車（きしゃ）　山里　歩く　米
冬…　星　夜空　雪　毛糸

3

○修飾語（しゅうしょくご）を使って、まわりの様子もくわしく表そう。
→いつ　どこで　だれに　何を　だれの　どんな　ど
　のように　など

すでに学習した修飾語の説明を板書する

3 修飾語について振り返る〈10分〉

○修飾語については、既習ではあるが、改めて確認をしたい。どんな言葉が修飾語となるのかを踏まえた上で、実際に（れい）を用いて、確実に押さえられるようにする。

T　どんな言葉が修飾語になるでしょうか。

・「いつ」「どこで」「どんな」「何を」などの言葉だったと思います。

・例えば、「花のいいにおいがする」風とすると、どんな風だったかが詳しくなります。

T　そうですね。ほかにも「だれに」「だれの」「どのように」なども修飾語になります。

ICT 端末の活用ポイント

修飾語の定義やどんな言葉が修飾語となるのか、その用例を、インターネットを使って検索することも考えられる。

4 学習の進め方を決め、次時の見通しをもつ〈5分〉

○本時の学習を踏まえ、次時の学習の進め方を子供と一緒に考えて決め、次時の学習の見通しをもてるようにする。

T　次の時間は、どのように学習を進めていきますか。

・p.137の（れい）のように、それぞれの季節でどんなことをしたのか書こうと思います。

・みんながどんな文を考えたのか知りたいので、書いた文をクラスで読み合いたいです。

T　では、次の時間はそのように進めていきましょう。書くときには、いろいろな修飾語を入れながら書いていきましょう。

○単元の目標を押さえながら、子供の意見を聞いて、次時の学習の方向性を決めるとよい。

本時案

漢字の広場⑥

本時の目標

・絵に描かれていることを基に、それぞれの季節でしたことについて修飾語や第２学年までに配当されている漢字を用いて、文を書くことができる。

本時の主な評価

❸間違いを正したり、周りの様子を詳しくすることを意識した表現になっているか確かめたりして、文を整えている。【思・判・表】
❹周りの様子を詳しくする修飾語を取り入れ、第２学年までに配当されている漢字を適切に用いた文を作ろうとしている。【態度】
・季節ごとにしたことを表す第２学年までに配当されている漢字を文の中で使っている。

資料等の準備

・教科書 p.137の絵の拡大コピー

遠くに汽車が通るのが見えました。
すずしくて気持ちがよかったです。
冬…わたしは、冬に、友だちと雪であそびました。
さむかったので、毛糸のぼうしや手ぶくろをつけました。
見上げると、夜空にきれいな星が見えました。

3
○学習のふり返り
・それぞれのきせつでしたことを書くことができた
・漢字を使ったり修飾語を入れたりすると様子をくわしく表すことができる

授業の流れ ▷▷▷

1 前時を振り返り、本時の見通しをもつ 〈５分〉

○前時の学習を振り返り、本時の学習の進め方を確認し、見通しをもてるようにする。

T　前の時間に今日の学習の進め方を確認しました。今日は何から始めますか。

・p.137の（れい）のように、絵の中の人になりきってそれぞれの季節でしたことを書くことから始めます。

・その後、みんなで書いたものを出し合いたいです。

T　では、そのように進めていきましょう。修飾語を必ず入れて書いてみましょう。

○学級の実態に応じて、見通しをどこまで具体的にもつかを決め、次の学習活動が滑らかに始められるようにしたい。

2 文を作り、作った文をクラスで共有する 〈30分〉

○２年生までに習った漢字を文の中で使うことが目標であるため、１つの季節だけでなく、全ての季節で文を作るように促す。また、それらを自筆で書く場を設ける。

T　１つの季節だけでなく、４つの季節も入れて１年間の思い出を書いて発表しましょう。

・夏について、修飾語を入れて書いてみよう。

○修飾語について説明を加える場合には、具体例を挙げながら、「目で見たこと」や「はだで感じたこと」などの五感をヒントにするように伝えるとよい。

ICT 端末の活用ポイント

ホワイトボードアプリを活用して、各自の学習状況を把握し、書き出せない子供や修飾語が取り入れられていない子供へは個別に対応する。

漢字の広場⑥

1

絵の中の人になりきって、それぞれのきせつでどんなことをしたを書こう。

教科書p.137の挿絵

○「いつ」「どこで」「だれと」などの修飾語を使って、まわりの様子もくわしく表そう。
○春の（れい）のように、それぞれのきせつのことを書いて、クラスで出し合おう。

2

春…（れい）わたしは、春に、友だちと野原へピクニックに出かけました。空はすっきりと晴れ、あたたかな風がふいていました。

目で見たこと
はだで感じたこと

夏…わたしは、夏に家ぞくで海へ行きました。空はよく晴れ、白くて大きな雲が見えました。とても暑かったので、麦茶をたくさん飲みました。冷たくてとてもおいしかったです。

秋…わたしは、秋に、お父さんと山里のお米が実った道を歩きました。

3 学習を振り返る 〈10分〉

○学習を振り返り、子供が自らの学習を自己評価できるようにする。単元で定めためあての達成状況や、学習活動の中で気付いたことなどを書けるようにしたい。

T　今回の学習を振り返りましょう。めあては達成できたでしょうか。

・修飾語を入れながら、1年間の思い出を書けたので、達成できたと思います。
・漢字を用いたり、修飾語を入れたりすると、様子を詳しく書くことができるので、やっぱりいいなと思いました。

ICT端末の活用ポイント

オンライン上の共有アプリに学習感想を記録することで、子供一人一人の自己評価の状況を把握しやすくなる。

よりよい授業へのステップアップ

これまでの学習とこれからの学習をつなぐ

本単元の学習目標の1つに修飾語への理解がある。修飾語はすでに学習しているが、定着を図るには、本時のように実際に用いてみることが重要である。

さらに、本単元の後には、1年間を振り返る「書くこと」の単元が控えている。その単元とも関連を図ることで、本単元の学習をすぐに活用することができる。これまでと今、そして、これからの学びを意図的につなげることで、それぞれの学びが生かされるようにしたい。

三年生をふり返って　1時間扱い

単元の目標

知識及び技能	・言葉には、考えたことや思ったことを表す働きがあることに気付くことができる。((1)ア)
思考力、判断力、表現力等	・経験したことや想像したことなどから書くことを選び、伝えたいことを明確にすることができる。(B ア)
学びに向かう力、人間性等	・言葉がもつよさに気付くとともに、幅広く読書をし、国語を大切にして思いや考えを伝え合おうとする。

評価規準

知識・技能	❶言葉には、考えたことや思ったことを表す働きがあることに気付いている。(〔知識及び技能〕(1)ア)
思考・判断・表現	❷「書くこと」において、経験したことや想像したことなどから書くことを選び、伝えたいことを明確にしている。(〔思考力・判断力・表現力等〕B ア)
主体的に学習に取り組む態度	❸進んで経験したことや想像したことから書くことを選び、伝えたいことを明確にし、学習課題に沿って身に付けた言葉の力を書こうとしている。

単元の流れ

時	主な学習活動	評価
1	この1年間の国語の学習で学んだことを振り返り、自分が身に付けたと思う言葉の力を書き、友達と伝え合う。	❶ ❷ ❸

授業づくりのポイント

〈単元で育てたい資質・能力〉

本単元では、1年間学んだことを振り返り、どのような学習活動を経験してきたのかを想起する。その後、学習して特に身に付いたと思う言葉の力を書いてまとめられるようにしたい。そのためにも、身に付いたと思う言葉の力が、「話すこと・聞くこと」「書くこと」「読むこと」のどの領域に関係しているのかを理解して、自身の学習を振り返る力を育みたい。

3年生で学んだことは、おおまかには次のとおりである。「話すこと・聞くこと」では、目的意識をもって話す内容を明らかにして、理由や事例を挙げる話し方、記録や質問をする聞き方などを学んだ。例えば、「おすすめの一さつを決めよう」では、話し合う目的と1冊を決めることを確かめて、グループで話し合った。「もっと知りたい、友だちのこと」では、大事なことを落とさないように質問したり、質問に答えたりした。これらの学習活動を通して、言葉の力を身に付けてきた。

「書くこと」では、説明文で捉えた筆者の書き方を生かして、読む人に分かりやすい文章を書いた。

他にも、登場人物の気持ちや人物らしさが分かるように会話や行動の書き方を工夫したり、出来事の組み立てを考えたりして物語を創作した。その中で、主語と述語の関係、敬体や常体などを推敲することを経験した。例えば、「食べ物のひみつを教えます」では、「はじめ」「中」「終わり」に分けて文章を組み立てたり、例の挙げ方を考えたりして文章を書いた。

「読むこと」では、説明文の学習で、筆者の考えとそれを支える事例の書かれ方を考えながら読む経験を積んでいる。物語文では、行動や会話、語り手の言葉などから登場人物の気持ちを捉えたり、複数の場面や叙述を比べながら気持ちの変化を読み取ったりした。例えば「すがたをかえる大豆」では、例を挙げる順序など、書き方の工夫について本文を読みながら学んだ。「モチモチの木」では、語り手が登場人物について語る言葉を読み取り、性格や登場人物の気持ちの変化について考えた。そして、友達と感想を交流して、新しい考えに出合いながら学習してきた。

これらの学びで身に付けた言葉の力を振り返ることで、自分の成長に気付けるようにする。さらに、言葉の力がこれからどのようなときに生かせるのかを考え、友達と交流することで、「学んだことを４年生でも生かしたい」と感じられるようにしたい。４年生の学習が楽しみになるように指導することが大切である。

〈教材・題材の特徴〉

学習してきたことも、時間が経つにつれて記憶が薄れ曖昧になる。教材名は覚えているが、どのような言葉の力が身に付いたのかを明確に表現することは難しい。本教材は、教科書 p.140「『たいせつ』のまとめ」を見て、学んできた言葉の力を振り返ることができるようになっている。「『たいせつ』のまとめ」には、言葉の力が「話す・聞く」「書く」「読む」で区分して掲載されている。そのため、過去の学習を思い返す手掛かりとして有効である。

学習を振り返ったり、身に付けた言葉の力を友達と伝え合ったりする中で、自分の成長を実感できる教材である。

［具体例］

p.140「『たいせつ』のまとめ」を見た後で、想定される振り返りの例を以下に示す。

○教科書 p.141「書く」に記載されている「書き表し方をくふうして、物語を書く」を見ると、例えば、「『たから島のぼうけん』では、登場人物らしさが読む人に伝わるように、台詞を工夫して書く力が身に付いた」のような振り返りが想定される。

○教科書 p.142–143「読む」に記載されている「場面をくらべながら読み、感想をもつ」を見ると、例えば、「『ちいちゃんのかげおくり』で、場面を比べながら、登場人物の気持ちの移り変わりを考えて読むことができた」のような振り返りが想定される。

〈言語活動の工夫〉

身に付いたと思う言葉の力を考えた後に、グループで発表したり、友達と１対１で伝え合ったりする。友達が身に付けたと思う言葉の力を聞いて共感したり、自分が身に付けたと感じる言葉の力を友達から認めてもらったりすることで、一人一人が自信をつけられるようにする。そして、これからの学習への意欲を高められるようにしたい。

本時案

三年生をふり返って

本時の目標

・１年間で身に付けた言葉の力を書き、国語で学んできたことを振り返ることができる。

本時の主な評価

❶１年間の学習を振り返り、身に付けた言葉の力に気付いている。【知・技】
❷１年間の国語で学んだことから特に身に付けた言葉の力を選び、書くことを明確にしている。【思・判・表】
❸学習した内容を進んで振り返り、１年間で身に付けた言葉の力を書き、友達に伝えようとしている。【態度】

資料等の準備

・ワークシート 23-01
・ワークシートの記入例 23-02

「終わり」に分けて読むことができた
・「こまを楽しむ」で、「問い」と「答え」を見つけて読むことができた

4
○言葉の力はどんなときに生かせるのだろう。
・学級会の司会の進め方で生かしたい
・発表するときに、声の強さや速さをくふうできる
・日記を書くときは、文章をたしかめて書く
・手紙を書くときは、相手に合わせて書く
◎いろいろな場面で、言葉の力が役立つ

授業の流れ ▷▷▷

1 これまで、国語科の学習で学んだことを振り返る 〈５分〉

T　これまでたくさんのことを学んできましたね。どんなことを学んできましたか。題名や活動したことなどを思い出してみましょう。
・「ちいちゃんのかげおくり」を読みました。
・「ありの行列」も読みました。
・本を紹介する話し合いをしました。
・食べ物について説明する文章を書きました。
T　話すことと聞くこと、書くことや読むことについて学びました。今日は、そこで身に付いた言葉の力を考えていきます。
○学習した教材名を伝えたり配付したりし、そこから学んだことを思い出せるようにする。教科書の目次ページから想起することも効果的である。

2 学習を通して身に付いたと思う言葉の力をワークシートにまとめる 〈20分〉

T　１年間で楽しかった学習は何ですか。
・「たから島のぼうけん」で、物語を書いたのがおもしろかったです。
・「三年とうげ」の話がおもしろくて、楽しく音読しました。
T　「たから島のぼうけん」や「三年とうげ」の学習では、どんな力が身に付いたと思いますか。特に自分が身に付いたと思う言葉の力を、「『たいせつ』のまとめ」を見ながら選び、ワークシートに書きましょう。
・登場人物の会話を工夫して書く力が身に付いたと思います。
・リズムよく読める言葉を見つけられました。
○楽しかった学習を振り返った後に、その学習で身に付いた力を考える。

三年生をふり返って

1 ○これまでの国語の学習で学んだこと

・「ちいちゃんのかげおくり」
・「ありの行列」
・「おすすめの一さつを決めよう」で司会（しかい）をした。

三年生の学習をふり返って、身についた言葉の力を考えよう。

2 ○学習して身についたこと

3 〈話す・聞く〉

・友だちの考えをみとめながら話すことができた
・意見をまとめて、話し合う力が身についた

〈書く〉

・「たから島のぼうけん」で、会話をくふうして物語を書いた
・れいの順序（じゅんじょ）をくふうして文章が書けた

〈読む〉

・「三年とうげ」で、リズムよく読める言葉を見つけるができた
・「ありの行列」で、「はじめ」「中」

身に付いた力を「話す・聞く」「書く」「読む」に分けて整理する

3 ワークシートにまとめたことを発表し合う 〈15分〉

T　ワークシートにまとめたことを、友達と発表し合いましょう。
・「おすすめの一さつを決めよう」では、司会をして、友達の発表を聞き、意見をまとめることができました。
・「食べ物のひみつを教えます」で、例の順番を考えて文を書くことができました。書き方が上手くなったと思います。
・説明文では、「はじめ」「中」「終わり」に分けて読むことができました。
○グループで発表したり、友達と１対１で伝え合ったりすることを通して、身に付いた言葉の力を認め合うことが大切である。

4 どのような場面で言葉の力が生かせるのか考える 〈５分〉

T　身に付いたと思う言葉の力は、どんなときに生かせそうですか。
・みんなの前で発表する場面では、声の強弱や速さを工夫できると思います。
・日記を書くときに生かせそうです。
・手紙を書くとき、相手に合わせて丁寧な言葉を使って書けると思います。
・４年生の物語文の学習で、語り手の言葉を大切にして読むことができます。
T　これからも言葉の力が生かされていくことが分かりますね。４年生になっても、言葉の力を身に付けていきましょう。
○言葉の力の生かし方を考え、発表し合うことで、様々な場面で役立つと学級全体で実感できるようにしたい。

資料

1 第1時 ワークシート 23-01

三年生をふり返って

名前

○ 楽しかった国語の学習は何ですか（題名や活動したことを書きましょう）。

・
・
・

○ どのような言葉の力が身についたと思いますか。「『たいせつ』のまとめ」を見ながら、身についたと思うこと・できるようになったことを書きましょう。

・
・
・
・
・
・

○ どのような場面で、身についた言葉の力が生かせそうですか。

・
・
・

2 第1時 ワークシートの記入例 23-02

三年生をふり返って　ワークシート記入例

名前

○ 楽しかった国語の学習は何ですか（題名や活動したことを書きましょう）。

・「たから島のぼうけん」で物語を書いたことが楽しかった
・「三年とうげ」の話がおもしろくて、楽しく音読した

○ どのような言葉の力が身についたと思いますか。「『たいせつ』のまとめ」を見ながら、身についたと思うこと・できるようになったことを書きましょう。

・「おすすめの一さつを決めよう」では、司会をして意見をまとめられた
・話している人を見ながら、話の中心に気をつけて聞くことができた
・読む人に分かりやすくなるように、れいの順番を考えて文を書けるようになった
・相手に合わせた言葉を使って、文を書く力が身についた
・物語を読むときに、場面をくらべて読む力が身についた
・説明文では、「はじめ」「中」「終わり」に分けて読むことができるようになった

○ どのような場面で、身についた言葉の力が生かせそうですか。

・みんなの前で発表するときに、声の強さや速さをくふうできる
・手紙を書くときに、ていねいな言葉を使って書けると思う
・物語文の学習で、語り手がいるか、かくにんしながら読むことができる

監修者・編著者・執筆者紹介

＊所属は令和６年６月現在

[監修者]

中村　和弘（なかむら　かずひろ）　東京学芸大学教授

[編著者]

茅野　政徳（かやの　まさのり）　山梨大学大学院教授

櫛谷　孝徳（くしや　たかのり）　神奈川県相模原市立清新小学校教諭

[執筆者]（執筆順）

中村　和弘	（前出）	●まえがき　●「主体的・対話的で深い学び」を目指す授業づくりのポイント　●「言葉による見方・考え方」を働かせる授業づくりのポイント　●学習評価のポイント　●板書づくりのポイント　● ICT 端末等活用のポイント
茅野　政徳	（前出）	●第３学年の指導内容と身に付けたい国語力
曽根　朋之	東京学芸大学附属竹早小学校教諭	●ちいちゃんのかげおくり
野村　健太	神奈川県相模原市立谷口台小学校教諭	●修飾語を使って書こう
小林昂太朗	神奈川県小田原市立千代小学校教諭	●秋のくらし　●冬のくらし
村地　和代	滋賀県湖南市立石部南小学校教頭	●おすすめの一さつを決めよう
佐野　裕基	神奈川県平塚市立花水小学校教諭	●すがたをかえる大豆／食べ物のひみつを教えます
堀之内志直	山梨大学教育学部附属小学校教諭	●ことわざ・故事成語
髙坂　祐樹	神奈川県横須賀市立山崎小学校総括教諭	●漢字の意味
青木　大和	千葉大学教育学部附属小学校教諭	●短歌を楽しもう
石川　和彦	山梨大学教育学部附属小学校教諭	●漢字の広場④　●漢字の広場⑤　●漢字の広場⑥
白川　治	横浜国立大学教育学部附属横浜小学校教諭	●三年とうげ
奥村　千絵	神奈川県横浜市立一本松小学校教諭	●わたしの町のよいところ
石川　啓祐	神奈川県愛川町立高峰小学校教諭	●詩のくふうを楽しもう
諸岡　朋子	東京都目黒区立中根小学校教諭	●四まいの絵を使って
島田　絢子	山梨県南アルプス市立若草小学校教諭	●カンジーはかせの音訓かるた
田中　真琴	神奈川県川崎市立はるひ野小学校教諭	●ありの行列
伊東　良子	神奈川県茅ヶ崎市立鶴嶺小学校教諭	●つたわる言葉で表そう
麻生　達也	横浜国立大学教育学部附属横浜小学校教諭	●たから島のぼうけん
木之下知子	石川県金沢市立花園小学校教頭	●お気に入りの場所、教えます
久保田旬平	早稲田大学系属早稲田実業学校初等部教諭	●モチモチの木
髙橋　亮	神奈川県相模原市立並木小学校教諭	●三年生をふり返って

『板書で見る全単元の授業のすべて 国語 小学校3年下～令和6年版教科書対応～』付録資料について

本書の付録資料は、東洋館出版社オンラインショップ内にある「付録コンテンツページ」からダウンロードすることができます。

【付録コンテンツページ】

URL https://toyokan-publishing.jp/download/

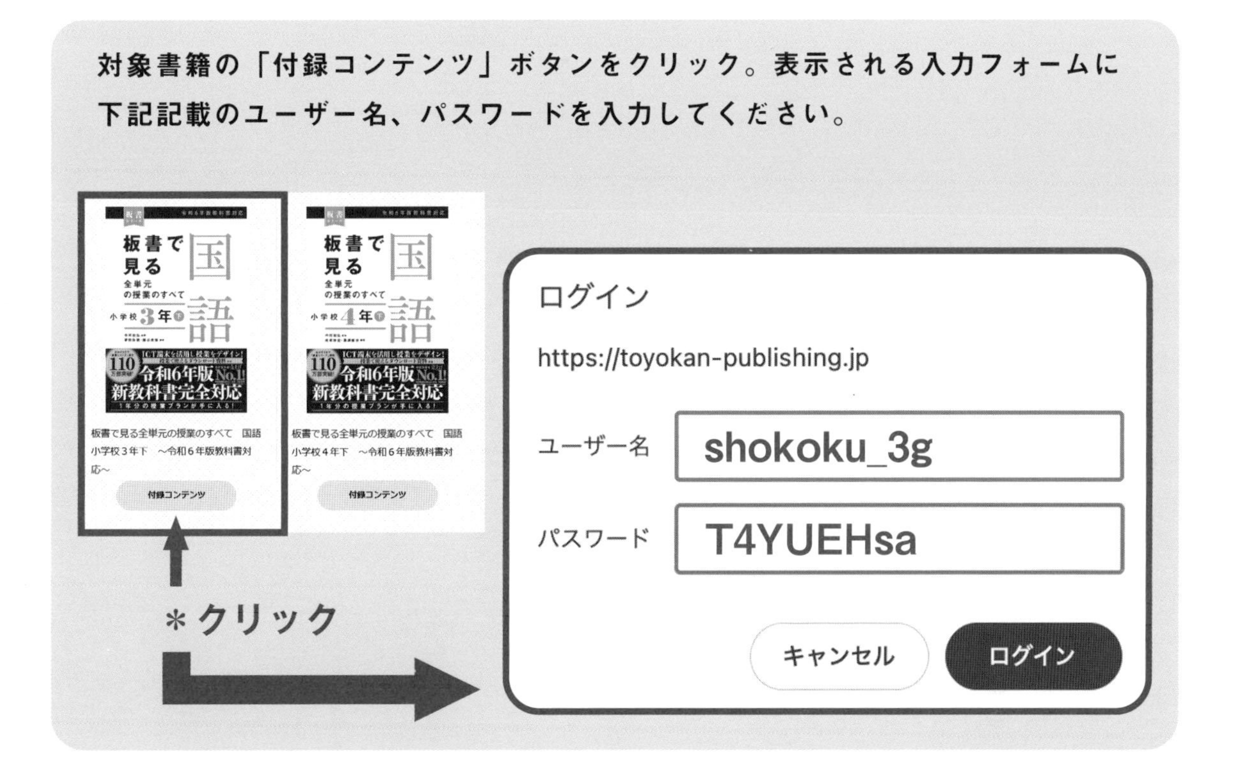

【使用上の注意点および著作権について】

・リンク先にはパソコンからアクセスしてください。スマートフォンではファイルが開けないおそれがあります。
・PDFファイルを開くためには、Adobe Readerなどのビューアーがインストールされている必要があります。
・収録されているファイルは、著作権法によって守られています。
・著作権法での例外規定を除き、無断で複製することは法律で禁じられています。
・収録されているファイルは、営利目的であるか否かにかかわらず、第三者への譲渡、貸与、販売、頒布、インターネット上での公開等を禁じます。
・ただし、購入者が学校での授業において、必要枚数を生徒に配付する場合は、この限りではありません。ご使用の際、クレジットの表示や個別の使用許諾申請、使用料のお支払い等の必要はありません。

【免責事項・お問い合わせについて】

・ファイル使用で生じた損害、障害、被害、その他いかなる事態についても弊社は一切の責任を負いかねます。
・お問い合わせは、次のメールアドレスでのみ受け付けます。tyk@toyokan.co.jp
・パソコンやアプリケーションソフトの操作方法については、各製造元にお問い合わせください。

カスタマーレビュー募集

本書をお読みになった感想を下記サイトにお寄せ下さい。レビューいただいた方には特典がございます。

https://toyokan.co.jp/products/5402

板書で見る全単元の授業のすべて
国語 小学校3年下
〜令和6年版教科書対応〜

2024(令和6)年8月20日　初版第1刷発行

監 修 者：中村　和弘
編 著 者：茅野　政徳・櫛谷　孝徳
発 行 者：錦織　圭之介
発 行 所：株式会社東洋館出版社
〒101-0054　東京都千代田区神田錦町2丁目9番1号
コンフォール安田ビル2階
代　表 TEL：03-6778-4343　FAX：03-5281-8091
営業部 TEL：03-6778-7278　FAX：03-5281-8092
振　替 00180-7-96823
U R L https://www.toyokan.co.jp
印刷・製本：藤原印刷株式会社

装丁デザイン：小口翔平＋村上佑佳（tobufune）
本文デザイン：藤原印刷株式会社
イラスト：すずき匠（株式会社オセロ）

ISBN978-4-491-05402-5　　Printed in Japan